L'enlèvement de Sabina

Felicia Mihali

L'enlèvement de Sabina

roman

Catalogage avant publication de Bibliothèque et Archives nationales du Québec et Bibliothèque et Archives Canada

Mihali, Felicia, 1967-

L'enlèvement de Sabina

ISBN 978-2-89261-644-6

I. Titre.

PS8576.I295E55 2011   C843'.6   C2011-941316-7
PS9576.I295E55 2011

L'auteure remercie le Conseil des arts et des lettres du Québec pour son soutien financier.

Les Éditions XYZ bénéficient du soutien financier des institutions suivantes pour leurs activités d'édition :
– Conseil des Arts du Canada ;
– Gouvernement du Canada par l'entremise du Programme d'aide au développement de l'industrie de l'édition (PADIÉ) ;
– Société de développement des entreprises culturelles du Québec (SODEC) ;
– Gouvernement du Québec par l'entremise du programme de crédit d'impôt pour l'édition de livres.

Conception typographique et montage : Édiscript enr.
Montage de la couverture : Zirval Design
Photographie de la couverture : Giuseppe Cesari, le Cavalier d'Arpino, Musées du Capitole, Rome
Photographie de l'auteure : Martine Doyon

ISBN version imprimée : 978-2-89261-644-6
ISBN version numérique (PDF) : 978-2-89261-669-9

Dépôt légal : 3ᵉ trimestre 2011
Bibliothèque et Archives nationales du Québec
Bibliothèque et Archives Canada

Diffusion/distribution au Canada :
Distribution HMH
1815, avenue De Lorimier
Montréal (Québec) H2K 3W6
www.distributionhmh.com

Diffusion/distribution en Europe :
Librairie du Québec/DNM
30, rue Gay-Lussac
75005 Paris, FRANCE
www.librairieduquebec.fr

Imprimé au Canada

www.editionsxyz.com

Toute histoire est un roman et tout
roman est une histoire.
                    Benedetto Croce

La fête

Les cris des Slavines enfermées dans la grange avaient cessé. Était-ce la peur où la résignation ? Leurs pères, leurs frères et leurs oncles s'étaient-ils mis en route pour leur porter secours ou ronflaient-ils encore depuis la soûlerie de la veille ?

Les Comans avaient encerclé la bâtisse, couteaux en main, en attente de l'attaque. Ils n'espéraient pas une paix facile avec les Slavins, car tenir leurs filles en otage ne leur garantissait pas la victoire. Leurs voisins allaient se battre pour les reconquérir, c'était inévitable, mais à quel moment, par quels moyens et par quels chemins ? L'aube serait-elle le moment de l'attaque, à l'abri mystifiant du brouillard ? Ou le midi aveuglant sous le soleil trompeur de la fin de septembre ? Ou ne serait-ce que le soir, lorsque la fatigue d'une nuit de veille et d'une journée d'attente aurait affaibli leur vigilance ? Tôt ou tard, les Slavins allaient cruellement venger l'enlèvement de leurs filles. Cela n'était pas qu'une question de femmes ! Comment pardonner l'outrage d'avoir bafoué l'hospitalité due à un invité, d'avoir trahi sa confiance, d'avoir humilié son orgueil, d'avoir sali sa réputation ?

À l'intérieur de la grange, quelques femmes recommencèrent à appeler au secours, suivies peu après par les autres. Leurs cris, faibles et timides au début, s'intensifièrent, puisque personne ne les réprimandait ni ne leur imposait le silence. Ce vacarme apportait à leurs gardiens un faible soulagement, car le silence était plus dur à supporter que leurs cris. Si leurs pères étaient déjà dans les parages, les lamentations des femmes allaient les inciter à éviter le carnage ou l'incendie des lieux, car ils ne voudraient pas mettre leurs vies en danger. S'ils avaient levé le village entier à la rescousse des prisonnières, ils devraient d'abord se soucier de les ramener à leur famille saines et sauves. C'était pourquoi Onou, le chef, conseilla aux jeunes Comans :

— Laissez-les crier. Il faut en finir d'une manière ou d'une autre. Mieux vaut se battre plus tôt que trop tard. Qu'ils arrivent et qu'on en finisse.

Ce qu'Onou voulait dire était que le combat avec les Slavins allait sceller le sort des femmes enlevées : ou elles resteraient ou elles rentreraient dans leur village. Mais les jeunes Comans sous son commandement pensaient, au contraire, que les jeunes filles leur appartenaient, quelle que fût le prix à payer. À quoi bon le vin et la viande gaspillés si, à la fin, ils se retrouvaient seuls au lit ? Leurs bras tendus et leurs yeux scrutant la forêt trahissaient leur résolution de combattre férocement pour leur butin. Les Slavines étaient à leur côté, et elles allaient y rester. Elles allaient, assurément, accoucher de leurs enfants et travailler dans leurs champs pour le restant de leurs jours.

Nul d'entre eux n'avait encore bâti de rêves trop osés, car la peur annihilait leurs envies attisées la veille, pendant la fête. Cependant, dans les brefs délais accordés par le guet, chacun ravivait l'émoi engendré par l'arrivée des jeunes Slavines dans leur village. Toutes étaient vêtues de leurs plus beaux habits, et leurs tresses, dressées en couronne au sommet de la tête, étaient piquées de fleurs sauvages. À table, elles se tenaient derrière les hommes de leur famille, participant, discrètement, à la joie générale, mangeant et buvant avec mesure. Pour se protéger des moustiques qui les vampirisaient, les unes se servaient de feuilles de bardane, ramassées en route. Au comble de la fête, certaines d'entre elles avaient accepté de danser autour des feux allumés non loin des tables : d'autres étaient restées assises, se moquant de la gaucherie de leurs hôtes. Les Slavins réprimandaient gentiment leurs filles pour ces moqueries, tout en s'abstenant de ne pas éclater, eux aussi, de rire. Leurs admonestations, toutefois, mettaient encore plus en évidence les mauvaises qualités de danseurs des amphitryons. Les invités tenaient à se montrer reconnaissants pour le vin généreusement offert par les jeunes Comans, qui se promenaient autour des tables avec les gourdes pleines, et pour la viande qui n'avait pas le temps de refroidir dans leurs assiettes avant d'être remplacée par un nouveau morceau.

Tout avait commencé à la fête des Moutons, celle qui annonçait la fin de l'été en même temps que la période de reproduction, le sevrage et le début de la gestation hivernale. Les troupeaux des bergers comans avaient proliféré, épargnés par la douve et les crocs des loups. Ils avaient décidé de partager leur joie avec leurs voisins agriculteurs, dont les récoltes de blé, de prunes et de miel étaient tout aussi abondantes. Si les Slavins avaient accepté l'invitation à la fête, ils ne doutaient pas que cette largesse de la part des Comans précédait de dures négociations sur le prix de leur fromage, de leur laine et de leurs peaux. Mais comme l'année avait été bonne pour tous les villages des environs, les hôtes devaient s'attendre à une baisse inévitable des prix. Par ailleurs, tout le monde savait que les Slavins n'étaient pas les plus commodes au marchandage. Les avoir invités accompagnés de leurs épouses et de leurs enfants prouvait un autre dessein de la part des Comans. Que voulaient-ils leur vendre à part leur fromage ?

Hélas, personne n'avait deviné l'étendue de leur félonie. Les histoires les plus abjectes, racontées de père en fils, n'avaient jamais fait mention d'une telle ruse. Comment rendre la colère et l'humiliation des Slavins lorsqu'ils avaient été renversés par terre, à moitié ivres, et avaient assisté, impuissants, à l'enlèvement de leurs filles ? L'accueil joyeux, les tables bien garnies, l'odeur de bélier en rut, les chansons, l'explosion des étincelles, la résine fondue des bûches qui alimentaient les feux, tout cela avait annihilé leur vigilance. Ils auraient craint pour leur vie plutôt que d'imaginer une honte pareille.

Passé minuit, au signal imperceptible de leur chef, les Comans avaient enlevé les Slavines. Personne n'avait remarqué leurs regards insistants sur les filles de leurs invités, tout au long de la soirée. Sous prétexte de remplir leurs verres, les jeunes hommes avaient tourné autour des tables pour évaluer des yeux leurs cheveux, leurs seins, leurs cuisses, leurs pieds, leurs dents. L'odeur du corps mâle aurait dû trahir le rut qui excitait leurs sens, mais les jeunes Slavines, pas plus que leurs familles, n'avaient rien compris de ce qui se tramait. La présence de leurs pères était trop rassurante et, chaque fois qu'un jeune Coman les touchait, elles se serraient, amusées, contre leurs mères. Rien d'inhabituel dans cette recherche des corps, et le sourire espiègle des hôtes les rassurait sur le naturel de leurs instincts. De temps en temps, une mère moins friande de nourriture ou de vin remarquait l'audace des hôtes mais, vu les circonstances, elle ne pouvait que leur taper amicalement sur le bras.

À la différence de leurs femmes, soucieuses de faire bonne impression, les Slavins s'étaient complètement abandonnés à l'ivresse du vin. Une heure après leur arrivée, ils n'étaient plus capables de quitter leur siège sans l'appui de leurs épouses. Ils chantaient, dansaient et pissaient non loin des tables. Vers minuit, les femmes avaient commencé à s'inquiéter de leur comportement excessif et à les interroger, discrètement, sur l'heure du départ. Toutefois, dès que quelqu'un exprimait l'intention de prendre le chemin du retour, ceux qui s'y opposaient le plus farouchement étaient les Comans eux-mêmes. Et personne n'avait pris cela pour une félonie.

La fête s'était poursuivie jusqu'après minuit, jusqu'au moment où elle avait pris fin brusquement. Les Comans avaient vite remplacé les brocs par les couteaux. Chacun savait quoi faire et vers qui se diriger. Suivant un accord tacite établi dans le va-et-vient de la soirée, ils s'étaient déjà partagé le butin. Les jeunes Slavines avaient à peine eu le temps de comprendre ce qui leur arrivait. Au début, elles avaient cru à une plaisanterie et avaient commencé à rire lorsqu'elles s'étaient vues hissées, comme des sacs, sur l'épaule des hommes. C'est le cri aigu de l'une d'entre elles qui avait donné le signal des lamentations. Les femmes avaient alors compris, d'un coup, qu'elles étaient victimes d'un enlèvement perpétré à la faveur d'un repas censé être amical. Les mères avaient commencé à hurler et à s'agripper aux pieds des ravisseurs, qui les avaient frappées de toutes leurs forces pour s'échapper avec leurs proies. Les seuls à ne pas avoir compris étaient les Slavins. Les yeux embrouillés, à moitié endormis, mâchant un dernier morceau ou se curant les dents, ils avaient regardé, ahuris, les courses qui troublaient la fête. «Est-ce que ce sont les barbares?» demandaient-ils, regrettant d'interrompre aussi brusquement la kermesse. Leurs épouses les avaient injuriés, mais en vain. Heureusement, d'ailleurs, qu'ils n'avaient pas sorti les armes. Dans l'état où ils étaient, le sang aurait coulé vite, mais inutilement. Les Comans leur criaient de ne pas s'opposer et de quitter les lieux. On ne voulait pas les tuer! Nul Slavin ne serait touché, nulle épouse, humiliée! Ils pouvaient retourner chez eux sains et saufs, mais sans leurs filles. Les mères se lamentaient et les pères avaient fini par comprendre le désastre. Impossible de sauver leur progéniture dans leur état d'ivresse! Impossible de laver la honte d'avoir lâchement abandonné leurs filles aux mains des ravisseurs. Il n'y avait rien à faire que de se laisser ballotter et jeter au fond de leurs charrettes, attelées en hâte par les épouses des Comans qui contribuaient, elles aussi, à cette ruse. Elles avaient placé les rênes des chevaux dans les mains des mères affolées, leur disant de s'en aller avant que leurs maris se réveillent et se fassent tuer pour rien. Dans un geste de solidarité féminine, les Comanes avaient dit aux Slavines éplorées de ne pas perdre espoir. Un jour, elles allaient sûrement revoir leurs enfants, mais pas ce soir-là. Leurs fils avaient besoin d'épouses, et leur village manquait de jeunes filles. Les Comans avaient agi par désespoir, pour que leur race ne s'éteigne pas. Ils devaient continuer à vivre et faire paître leurs troupeaux, faire l'amour et traire les moutons, élever des enfants et sacrifier des agneaux. La vie des filles ne serait ni meilleure ni pire ici que dans leur village. Certaines seraient aimées et respectées, d'autres battues et trompées, mais c'était le destin des femmes partout, dans chaque coin du pays. Que les mères cessent donc de pleurer, qu'elles rentrent chez elles, reprennent leurs tâches et s'occupent de leurs autres enfants.

La matinée s'écoula paisiblement, parmi le charivari des oiseaux. Le midi apporta une chaleur torride et l'attaque impitoyable des mouches. Les Comans transpiraient abondamment et reprenaient, à tour de rôle, leur guet à l'orée de la forêt. Ils n'avaient ni mangé ni bu à part quelques gorgées d'eau, apportée par des garçons assignés à cette tâche. Alors que les aînés rassasiaient leur soif, les petits espiègles regardaient dans la grange par des trous pratiqués dans les planches mal jointes. Quelques claques sévères sur la nuque les convainquirent de reprendre les outres vides et de rentrer à la maison.

À l'intérieur, les femmes avaient cessé de crier, de parler et même de bouger. Depuis un certain temps, personne n'aurait même deviné que, dans la grange, se trouvait âme qui vive. L'après-midi, quelqu'un demanda à Onou si les femmes ne risquaient pas de s'étouffer à cause de la chaleur et de la poussière de foin. On devrait peut-être leur donner un peu d'eau, ou bien ouvrir la porte et les laisser respirer de l'air frais. Personne ne réagit à sa remarque mais, une demi-heure plus tard, les hommes ne pensaient qu'aux femmes suffoquant à l'intérieur. La toux de l'une d'elles les décida à s'enquérir de leur état.

Onou désigna Farcas pour aller jeter un coup d'œil. Celui-ci voulut se soustraire à cet ordre, car l'idée de se voir entouré de dix-huit femmes en colère l'effrayait plus que l'attaque des loups. Du groupe qui surveillait la partie sud de la forêt, Vargas lui cria de baisser ses pantalons, en cas de danger, car on connaissait la réaction des pucelles devant un pénis en érection. Enragé par les rires qui menaçaient de relâcher leur vigilance, Onou ordonna à Vargas de l'accompagner à l'intérieur. Mais cela ne fit qu'augmenter la joie générale, car un autre, assez sage pour ne pas montrer son visage, lui conseilla de prendre, au besoin, le membre de Vargas et de montrer aux filles comment l'utiliser.

Les deux hommes se munirent d'un deuxième couteau et ouvrirent la porte grinçante de la grange. Abandonnant leurs postes de surveillance, la moitié de la petite armée improvisée s'agglutina dans l'espace étroit de l'entrée pour assouvir sa curiosité. À l'intérieur, l'air poussiéreux était zébré par les rayons du soleil qui pénétraient à travers les planches pourries. Aveuglés par le mirage de cette cage aux barreaux de lumière, les hommes tardaient à distinguer les prisonnières, retirées au fond de la bâtisse. Les deux camps se cherchaient du regard, à l'affût d'un visage connu. Dans la masse informe de robes et de châles, les Comans commençaient à distinguer les traits de celle qu'ils avaient portée sur l'épaule, sa voisine de table ou toute autre figure aperçue dans la cohue de l'enlèvement. Encouragées par le calme de leurs ravisseurs, trois femmes s'avancèrent vers la porte. Elles dévisageaient avec la même curiosité ceux qui se bousculaient dans l'espace étroit, une superposition de têtes et d'yeux derrière laquelle on apercevait la forêt. Un nouveau flot de larmes éclata brusquement, ce qui mit fin à cette première rencontre.

Onou ordonna qu'on ferme la porte et que chacun reprenne son poste de garde. Le péril n'était pas passé et, à tout moment, les Slavins pouvaient surgir de la forêt pour réclamer leur butin. À l'intérieur, les femmes avaient repris de plus belle leurs lamentations, malgré la chaleur et la soif qui les tenaillaient.

Au coucher du soleil, les Comanes arrivèrent avec des victuailles. Les hommes mangèrent goulûment, debout, un œil sur les environs. Bien que la guerre ne fût pas dans leurs habitudes depuis bien des générations, ils devinaient combien dangereux pouvaient être ces moments de relâchement. Mais la faim qui les tenaillait depuis le matin les décida à donner priorité à leur corps. Advienne que pourra, ils devaient manger. Et ils mangèrent et burent.

De même que les garçons du matin, les femmes s'enquirent de l'état des otages au travers des mêmes trous. Leur silence était suspect, compte tenu de la faim et de la soif qu'elles devaient sûrement éprouver. Les Comanes compatirent à haute voix au sort des pauvres femmes enfermées, ce qui ne les empêcha pas de rebrousser chemin, les sacs à moitié remplis de nourriture. Les hommes leur avaient interdit de nourrir les Slavines, et personne ne les blâma pour cette décision.

Passé minuit, l'armée de fortune s'endormit là où elle montait la garde. Bien vite, plus personne ne fut debout. Ils dormaient tous, étendus sur leur touloupe ou même à terre. Certains ronflaient, et c'était le seul bruit qui réveillait leurs compagnons. À l'aube, ils se réveillèrent frais et dispos, contents de voir leurs mères arriver avec d'autres vivres. Cette fois-ci, les femmes dirent qu'il fallait aussi nourrir les prisonnières s'ils ne voulaient pas rester encore une fois à cours d'épouse. La grande porte fut ouverte et Vargas et Farcas, décidant par eux-mêmes de se faire messagers, pénétrèrent dans la grange. Cette fois-ci, ils n'eurent aucun mal à distinguer l'odeur des excréments. Les deux hommes déposèrent les sacs par terre, près de l'entrée, et reculèrent de quelques pas. Une jeune fille osa quitter son coin, nettoya les pailles accrochées à sa jupe et leur dit, timidement.

— De l'eau. Avez-vous de l'eau?

Farcas cria le message à ceux qui se bousculaient devant la porte. Ceux-ci le transmirent à la masse désordonnée qui les assistait de loin. Bientôt, deux outres passèrent de main en main, jusqu'aux jeunes filles qui les attendaient non loin de l'entrée.

Elles burent toutes et ouvrirent les sacs de vivres. Assises par terre, elles se partagèrent le pain, le fromage, les pommes. Avant de braver leur destin, elles avaient décidé de profiter de ces derniers moments, tout comme leurs gardiens. Pendant la nuit d'attente, mortes de peur et de soif, elles avaient sûrement compris pourquoi elles étaient ici. Tout comme elles avaient deviné que la révolte était inutile, car leur délivrance dépendait de leurs familles. Familles qui tardaient à se porter à leur secours, même les sachant enfermées, battues ou violées. Les pères, les frères, les oncles et, pire que tous, les mères restaient chez eux en attente d'un miracle. Ils avaient pris lâchement la fuite, bourrés de vin et de viande, alors qu'elles avaient dormi par terre et avaient dû pisser dans les coins.

Quelle honte d'être ainsi abandonnées! Que personne ne vienne à leur rescousse!

Elles mangeaient en silence, mouillant de larmes chaque bouchée de pain. Elles se tendaient généreusement le meilleur morceau, elles essuyaient une pomme sur leur jupe avant de l'offrir à leur voisine, s'interrogeaient réciproquement sur leur état, se caressaient les cheveux, s'aidaient à réajuster leur tenue. Sous le regard inquisiteur des jeunes hommes, elles aspergeaient leur mouchoir d'eau pour se rafraîchir le visage. Elles se lavaient aussi le cou et la nuque, allant jusqu'à glisser une main sous leur blouse pour se nettoyer les seins et les aisselles, devenus piquants à force de tremper dans la sueur.

De la porte, les jeunes hommes regardaient insatiablement cette toilette sommaire faite par celles qui ne se souciaient plus de leur présence. Elles se parlaient à voix basse, comme si de rien n'était. L'une d'entre elles, la plus grosse, avait dit quelque chose qui les fit toutes éclater de rire.

Les Comans décidèrent de lever le siège, demandant aux femmes de quitter la grange et de s'aligner à l'extérieur.

Avant de sortir, elles vérifièrent une dernière fois leur tenue et celle de leur voisine, lissèrent les plis de leur jupe, boutonnèrent leurs blouses jusqu'au cou et se couvrirent légèrement la tête de leurs châles. Les plus courageuses s'avancèrent en premier, suivies de près par les autres. Chacune s'arrêtait un bref instant dans le cadre de la porte pour habituer ses yeux à la lumière crue du matin. Elles respiraient profondément l'air frais et raclaient leur gorge pleine de poussière. Tel qu'indiqué, elles s'alignèrent contre la paroi de la grange, pour affronter les regards de la foule, une masse d'hommes et de femmes qui les dévisageaient avidement.

Les deux camps s'évaluèrent longuement avant que Stratonic se dirige vers l'une des filles et la désigne comme son élue. C'était cette femme aux cheveux lisses, serrés en chignon au-dessus de la nuque, qui avait attiré son attention le soir de la fête. Placé derrière elle à la table, dans le but de remplir le verre de son père pour le soûler aussi vite que possible, il avait admiré sa mantille brodée de cerises dans un entrelacs de vigne. Il avait comparé cette broderie délicate au rapiéçage maladroit pratiqué par sa mère sur ses chemises, qui en faisait la risée du village. Si ce n'était que pour l'adresse de son aiguille, cette femme méritait d'être aimée. De son côté, celle-ci semblait également heureuse de ce choix. Elle dit qu'elle s'appelait Kira et quitta le rang des femmes sans rien ajouter. Stratonic la conduisit auprès de ses parents qui l'accueillirent en souriant. Sans plus de préliminaires, ils prirent la direction du village.

Ce fut ensuite le tour de Miran, qui ne pouvait se tromper sur celle qu'il avait portée sur son épaule, non sans efforts. Elle était bien en chair, ainsi qu'il aimait les femmes, à force d'avoir sous ses yeux la figure rabougrie de sa mère. Tout ce que Miran souhaitait voir était une bonne paire de fesses, des hanches qui se déversent sur les bords de la chaise, des seins lourds comme des melons, des bras comme des outres de lait, car il rêvait d'une femme qui aime manger tout autant que lui. Il ne voulait plus avoir honte de son appétit pour lequel sa mère le traitait de vampire. La vue de cette jeune fille avalant plus de viande que ses deux parents à la fois l'avait décidé immédiatement. Elle n'avait cessé de s'empiffrer de la soirée et de vider, à la dérobée, le verre de son père, endormi la tête sur la table. Négligeant l'ordre de leur chef, Miran s'était même assis à côté d'elle, avait pris un morceau de viande et avait commencé à manger, en suivant l'exemple de la fille, qui mastiquait des deux côtés de la mâchoire.

Dès que Nafina rencontra les yeux de Miran, elle lui sourit comme la dernière fois que leurs regards s'étaient croisés, avant le signal d'Onou. Ce fut sa mère qui gâcha le plaisir de Miran devant ces retrouvailles, avec une remarque qui fut entendue de tous :

— Mais comment allons-nous la nourrir, celle-là ?

Le troisième à quitter les rangs pour se rapprocher des filles fut Cosman. Il s'arrêta devant une jeune femme qui, dans la bagarre de l'enlèvement, avait perdu les boutons de sa blouse. Maintenant elle en serrait timidement les deux pans pour couvrir ses seins. Toutefois, dès que Cosman la pointa du doigt, Kostine se dirigea lui aussi vers Minodora.

— Elle est à moi, c'est moi qui l'ai enlevée ! dit ce dernier.

— Tu es fou, elle est à moi, c'est moi qui l'ai portée ici, lui répondit Cosman.

— Je ne sais pas de quoi tu parles, elle est à moi ! dit Kostine, essayant encore une fois de s'emparer de la jeune fille.

La dispute s'arrêta brusquement lorsque celle-ci dit que c'était Cosman qui l'avait enlevée, après s'être entretenu toute la soirée avec son père.

— Toi aussi tu mens, lui dit Kostine, mais il dut céder et revenir à sa place, au milieu des hommes.

Teotin avait choisi une fille aux yeux bleus. Sa grand-mère était la sorcière du village, et elle disait que les plus douées pour devenir guérisseuses étaient les femmes aux yeux clairs, quoique ce ne fût pourtant pas son cas. Une telle femme, disait la vieille, porte un morceau de ciel sur son visage, deux fenêtres ouvertes vers l'intérieur comme vers l'extérieur. Elle ne peut ni mentir ni tromper, sinon on verrait la ruse jusqu'au fond de son âme. Le soir de la fête, malgré l'obscurité uniquement éclairée par les flammes des bûches, Teotin avait compris que les yeux de Flora étaient un pur morceau de ciel. Pour l'heure, il n'avait besoin de savoir ni si elle savait mentir ni si elle le tromperait un jour.

Antim n'avait pas eu à beaucoup réfléchir, car il était si petit que, le soir de la fête, lorsqu'il avait aperçu une femme plus petite que lui, il avait remercié Dieu de tout son cœur. Il n'avait plus lâché Gostana dès le moment où elle était descendue de voiture, violemment poussée par son père, pressé d'occuper une bonne place à table. Antim s'était fait le guide de cette famille, la conduisant là où elle pouvait se tenir loin de la fumée car, leur disait-il, la nuit tombée, le vent de l'ouest allait boucaner leurs vêtements. La fille s'était assise sans rien dire, quoique sa chaise lui permît à peine de toucher son assiette. Antim s'était éclipsé quelques moments pour revenir avec un coussin de paille et le placer sous le délicat séant de la petite femme. Le père avait lancé une grossièreté qui avait fait rougir tout le monde. Pendant le repas, Gostana avait refusé de toucher à la viande et au vin, picorant uniquement quelques miettes de pain. Devant les tentatives d'Antim pour la faire manger, elle s'était défendue faiblement :

— Je n'aime pas manger. C'est pourquoi je n'ai pas grandi.

Antim avait couru encore une fois à la maison, risquant même de rater l'enlèvement, pour revenir avec un petit paquet destiné à la jeune fille. À l'intérieur, elle avait découvert quelques prunes séchées enrobées de miel. Antim lui avait dit que c'étaient les meilleures du village, pour lesquelles sa mère était renommée.

La fille n'avait pas semblé du tout impressionnée. La tête penchée, elle avait mordu dans une prune et l'avait mastiquée doucement. Antim avait été appelé pour une tâche quelconque et, par la suite, il n'avait pas osé reparler des prunes au miel.

Lorsque Gostana le vit s'approcher, elle sortit du rang des femmes pour venir à sa rencontre et lui dire :

— Les prunes de ta mère étaient très bonnes.

Dikran, quant à lui, passait d'une fille à l'autre, incapable de décider devant laquelle s'arrêter. Tous savaient que ses yeux n'étaient pas bons, et c'est pourquoi ils évitaient de se mettre en route avec lui. Toutefois, jamais jusqu'alors ils n'avaient compris que sa vue était aussi faible que celle d'une taupe. Ils s'amusaient à le voir courir d'une femme à l'autre, s'approchant pour mieux les examiner, s'éloignant et revenant encore une fois sur ses pas. Ses courses furent interrompues par Sarda, qui sortit du rang pour l'apostropher :

— C'est moi que tu cherches. Ne te rappelles-tu pas combien tu m'as tâté les fesses ? Tiens, mets tes doigts dessus.

Et sans hésiter, elle lui prit les deux mains et les lui plaça sur ses hanches.

Avec un large sourire, Dikran s'exclama :

— Oui, oui, c'est toi !

La seule à refuser de suivre son ravisseur fut Efstratia. Au moment où Vartan sortit des rangs pour la désigner, elle déclara, sans ménagement, qu'il puait des pieds. Quelqu'un qui ne se lave pas, tout en connaissant le but du coup monté dans leur village, n'était pas digne de confiance. Elle ne voulait pas d'un mari puant.

— Je n'ai pas eu le temps de me laver, se défendit-il, humilié. À peine si j'ai pu changer de chemise. Je voulais finir le toit de la maison avant que tu arrives.

Efstratia le dévisagea un moment, alors que celui-ci se taisait humblement, dans l'attente d'autres reproches. Il savait que ses pantalons étaient effilochés à l'entrejambe, sa chemise, trouée au dos, et les talons de ses chaussettes, déchirés, et cela n'était pas à cause du toit. Efstratia lui prit la main et le suivit, sans rien ajouter.

Varlam avait peur d'affronter Aspasia, qu'il avait giflée dans la cohue. Il n'aurait jamais deviné la vigueur de cette fille chétive, munie de griffes de chat sauvage. Le soir de l'enlèvement, elle lui avait écorché la nuque, lui avait mordu l'épaule et lui avait arraché une grosse poignée de cheveux. Varlam avait été obligé de s'arrêter à mi-chemin de la grange, de la faire descendre de son épaule et de lui flanquer deux claques. La fille s'était calmée, ce qui lui avait facilité le reste du chemin. Et maintenant? Comment l'amadouer? Son dilemme fut vite résolu, car dès que la fille le distingua dans la foule des yeux inquisiteurs, elle se dirigea vers lui et lui donna deux claques retentissantes. L'échange s'arrêta là.

Kostine tenta une deuxième fois de s'emparer d'une femme, cette fois-ci celle désignée par Nifon, qu'il avait enlevée à bout de forces. Le poids de la femme l'avait presque fait crever, car il était faible du cœur. Cependant, au risque de rendre l'âme, il n'avait pas renoncé à la porter jusqu'à la grange. Il lui avait même demandé si elle ne voulait pas parcourir à pied la distance, mais le vacarme avait empêché la fille de l'entendre. Comme preuve, Kostine dit qu'il connaissait même son nom: Assana. La jeune fille lui répondit à la place de Nifon:

— Ma sœur s'appelait Assana, mais tu l'as ratée, elle. Je m'appelle Vava.

Et elle suivit Nifon, s'enquérant de l'état de son cœur.

Le soir de la fête, Théodora avait jeté son dévolu sur un garçon appelé Bassarab. Ils avaient même dansé ensemble, ce que sa mère avait vivement désapprouvé. Peu après, il s'était éclipsé et Théodora ne l'avait plus vu de la soirée, d'autant qu'un véritable ours la chaperonnait désormais comme une ombre. Celui-là, elle l'aurait tué pour son insistance à remplir le verre de son père, lui barrant la vue avec son derrière. Au moment de l'enlèvement, hissée sur l'épaule du monstre, Théodora ne cessait de chercher du regard le beau Bassarab. Maintenant, elle le voyait au milieu d'un groupe, évitant ses yeux. Elle s'apprêtait à se diriger vers lui, lorsque celui-ci commença à crier fort :

— Ermil, regarde ! Ta femme est ici.

Du fond de la foule, le dénommé Ermil sortit du rang, et Théodora reconnut le chaperon pansu qui l'avait ennuyée toute la soirée. Elle tenta de joindre une dernière fois le regard de Bassarab mais en vain, car celui-ci tournait la tête vers son élue.

Rada le regardait à la dérobée, sans oser faire le moindre geste de reconnaissance. Malgré le temps passé en compagnie de Théodora le soir de la fête, Bassarab n'était pas particulièrement attiré par sa beauté. Il l'avait abandonnée pour s'emparer de Rada qui l'avait d'abord conquis par la belle entente qui régnait au sein de sa famille. Le père se tournait souvent vers elle pour lui chuchoter à l'oreille des choses qui la faisaient rire et qu'elle colportait ensuite à sa mère et à sa petite sœur. Malgré ces moqueries probablement faites à leurs hôtes, son attitude n'avait rien de méchant. Elle était toute joie et bonheur.

Lorsque Bassarab quitta le groupe des hommes, Rada partit à sa rencontre, tenant par la main une fille d'une douzaine d'années.

— C'est ma sœur, lui dit-elle. Je ne peux pas la laisser seule.

En les voyant séparées du rang, un jeune homme s'approcha en criant :

— Elle est à moi ! C'est moi qui l'ai enlevée.

Tout le monde se demandait comment Veres avait réussi à se soûler si tôt. Sa mère lui avait probablement apporté du vin, pour qu'il se tienne tranquille dans l'attente du partage des femmes. Rada se plaça devant sa sœur pour la protéger des griffes de Veres :

— Ma sœur n'est pas en âge de se marier. Elle va venir avec moi, et tu devras attendre un peu avant de l'épouser.

Veres commença à l'injurier, mais Bassarab intervint pour emmener les deux femmes et interdire à l'autre de les suivre.

Il n'y avait plus que quatre filles alignées contre le mur, mais personne ne s'en approchait. Les deux camps se dévisageaient curieusement. Onou perdit patience, et cria au groupe des hommes :

— Est-ce qu'elles sont venues ici toutes seules ?

Aucune réplique de la part des jeunes, ce qui augmenta la nervosité des vieux. Farcas et Vargas, dotés d'une certaine importance du fait de leurs tâches antérieures, commencèrent à se promener devant les jeunes femmes :

— Si vous ne les voulez pas, il ne nous reste qu'à vous donner nos épouses et prendre celles-ci.

Onou cria après Kostine, qui ne voulait plus montrer son visage.

— Tu ferais mieux de désigner celle que tu as enlevée.

Kostine sortit du rang mais pour reconnaître que, dans la cohue, la femme qu'il aurait aimé épouser avait réussi à s'enfuir avec son père. Il avait su dès le début que cette fille, appelée Sabina, n'était pas au nombre des otages, mais il avait essayé de s'emparer d'une autre pour ne pas décevoir sa mère.

La question devait être réglée autrement et aussi vite que possible, c'est pourquoi ils laissèrent Kostine ruminer sa honte sans autres admonestations. Onou appela encore une fois les jeunes hommes du village à accepter leur choix et à rendre justice aux pauvres filles. Elles avaient été séparées de leur famille et maintenant elles appartenaient déjà à leur village. C'était leur devoir de s'occuper de leur destin.

Cet appel à la sagesse ne changea rien, pas plus que le premier. Personne ne voulait de ces filles.

Le chef eut alors une autre idée.

— Qu'on demande aux parents de s'en occuper. À eux de choisir une épouse pour leur bon à rien de fils.

Le premier à sortir du rang fut le vieux Lass qui se dirigea vers l'une des filles qui pleurait en se cachant le visage. Le vieux lui prit la main, ne rencontrant aucune résistance de sa part, et rejoignit sa femme et son fils, Bitar. Devant lui, Lass dit à l'étrangère :

— Regarde ton mari, ma fille. Tu ferais bien de lui dire ton nom.

Sans lever ses yeux remplis de larmes, celle-ci dit :

— Je m'appelle Olimpia.

Bitar lui tendit la main pour l'aider à monter dans la voiture, ce qui encouragea Onou : finalement, c'était une bonne idée de laisser les parents décider.

Le prochain à désigner une épouse pour sa progéniture fut la femme de Nan, qui s'arrêta devant une fille à la peau noire. Tout le monde voyait que ce n'était ni le soleil ni le vent qui avaient noirci le visage de la fille. Un malheur devait être arrivé dans sa famille, ou bien un de ses ancêtres avait péché avec une brebis noire. Mais la femme de Nan considéra plutôt sa taille fine, ses hanches et ses seins généreux. Au fond, la nuit, tous les chats sont gris : même les enfants le répètent.

Ce ne fut pas l'avis de son fils, Satenik, qui refusait de se laisser duper. Ce n'était pas lui qui avait amené cette fille. Il n'était pas stupide au point de s'être agrippé à une femme basanée. Que celui qui avait fait la gaffe soit un homme et prenne ce qu'il avait porté sur son dos. Ça devait être le stupide aveugle qui avait fait ça, et qui s'était sauvé avec une belle femme.

Ses râles ne lui servirent à rien. Sa mère avait déjà pris le chemin du village tout en encourageant la fille, appelée Vergina :

— Il fera un très bon mari, tu verras.

Kalinic se porta volontaire pour épouser la troisième fille. Entre les deux dernières, il choisit celle qui, au moins, gardait ses dents dans la bouche. Sinon, vu la bêtise de son père, il aurait pu partir avec l'autre, qui n'était bonne que comme épouvantail. Il prit la main de Zaza qui ne pouvait cacher sa joie après la détresse qui l'avait habitée tout au long du marchandage. Elle non plus ne voulait pas vivre avec un homme laid. En suivant celui qui se tenait à une bonne distance d'elle, elle éclata en larmes de joie.

Le groupe d'hommes où se mêlaient encore jeunes et vieux regardait sans aucune retenue la dernière Slavine, collée au mur de la grange. Pantana les bravait tous avec courage. Ne pouvant cacher son visage, elle le montrait ouvertement à ceux qui la dévisageaient sans vergogne. Tout comme dans son village, son destin devait se forger en tenant compte de ses canines qui sortaient de sa bouche, de sa lèvre fendue et de ses yeux de lynx.

Du groupe des hommes, le vieux Diran se dirigea vers elle pour lui tendre la main et lui dire :

— Je ne suis plus très jeune, mais je suis seul depuis longtemps. Si cela ne te gêne pas, tu peux venir vivre chez moi.

Pantana le suivit après l'avoir remercié doucement.

Des vingt familles slavines invitées à la fête des Moutons, deux n'étaient pas venues accompagnées de leurs filles, pour des raisons inconnues. Cependant, à part Kostine, qui avait perdu de vue la femme désirée, et Veres, qui avait enlevé une enfant, au cours des jours qui suivirent, seize Comans épousèrent seize Slavines.

Deux ans plus tard

Au puits qui se dressait au milieu du village, Théodora et Vava se donnaient chaque jour rendez-vous à la même heure. Elles ne remplissaient les seaux d'eau qu'à la fin de leurs conversations prolongées, ce qui créait souvent de fâcheux incidents. Les autres femmes qui venaient puiser de l'eau, en voyant leurs récipients vides, restaient à distance, attendant patiemment leur tour. Les deux continuaient toutefois leur bavardage comme si de rien n'était, sans aucun souci de la file qui prenait parfois des proportions considérables.

La plus indifférente à leur égard était Théodora. Malgré la figure maussade de celles qui faisaient la queue, elle ne quittait pas l'endroit avant d'apercevoir Bassarab. C'était l'heure à laquelle il rentrait à la maison, derrière ses moutons, chevauchant un âne aux pattes si courtes que ses pieds touchaient presque le sol. À hauteur du puits, il s'arrêtait pour abreuver son troupeau dans l'auge creusée dans le tronc d'un acacia géant. Il passait devant tout le monde, car ce récipient accolé au puits était toujours rempli d'eau. Les villageois devaient y verser au moins un seau par jour pour le bétail rentrant à la maison et qui n'avait pas la sagesse de faire la ligne. De cette manière, l'eau était toujours à leur portée et, alors que les animaux se poussaient pour une meilleure place au bord de l'auge, le berger n'avait qu'à appuyer le menton sur son bâton et s'entretenir avec les villageoises.

Onou racontait que cette coutume n'avait pas été instaurée par égard pour les gros bergers, capables d'abreuver eux-mêmes leurs troupeaux. Elle remontait plutôt à une lointaine époque de sécheresse lorsque l'eau avait été absorbée par la terre qui brûlait de l'intérieur, comme de l'extérieur.

À cette tâche, même une étrangère comme Théodora n'avait pas tardé à se soumettre. Dès qu'elle apercevait Bassarab, elle cessait son bavardage pour puiser de l'eau et la verser dans l'auge. Ensuite, elle remplissait ses propres seaux et, au moment où Bassarab arrivait au bout de la file d'attente, elle était prête à rentrer chez elle. Elle levait ses seaux avec une force qui aurait déraciné des arbres, ce qui en disait long sur ses sentiments à l'égard de celui qui l'avait abandonnée.

Ermil n'était pas stupide au point de ne pas avoir compris les vrais sentiments de sa femme à son égard. Mais avec sa grosse panse, il n'était pas fou d'amour pour elle, quoiqu'elle fût la plus belle du lot. Lent et morose la plupart du temps, il aurait voulu une tout autre femme, et ce n'était que par malchance qu'il s'était emparé de Théodora alors qu'il visait la petite femme d'Antim. Déçu par son mariage tout autant qu'elle, Ermil la laissait mener sa quête en toute liberté, quitter la cour à n'importe quel moment du jour et courir à la rencontre de Bassarab.

Leur ménage vivait paisiblement comme seul un couple sans amour peut le faire. Ils n'avaient ni l'envie de coucher ensemble ni l'énergie de se détester. Les gens auraient même pu croire qu'ils étaient heureux. Quant à l'intérêt de sa femme pour Bassarab le soir de la fête, Ermil n'en était guère jaloux. Il se moquait de ceux qui, parfois, le taquinaient au sujet de sa belle épouse. Il les invitait ouvertement à tenter leur chance, ce qui prouvait qu'il n'était ni amoureux ni égoïste.

Vava accompagnait Théodora au puits en silence, s'attardant plus que nécessaire pour faire son plein d'eau. De retour, les deux femmes se séparaient au carrefour pour emprunter, chacune, le chemin vers la maison. Vava voyait de loin son mari l'attendant assis devant la porte. Depuis sa dernière crise de faiblesse, advenue en hiver, Nifon avait encore ralenti son rythme de vie. Il se déplaçait à la vitesse de l'escargot, traînant son corps comme une lourde coquille. Il gardait toujours la tête baissée, comme si le fait de ne pas regarder autour l'aidait à mieux conserver son énergie.

Le village plaignait la femme pour ce destin. Vivre aux côtés d'un homme qui pouvait rendre l'âme à tout moment ne devait pas être réjouissant. Seuls quelques voisins savaient que le véritable démon auquel Nifon devait faire face n'était pas la maladie du cœur, mais celle de la tête.

La nuit, dès qu'il fermait les yeux, il était assailli par des apparitions sataniques. Des démons lubriques quittaient leurs repaires pour violer les femmes, alors que les diablesses partaient à la chasse aux hommes pour s'unir à eux et les laisser paralysés. Plus son cœur était faible et son âme minée par la détresse, plus il était visité par les monstres. Il se réveillait en pleine nuit, le souffle coupé, muet, ayant presque perdu l'usage de ses membres. Assise à son chevet, Vava essuyait son front en récitant une prière. Mais en vain : dès qu'il fermait les yeux, les démons repeuplaient la pièce. Le moment du jour où elle accompagnait Théodora au puits était le seul où Vava échappait à sa maison habitée par les incubes.

Bassarab aurait voulu croiser une fois les yeux de celle qu'il avait abandonnée, et lui demander pardon pour sa trahison. Comment lui expliquer son hésitation à la choisir, lorsque tout lui prouvait que ce que Théodora désirait le plus était de partir avec lui ? Son geste n'était pas facile à comprendre et encore moins à expliquer.

De son côté, la femme se gardait bien de tomber dans le piège. Son silence et ses yeux mi-clos l'avertissaient qu'il ne serait jamais pardonné de l'avoir cédée à quelqu'un qu'elle n'aimerait jamais. Espérant toujours l'arrivée d'un jour où cette histoire serait réglée, Bassarab reprenait son chemin derrière les animaux qui se dépêchaient de gagner l'enclos frais et la traite menée avec habileté par leur maîtresse, la douce Rada.

L'épouse de Bassarab connaissait avec précision l'heure de son retour, et elle quittait la cour pour l'attendre devant la porte. Lorsqu'il s'attardait pour une raison ou une autre, elle appelait sa petite sœur pour lui tenir compagnie. Zabela sortait avec sa broderie ou ses aiguilles à tricoter et s'assoyait sur le talus bordant le fossé. Devant la porte de leur cour, Bassarab avait installé en guise de banc une bûche d'acacia, déraciné du milieu de leur vigne. C'est ici que sa femme se reposait en l'attendant.

À la vue de Bassarab, le bonheur allumait les yeux de Rada. Son mari lui répondait de loin en levant son chapeau du bout de son bâton. Leurs visages racontaient déjà les histoires passées dans l'obscurité de leur chambre à coucher, sous la couverture qui portait l'odeur de leurs corps insatiables l'un de l'autre. Cela avait commencé la nuit de leurs noces, épargnée par les peurs, les larmes et les maladresses des premières rencontres. Depuis, leur passion n'avait pas diminué d'une plume, malgré la grossesse de Rada qui annonçait déjà un enfant bien en chair. À cinq mois à peine, son ventre s'était emparé de la moitié de son corps.

Leur bonheur faisait aussi la joie des parents de Bassarab qui retrouvaient leur passion de jeunesse, épuisée par le passage inexorable des saisons. Les deux vieux guettaient les gestes imperceptibles du jeune couple qui se cherchait, se tâtait à la dérobée. Ils se rappelaient que les jeunes peuvent se perdre profondément dans leur passion, celle qui tient allumé le feu de la vie.

Avec son visage aux yeux calmes et toujours souriants, Rada répandait le bonheur autour d'elle. Rien ne pouvait la rendre maussade ou la faire répondre à un reproche par un autre. En sa compagnie, Bassarab retrouvait sa bonhomie d'enfant, sa gaieté effritée à l'adolescence par des changements inconnus qui le rendaient souvent irascible et même impoli. Il était redevenu l'enfant aimant, attaché à ses parents, ouvert et toujours prêt à partager leurs soucis.

La petite Zabela, faite de la même étoffe précieuse que sa sœur, occupait la même place dans leur cœur. Habile et travailleuse, elle ne refusait aucune demande faite par les vieux ou par son beau-frère. La première à se lever le matin, elle était aussi la dernière à se coucher, après avoir éteint les lumières, fermé la porte et tiré les rideaux. Rada expliquait cette attitude par la peur que lui avaient causée, enfant, les histoires d'épouvante de leur grand-mère, une femme bonne mais qui aimait effrayer les petits. Les parents de Bassarab pensaient plutôt que Zabela cherchait à se protéger de l'invasion intempestive de Veres, l'ivrogne, qui ne cessait de réclamer son dû par des incursions bruyantes en pleine nuit.

Après la traite des moutons, Veres faisait d'abord une descente dans la cave de ses parents pour animer son courage d'un broc de vin, après quoi il se postait derrière la maison de Bassarab pour appeler Zabela de cris perçants. À l'adresse du public caché derrière les rideaux, Veres disposait d'une véritable panoplie de jurons, mais à la petite fiancée il faisait des promesses de richesse et de bonheur à faire fondre le cœur. Les voisins écoutaient, amusés, cette litanie d'amoureux menteur qui dérangeait leur sommeil. Toutefois, les soirs où Veres manquait à l'appel, parti vendre son fromage ou sa laine, le monde s'ennuyait. Seule Zabela se réjouissait de cette absence, car ses déclarations publiques lui faisaient honte : c'est d'ailleurs pourquoi elle ne quittait pas souvent la maison. Les villageois qui habitaient à l'autre bout du village ne savaient même pas combien elle avait grandi depuis l'automne de son enlèvement. Âgée à présent de quatorze ans, la fille avait perdu les angles aigus de l'enfance. Elle était devenue une véritable jeune fille, mais l'aile protectrice de Rada l'abritait du regard des hommes. Personne à l'extérieur de la cour n'était conscient de sa métamorphose, qui laissait déjà deviner une femme d'une grande beauté. Veres lui-même ne savait plus qui il convoquait à la porte. Ses appels étaient tantôt sages, tantôt virulents, mais tout le monde tenait pour acquis que Zabela était sa femme. Veres connaissait son droit, gagné le soir de l'enlèvement, et enrageait contre Rada et Bassarab, devenus les gardiens de son épouse. Malgré sa mauvaise réputation, les villageois étaient de son côté, avec tout l'ennui que ce mariage de travers leur procurait. Quoiqu'il ne touchât pas encore Zabela, leur union était considérée accomplie. Bon gré, mal gré, il fallait accepter que les incursions de l'ivrogne étaient justifiées.

À l'arrivée des deux Slavines dans leur famille, les parents de Bassarab avaient planté un cognassier, arbre qui n'avait jamais pris racine dans leur cour. Les feuilles cireuses restaient petites et, vers la fin de l'été, elles étaient toutes brodées par les mandibules acérées des chenilles. Deux ans après sa plantation, ce nouvel arbre tenait bon. Ses feuilles avaient partiellement survécu à quelques saisons difficiles et ses branches, encore maigres, soutenaient quelques fruits.

Cet arbre provenait d'une souche prise dans le jardin de Varlam, le cousin de Bassarab. Si les cognassiers poussaient bien sur leur propriété depuis des générations, l'arrivée d'Aspasia avait augmenté les conflits, une denrée qui ne manquait pas dans leur famille. Les problèmes de Varlam avaient commencé le jour de son face-à-face avec Aspasia, lorsqu'en réponse au coup reçu pendant l'enlèvement, elle avait répliqué de la même manière. Au vu et au su de tous, elle lui avait flanqué deux claques vigoureuses, ce qui avait donné le ton à leur relation. Au cours des deux années passées ensemble, ils avaient perfectionné les moyens de se faire mal. Dorénavant, il suffisait d'une petite remarque concernant les poules, les moutons ou la soupe pour que la bagarre commence et qu'elle continue tard dans la nuit, à l'exaspération des voisins.

L'alliée la plus fidèle d'Aspasia contre son mari était sa belle-sœur, Ambra, qui habitait encore la maison. L'enfance des deux frères n'avait été qu'une longue suite d'arrache-cheveux, et Varlam considérait que l'opposition d'une femme réclamait toujours une correction sur place. Ce qu'il avait fait le soir de l'enlèvement, lorsqu'il avait essayé d'assagir Aspasia en lui administrant le même calmant qu'à sa sœur. Bien qu'elle fût élevée par les Slavins, celle-ci ressemblait en tout point à Ambra. Les deux femmes, au lieu de pleurer et de se cacher dans les coins obscurs de la maison en attendant que l'homme de la famille se calme, préféraient riposter de la même manière. Claque contre claque, coup contre coup, le score était toujours serré.

La bataille commençait dans la cuisine ou dans l'étable pour finir dans la rue. La mère se ruait sur les deux furies en train d'arracher les cheveux de son fils, et le père se joignait à elle pour donner une correction à celles qui osaient humilier son garçon. La mère, n'osant pas s'attaquer à son mari, s'acharnait encore plus sur les deux femmes, qui redirigeaient leurs tirs vers l'intruse.

Chez eux, ce n'était ni le vin ni la jalousie qui alimentaient cette haine, mais un sens aigu de l'offense développé précocement, avant même l'arrivée d'Aspasia. Les bagarres finissaient souvent avec de la vaisselle cassée et des vêtements déchirés et, parfois, même les moutons étaient libérés de leur enclos, au désespoir de la mère, la seule à contenir sa rage pour sauver la fortune de la famille. Les soirs finissaient d'habitude par les larmes des femmes et les jurons du père. Le fils, quant à lui, se sauvait de la maison pour aller retrouver son ami, Vartan.

Efstratia ne reprochait pas ouvertement à son mari les visites tardives de Varlam. Au début, elle aussi avait offert son oreille à ses plaintes, plus par curiosité que par compassion, étonnée qu'un homme puisse faire un tel grabuge pour du crêpage de chignon. Parfois, elle lui lavait les traces de sang laissées par les griffes aiguës de son épouse, malgré la répulsion que cette tâche lui inspirait. D'autres fois, elle l'aidait seulement à laver son visage, compatissante à l'humiliation de cet homme dont les forces étaient surpassées par l'astuce de ses adversaires. Au bout d'un an, néanmoins, elle n'était plus convaincue de la justesse de ces sentiments, car la fréquence des bagarres ne laissait espérer aucune amélioration, jusqu'à la fin des temps.

Efstratia avait discrètement averti son mari de sa lassitude d'avoir à accorder l'asile à quelqu'un qui se faisait bafouer par des êtres plus faibles que lui. Pourquoi devraient-ils écouter la même litanie, soir après soir? En quoi cela améliorait-il le sort de Varlam de toujours les tenir à jour sur ses histoires sans aucun bon sens? Vartan ne savait pas comment trancher. Incapable de soigner son hygiène personnelle, il l'était aussi de mettre un terme aux visites inopportunes de Varlam. Et la saleté de son mari épuisait Efstratia encore plus que le dur travail de la journée. Finalement, elle comprenait que la raison pour laquelle, le jour de l'enlèvement, Vartan n'avait pas changé sa chemise était bien le toit mais que, par la suite, toute autre raison était aussi bonne pour ne pas le faire. Vartan éveillait chez elle un sentiment de pitié, car il était un orphelin et restait un démuni, malgré les peines qu'il se donnait pour mieux se nourrir. En même temps, il la mettait à la torture en ne se lavant pas, alors qu'elle était munie d'un sixième, et même d'un septième sens, qui amplifiait les relents.

Le destin le plus cruel n'aurait pu faire un pire choix en lui désignant un mari comme Vartan. La saleté ne l'entourait pas, la saleté était l'homme lui-même. Au début de leur relation, son haleine, ses cheveux gras, la sueur de ses aisselles, les pustules fromageux rongeant ses orteils avaient suscité les pires réactions chez elle. Efstratia s'était mise en guerre contre les odeurs de son mari qui, au dire de tous, s'était retrouvé pomponné comme un notable. Ce n'était pas l'avis de sa femme, cependant, qui ne cessait de rouspéter et de le pousser de force dans la baignoire.

Vartan avait accepté le lavage intensif aux heures les plus inappropriées, le jour comme le soir, en semaine et en fin de semaine, été comme hiver. S'il voulait toucher le corps de sa femme, il devait se laisser nettoyer comme un chien plein de poux. Chaque soir, le supplice s'était présenté sous la forme d'un bain prolongé dans de l'eau parfumée à la camomille et d'un frottage vigoureux sur tout le corps, alors que les ongles pointus de sa femme lui perforaient le nez, les oreilles, le nombril. Plus tard, la fatigue et la diminution de son appétit pour une femme si acharnée l'avaient déterminé à refuser carrément ce traitement. Il avait dû en payer le prix : dormir sur la véranda. Chaque fois qu'il demandait son bain, Efstratia savait ce que cela signifiait.

Sa femme avait concentré ses forces dans la cuisine où aucune trace de nourriture ne devait rester dans les assiettes, d'un repas à l'autre. L'image des mouches sur la viande, des sédiments jaunâtres sur les morceaux de fromage, des fruits suppurants, des légumes couverts de moisissure, tout cela était banni de sa cuisine. Les restes gardés pour les cochons étaient masqués par des couvercles et les marmites, enveloppées de vieux chiffons. Les sacs de farine étaient vidés, dès le retour du moulin, dans des tonneaux, et les plantes mises au séchage étaient retournées deux fois par jour. L'étable et la porcherie avaient été déménagées loin des pièces d'habitation, presque au fond de la cour, ce qui rendait la vie difficile à Vartan, en hiver et en automne, à cause de la boue.

Et cette manie de la propreté s'était étendue à tous les aspects de leur vie: balayer les feuilles dans la cour le matin et le soir, étendre la literie au soleil toute la journée, chauler les murs et réparer le plancher en terre battue au printemps et à l'automne, faire bouillir le linge. Cependant, il avait préféré laisser tout ce qui ne touchait pas à son corps au gré de sa femme, qui ne se fatiguait jamais de chasser les mauvaises odeurs.

La seule amie qui avait la permission de pénétrer dans cet empire de la propreté était Gostana, la nabote. Les rares fois que la petite femme sortait de la maison, à part pour aller dans les champs ou au marché, étaient pour rendre visite à Efstratia. Elles s'étaient mieux connues après leur enlèvement, car elles avaient fait la route depuis la grange dans la même voiture. Vartan n'ayant pas de charrette, la famille d'Antim l'avait prise en pitié, pour cette unique fois.

Quelques jours plus tard, Efstratia leur avait rendu visite pour exprimer sa gratitude et leur apporter une petite gâterie. Elle avait découvert dans le jardin de son mari un tas de grosses citrouilles. Avec une hache, elle avait découpé la plus grande en huit morceaux qu'elle avait ensuite placés directement sur la braise, dans le four. Une demi-heure plus tard, elle avait sorti les morceaux dorés et sucrés comme du miel. Vartan avait d'abord refusé de goûter à cette nourriture de cochon mais, après le départ d'Efstratia, il avait dévoré trois morceaux d'un coup. Sa femme avait raison, bien que cette nourriture n'ait eu rien de noble. Efstratia avait compris qu'apporter en cadeau une telle denrée serait un affront pour des Comans qui, apparemment, destinaient les citrouilles uniquement aux cochons. Elle avait raclé à fond la pâte molle et l'avait mise dans un grand bol. Une fois chez Antim, elle leur avait dit, tout simplement, qu'elle leur savait gré de l'avoir amenée en charrette et qu'en guise de remerciement elle leur offrait « ça ». Les parents d'Antim n'avaient pas demandé de détails sur la préparation de ce gâteau, et son nom était resté « ça ». Au fond, les étrangères ne devaient pas croire qu'elles pouvaient changer leurs coutumes de sitôt.

Gostana et Efstratia n'avaient pas d'autres connaissances parmi les villageoises ; la première, à cause de sa petite taille, et la seconde, à cause de son impossibilité à supporter leurs relents. Or cette femme qui ne consommait pas beaucoup dégageait très peu d'odeurs. Son corps conservait égoïstement son énergie : la petite femme ne suait pas, ses cheveux étaient secs, ses ongles ne poussaient que très lentement et son corps était complètement dépourvu de poils. Seule sa bouche dégageait une faible odeur de pourriture, mais Efstratia se tenait à bonne distance chaque fois que la petite femme lui parlait. Gostana refusait la nourriture de son amie qui, occupée à chasser les odeurs, n'excellait pas en cuisine. Vartan lui-même avait remarqué qu'il rassasiait mieux sa faim à l'époque où il vivait seul. Efstratia ne rétorquait rien, car elle ne tenait pas à prouver qu'une femme se doit nécessairement d'être bonne cuisinière. Elle donnait toute liberté à Vartan de mettre le tablier et de s'affairer dans l'âtre, si cela lui disait.

Gostana ne refusait pas les mets d'Efstratia pour leur fadeur, mais parce qu'elle restait toujours une mauvaise convive. Même les prunes séchées de sa belle-mère n'avaient pas augmenté son appétit en déficit. Et, au désespoir de la belle-famille, elle était autant une maigre consommatrice qu'une mauvaise productrice. Elle accomplissait peu de tâches ménagères et seulement quand on avait beaucoup insisté. Pour qu'elle rapporte un seau d'eau du puits, alors que les autres femmes en portaient deux, il fallait le lui demander plusieurs fois. Jamais elle ne prenait d'initiative ou n'avait, par elle-même, le désir d'accomplir quelque chose. Mari et belle-mère devaient toujours être à ses trousses pour lui rappeler ses tâches et, bien souvent, s'assurer qu'elle les mène à terme. Sinon, la famille pouvait être sûre que, le soir venu, elle allait manger de la soupe non salée, que le lait n'aurait pas été filtré ni la farine tamisée, que l'eau du bain serait froide et la porte du poulailler, ouverte. L'idée qu'un jour Gostana serait capable de faire des prunes au miel aussi délicieuses que celles de sa belle-mère était une pure illusion. Ils devaient tout simplement s'estimer heureux si sa maladresse ne les ruinait pas.

Malgré tout, son petit mari restait toujours content de son choix. Sa femme, avec ses cheveux blonds et ses petits yeux noisette, lui semblait une fée descendue du ciel. Sa peau était si translucide qu'en regardant ses paumes à contre-jour, on pouvait apercevoir le sang couler dans ses veines. De plus, elle acceptait toute remarque désobligeante avec un calme qui n'était pas de ce monde. Gostana regardait les gens sans vraiment les voir mais, bizarrement, eux la remarquaient et même se moquaient souvent d'elle. Être un homme petit de taille était moins décourageant que d'être une femme ainsi faite. Ils disaient qu'Antim aurait pu trouver une meilleure femme, même si sa taille ne le qualifiait pas pour un autre choix. Mais quelle nabote que celle-ci, pas plus haute qu'un enfant de dix ans!

Antim était chagriné par cette attitude, car sa femme était parfaitement bâtie. Elle n'avait aucune bosse, aucune difformité, aucun pli sur le corps. À la lumière de la chandelle, il l'avait étudiée comme une merveille, car elle était belle à mourir. Tout y était en place : les petits seins, la toison, les hanches, mais en très petit format. Lui n'avait aucun mérite pour avoir une femme si gracieuse, car il était trapu, avec des jambes courtes et des mains pendant maladroitement jusqu'aux genoux.

Dans tout le village, seul Satenik s'accommodait de la taille d'Antim, l'acceptant comme partenaire au jeu de billes. Leur équipe perdait souvent, même contre les débutants, mais l'assistance se rendait facilement compte que leurs mauvais scores étaient dus à Satenik. Depuis qu'il avait épousé une femme à la peau foncée, il se rendait moins souvent à l'aire de jeu, là où les joueurs arrivaient accompagnés de leurs épouses. Gostana était toujours dans l'audience, amenée par Antim à dos de mulet, mais lui n'osait pas s'afficher en compagnie de Vergina. Leur équipe avait été dissoute, car son loyal partenaire refusait de jouer en compagnie de quelqu'un d'autre. Antim ne venait plus que regarder et expliquer à sa femme ce jeu peu complexe, alors que Satenik avait cessé d'y assister, même comme simple spectateur. Les jours de fête, il paressait à l'ombre d'un mûrier, étendu sur une couverture de chanvre.

Vergina restait alors en compagnie de sa belle-mère qui la gardait toujours sous son aile protectrice. La belle-sœur lui montrait la même affection et n'était gênée par Vergina qu'à l'extérieur de la cour. Mis à part Satenik, personne n'était maussade à cause de sa peau foncée. Celui-ci refusait encore d'accepter sa femme, malgré le zèle qu'elle mettait à le satisfaire. La honte d'avoir choisi ce que les autres avaient dédaigné, le jour fatidique de l'enlèvement, lui restait encore dans

41

la gorge comme un gros noyau impossible à avaler. Les autres étaient partis avec le meilleur butin, et lui avait été obligé de prendre ce dont un ravisseur distrait n'avait pas voulu. Au début, il avait même refusé d'accomplir son devoir d'époux, espérant qu'un jour le fils de pute se posterait devant leur porte pour reprendre ce qui lui appartenait. Mais ce jour n'était jamais arrivé, pas même au bout de deux ans. Il avait dû coucher avec Vergina, se maudissant pour le plaisir qu'il en éprouvait chaque fois. Comment était-il possible de faire passionnément l'amour à une femme qu'on n'aime aucunement? Sa mère avait été contente de son exploit d'homme, bien qu'il ne soit survenu que trois mois après l'enlèvement. Elle ne cessait de répéter à sa bru de ne pas perdre patience et, surtout, de ne pas devenir maussade, ce que les hommes détestent plus que la laideur.

— Ne cesse pas de lui sourire, même s'il te méprise. Cherche toujours son regard, même s'il évite le tien. Il cédera un jour, tu verras. Aucun homme ne reste insensible aux avances d'une femme, même la plus moche.

La défloration avait eu lieu, mais non pas ce que sa belle-mère avait prévu par la suite. Elle avait dit qu'au moment où Satenik goûterait à sa chair, son mépris disparaîtrait comme par magie.

Ce n'était pas encore le cas pour autant. Vergina commençait à perdre patience, ses yeux oubliaient de rester aux aguets de ceux de son mari, et son sourire se figeait devant son silence prolongé. Mieux valait être humiliée dans son pays natal qu'ailleurs. Les Slavins étaient en droit de la dévisager, car ils savaient tout de l'histoire de sa famille, et ils en assumaient la faute, d'une certaine manière. Ils la persécutaient puisqu'elle expiait des péchés ancestraux. Chez les Comans, par contre, la faute n'était imputée qu'à elle seule. Elle n'avait pourtant rien fait de mal, à personne. C'était pourquoi Vergina avait des difficultés à suivre fidèlement le conseil de sa belle-mère. Quoi qu'en dise la vieille femme, Satenik restait un salaud.

Parfois elle confiait ses chagrins à Pantana, la laide des laides, laissée la dernière le soir de l'enlèvement. Leurs propriétés étaient séparées par la même clôture, de sorte que les deux femmes pouvaient se parler tout en restant dans leurs jardins. La belle-mère avait averti Vergina que la femme aux dents crochues ne compatissait avec elle que pour la forme, car tout le monde savait qu'elle était contente, sinon indécemment heureuse, avec Diran. Souvent, Pantana faisait part à son mari du malheur de leur voisine qui ne pensait qu'à fuir ces nouvelles. Tant qu'ils ne pouvaient apporter aucun soulagement à ces peines, pourquoi les écouter?

Si Pantana avait été la plus malheureuse créature du monde, le sort avait miraculeusement tourné en sa faveur. Son vieux mari n'était pas très endiablé au lit, vu son âge, mais il était riche. Sa famille à elle n'aurait jamais pu la marier aussi convenablement. Beaucoup pensaient même que, chez les Slavins, elle n'aurait jamais pu trouver mari. Ici, Pantana avait même une servante. C'était Dourma, une vieille femme qui sarclait les rangées d'oignons, rinçait le linge à la rivière, nettoyait l'étable et portait l'eau. Devant la lourdeur de ces tâches, Diran restait inflexible car, pour son argent, il voulait être bien servi.

Diran avait saisi l'antipathie de leur servante pour Pantana sans comprendre que sa haine n'était pas dirigée contre sa laideur mais contre son âge, une qualité impossible à regagner pour une vieille femme. Dourma était devenue veuve avant Diran et, même si elle était dévouée à sa famille, elle n'aurait jamais refusé de l'épouser lorsque le malheur l'avait frappé, lui aussi. Elle lui avait offert ses services dès le lendemain de l'enterrement. Quoique Diran ne souffrît pas de la mort de sa femme, il faisait la sourde oreille aux avances de Dourma. Il l'avait acceptée comme femme à tout faire contre une paie généreuse, mais sans plus. Le soir, tous deux s'attardaient parfois sur la véranda devant un verre de vin pour parler de tout et de rien. Depuis son mariage avec Pantana, la veuve avait dû renoncer à ces petits plaisirs qui récompensaient sa journée de travail mieux que l'argent.

Les pensées de Dourma à l'égard de Diran avaient beaucoup changé depuis qu'il n'était plus seul. Avant, le vieux lui semblait apathique et irrémédiablement triste, quelqu'un qui vivait calmement en attente de la mort. Plus rien ne paraissait l'intéresser, à l'époque, et les nouvelles qu'elle lui apportait sur un tel ou un tel n'avaient aucun effet sur lui. La question qui la rongeait maintenant était de savoir comment il satisfaisait sa femme. Pouvait-il encore s'ériger au-dessus d'elle comme un homme? Pantana usait-elle des subterfuges dont parlaient certaines femmes? Y avait-il des choses que ce laideron utilisait pour remplacer le membre d'un homme?

Pantana n'était pas la bonne personne pour assouvir sa curiosité. Sa méfiance datait du début de son mariage, lorsque Dourma avait agi en maîtresse trompée. À l'époque, la vieille ne ratait aucune occasion d'humilier la jeune épouse par des sous-entendus concernant surtout ses crocs. Le plus souvent, elle pestait contre les souris qui rongeaient les poutres pour émousser leurs dents. Pantana était laide, mais pas faible d'esprit. Elle avait immédiatement compris les allusions de Dourma, tout comme son chagrin caché de se voir délogée du cœur de Diran, et elle ne lui en voulait pas. Sa position dans le ménage, hélas, n'était plus la même. Malgré ses attaques, Pantana ne lui avait jamais déclaré la guerre et ne lui avait pas assigné d'autres tâches, plus difficiles. Elle respectait les décisions de son mari et les us établis depuis son veuvage.

Dourma faisait aussi le ménage du vieux Lass, veuf depuis un an. Sa femme s'était éteinte un samedi, en faisant la lessive. Penchée sur la baignoire, elle s'était écroulée à terre, où sa belle-fille l'avait trouvée déjà refroidie, l'écume aux coins des lèvres, les yeux largement ouverts.

Le vieux Lass ne cessait de se féliciter d'avoir marié son fils à une Slavine, sans quoi les deux hommes seraient à présent sans personne pour les laver et leur faire la cuisine. Bitar était le dernier enfant de la couvée, celui qui héritait de la famille, après le mariage et le départ de ses trois sœurs. Olimpia avait senti le changement de sa position dans la maison dès le lendemain de l'enterrement. Depuis qu'elle avait pris en charge toutes les tâches, sa laideur comptait moins. Ses courses entre la cuisine, l'étable, la porcherie et la grange ne cessaient que tard dans la nuit. Le soir, Bitar pouvait rentrer à n'importe quelle heure, manger, se laver et se coucher, le visage contre le mur. Le seul qui le réprimandait de temps en temps pour sa mauvaise conduite était le vieux, mais personne ne voulait rouvrir les discussions du soir de l'enlèvement. Bitar guettait chaque occasion de rappeler à son père que ce n'était pas lui le maître de son destin, à la suite de quoi Olimpia devait se mettre entre eux pour arrêter la dispute.

Lorsque Olimpia leur annonça qu'elle était enceinte, Lass décida d'appeler Dourma pour l'aider au ménage, trois jours par semaine. Au fond, disait-il, Diran pouvait se débrouiller seul depuis qu'il avait une si jeune épouse. Dourma avait accepté la demande et, une semaine plus tard, elle manifesta ouvertement son contentement de l'avoir fait. Olimpia était d'une tout autre nature que Pantana, laide et de mauvaise humeur en plus. Cette autre maîtresse était toujours prête à se moquer de n'importe quoi, en commençant par sa propre laideur. Elle oubliait de se considérer comme une jeune femme et, surtout, de se regarder dans un miroir. Son visage, assorti d'un nez trop long et de trop grands yeux, n'était qu'un vague souvenir. Les miroirs de la maison étaient tous noirs de crasse, car Olimpia ne les essuyait jamais.

Olimpia s'était fondue dans la maison, avait coulé son corps dans ses trajets inépuisables entre les différentes pièces et la cour. Elle respirait la maison, qui était entrée en elle comme le vent de printemps. Dourma l'enviait pour ce plaisir de se dédier complètement à la vie de famille, de respirer au rythme des autres et d'être toujours à leur écoute. Lass n'était pas le seul à aimer Olimpia, leurs neveux et nièces lui rendaient souvent visite pour se faire gaver par leur bonne tante. La servante déclarait à tout le monde n'avoir jamais vu une meilleure ménagère. Elle vantait dans le village la manière dont Olimpia enlevait les puces des draps, à l'aide de tranchoirs enduits de glu, ou se débarrassait des mouches en attachant des touffes de fougères au plafond. Parfois, elle utilisait même un mélange de lait et de fiel de lièvre, ou du jus d'oignons rouges.

Sa générosité profitait surtout à une ancienne connaissance de son village, l'insatiable Nafina. Au début, Olimpia lui apportait de bons plats à manger mais, plus tard, elle s'était mise à lui donner n'importe quel reste qui n'allait pas dans l'auge des cochons. Miran et Nafina formaient une telle paire d'ogres que la quantité de pain, de viande et de fromage qu'ils ingurgitaient en un seul repas était devenue légendaire.

Les parents de Miran redoutaient le mauvais sort qui avait amené cette femme dans leur maison, dont l'appétit doublait celui de leur fils. Et plus les deux grossissaient, plus les vieux maigrissaient. La cuisine relevait de Nafina, qui ne faisait que remplir les marmites. Aux ingrédients habituels, elle mélangeait toutes sortes d'herbes et de graines pour augmenter la quantité. Miran appréciait la cuisine de sa femme et ne tarissait jamais d'éloges. Quant à sa belle-mère, elle trouvait les plats de Nafina bons à donner aux cochons, mais finissait quand même par en manger. Le cadet de la famille éprouvait lui aussi un grand enthousiasme devant les concoctions de sa belle-sœur. Il s'était même joint à la chasse aux denrées dans les jardins des voisins, surtout ceux entretenus à une certaine distance des maisons.

Tel était le cas de la famille de Cosman, qui avait préféré planter ses légumes là où, autrefois, poussait de la vigne. La vigne avait été transplantée dans la cour, à cause des enfants qui volaient les grappes exquises et, dans le champ resté libre, la famille avait planté des légumes. Elle avait pensé que personne n'envierait ses oignons, ses courges et ses navets, aussi banals que ceux des autres. Ce n'était plus le cas depuis l'arrivée de Nafina dans le village.

Le soir, la femme de Cosman se rendait au jardin en traversant les deux ruelles qui le séparaient du pâté de maisons. Ce trajet quotidien avait rendu Minodora très populaire auprès des Comanes, avec qui elle s'entretenait sur le chemin du retour. De toutes les Slavines enlevées, elle avait la réputation d'être la seule disposée à leur dévoiler les coutumes de son village. Chez leurs voisins, les saisons se déroulaient à la même vitesse, les travaux des champs engendraient la même hâte et la même dépense d'énergie, l'hiver les gens se divertissaient autour des feux avec ceux qui savaient raconter des blagues et jouer de la flûte. Les mariages ne s'arrangeaient pas de la même manière, mais les couples s'arrachaient les cheveux pour les mêmes raisons. La viande des animaux se conservait dans de la saumure ou du saindoux, jusqu'en été. Par contre, la levure du pain se préparait différemment, à l'aide d'un peu de pâte mêlée à du pain sec qu'on faisait fermenter dans de l'eau pendant deux jours. Voilà une curiosité qui avait attiré l'attention de bien des femmes, toujours à la recherche de moyens d'alléger leurs corvées domestiques.

Cosman trouvait que sa femme n'était qu'une grande menteuse qui bernait la bonne foi de leurs voisines. Minodora s'employait à mentir avec lui aussi, mais l'homme n'était pas aussi facile à duper. À force de toujours entendre son radotage, il devinait ses desseins dès les premiers mots. Ce dont un mari se lasse le plus vite, c'est des histoires de sa femme. Les parents de Cosman eux-mêmes en avaient assez de la panoplie inépuisable de Minodora car, pour toute incitation au travail, la femme invoquait rapidement une raison de refuser. Elle finissait par céder et s'adonner à ses tâches, mais le temps pris pour la convaincre, pour répondre à ses arguments, était déjà un lourd fardeau pour la famille. La belle-mère aurait été contente si, au moins, elle avait eu d'autres dons pour compenser son bavardage ennuyant, comme le talent de brodeuse de sa compatriote Kira, qui s'était déjà fait une solide clientèle parmi les femmes du village.

La famille de Stratonic avait vite compris quel legs payant détenait leur bru et elle lui avait épargné les corvées liées au travail de la terre. Une femme était désirée, d'abord, pour ses bras et son ventre. Dans le cas de Kira, c'étaient ses doigts qu'on convoitait tant ils faisaient des merveilles. Au début, son mari lui avait demandé de rapiécer ses vêtements, qui étaient la risée de ses amis. Avant son mariage, il préférait ne pas montrer à sa mère les déchirures de ses pantalons, les boutons manquants et les trous dans ses chandails, car son rapiéçage les rendait encore plus impraticables. Au bout d'un seul après-midi, Kira leur avait donné un nouveau visage, plus attrayant que du neuf.

Kira avait peu usé de ses dons dans son village, où les couturières ne manquaient pas. Ici, les femmes excellaient plutôt dans la fabrication des bas de laine, des chandails pour les hommes et des tabliers aux ourlets brodés pour les femmes. Mais la coupe des robes et des jupes n'était pas leur fort. Kira avait vite rempli ce vide, se bâtissant une réputation enviable. Peu à peu, elle avait même commencé à percevoir une rémunération, selon la complexité des broderies, du nombre des plis et de la longueur du vêtement.

Kira avait demandé à Stratonic une chambre à part pour son travail de couturière, une pièce ensoleillée dont la porte donne sur l'entrée. De cette manière, les clients pouvaient entrer directement chez elle, sans traverser le jardin et la cour. Dans cet atelier de fortune, Kira avait installé un lit étroit, un miroir, une table et des étagères pour ses paniers à papillotes, ciseaux, coussins d'aiguilles, boutons, ainsi que ses rouleaux de tissu. Depuis quelque temps, elle avait commencé à se procurer des tissus, achetés en vrac au marché, et son atelier faisait aussi office de magasin. Vu qu'une visite chez elle épargnait aux villageoises un trajet au marché et, qu'en plus, elle leur conseillait l'étoffe, la couleur et la coupe des vêtements, elles la tenaient en grande estime. Ce qui était moins agréable était que les gens devaient attendre de plus en plus longtemps, des semaines même, avant le premier essayage. Parfois, ils passaient brièvement par son atelier pour renouveler leur demande de passer avant les autres. Quelques fruits ou un morceau de fromage la convainquaient plus facilement que les prières ardues. Cela avait engendré, naturellement, une hausse des prix, car les urgences passaient avant les autres commandes. Or, dans le village, les événements ne manquaient jamais : un mariage, un enterrement, un cadeau de baptême, une visite chez la belle-famille…

Débordée par le travail, Kira avait décidé de prendre une apprentie pour faire les finitions, coudre des boutons, ranger les rouleaux déballés partout par la clientèle insatiable, balayer les effilochures qui couvraient le plancher. Sa belle-mère lui avait recommandé une lointaine cousine, mais Kira avait eu le dernier mot : ce serait une femme de son village. Elle voulait quelqu'un qui connaisse les broderies réalisées en rouge et noir, la manière de découper un col en biais, la quantité et la profondeur des plis aux épaules, la manière d'ourler une jupe. Cette femme ne pouvait être autre que Zaza, la nièce de la plus talentueuse couturière qui habillait les Slavins depuis des années. Si la jeune femme n'avait pas hérité du talent de sa grand-mère, elle avait sans aucun doute appris les secrets du métier. Zaza pouvait lui être d'un grand secours, car Kira faisait les choses par instinct, sans avoir été éduquée en ce sens. Parfois, ses plis étaient inégaux, les épaules, pendantes, les bouts des cols, trop aigus. Ce qui, dans son village, aurait été considéré comme de graves défauts passait ici pour une grande originalité.

Sans le savoir, Kira avait permis à Zaza de faire d'une pierre deux coups. Non seulement Zaza pouvait-elle mettre en valeur ses connaissances sur la couture, plus étendues que celles de Kira, mais elle pouvait acquérir ainsi un peu de prestige auprès de son mari, inconsolable d'avoir épousé un laideron. Avoir eu à choisir parmi les indésirables était une chose, mais avoir choisi Zaza était pire encore. Kalinic se rendait parfois en secret à la maison de ses partenaires d'infortune pour épier leurs épouses. Caché derrière une porte ou grimpé dans un arbre, il regardait un jour Olimpia, un autre Pantana, un autre Vergina. Affairées, se reposant à l'ombre ou parlant à leur mari, ces trois femmes n'étaient pas aussi laides que la sienne. Elles lui semblaient même plus belles que la ravissante Théodora, qui faisait l'envie de tous les hommes du village même si, dernièrement, la femme d'Ermil avait perdu de son attrait à cause de la réputation de lourdaud de son mari. Au contraire, celles que tous méprisaient le soir de l'enlèvement faisaient à présent l'envie des hommes. Elles avaient su se trouver un rythme propre et donner un sens à leur vie. Kalinic pensait que seule sa femme restait inutile, gauche et dédaignable.

L'appel de Kira était venu à temps. Au début, Kalinic avait refusé l'offre, mais sa mère avait eu le dernier mot. Depuis trois semaines, elle ne cessait de demander à Kira de se dépêcher de faire sa jupe. Zaza serait un bon argument pour que la couturière lui donne priorité.

Kira reconnaissait sans jalousie que son apprentie était le véritable maître de l'atelier. Zaza n'avait pas seulement épié sa grand-mère, elle avait été sa main droite. Ce que Kira accomplissait avec effort, après de nombreux échecs, Zaza le réalisait en un clin d'œil. Ses ciseaux trouvaient le bon chemin dans les tissus les plus fins. La mousseline, l'étoffe de lin, la cotonnade mince se laissaient facilement dompter par ses doigts habiles. En plus de sa dextérité et de son expérience incontestable, Zaza était modeste et silencieuse. Elle ne contredisait jamais sa maîtresse, préférant lui montrer par l'exemple comment s'y prendre. Son nouvel emploi avait procuré à la famille deux grands avantages : la paye et la priorité de sa belle-mère sur la liste de la couturière. Le soir, lorsque sa femme s'attardait, Kalinic se rendait lui-même la chercher à dos de mulet. Depuis un bout de temps, il n'épiait plus les femmes des autres. C'était maintenant lui le chanceux.

Alors que Zaza s'exerçait dans l'atelier de Kira, ailleurs dans le village une autre femme subissait les rigueurs de l'entraînement. C'était Flora aux yeux bleus qui n'avait pas la chance d'avoir une vie comme les autres. Le choix de son mari l'avait destinée à une carrière de sorcière, contre son gré. Ce qu'elle voulait le moins était de devenir le médecin du village, mais la famille de son mari se fichait qu'elle n'aime pas remettre les os cassés, oindre des plaies puantes, faire sortir les épines des plantes des pieds, chasser les mauvais sorts, masser le dos des étrangers.

La chambre de travail de La Nicoula était séparée de la maison, ce qui avait sans doute inspiré Kira. Une petite allée bordée de fleurs la reliait à la demeure familiale. Ses patients se rendaient chez elle sans plus l'appeler par delà la clôture, gardant une bonne distance avec le gros mâtin noir étendu devant sa cage, attaché à une chaîne. Tout le monde craignait ses humeurs car, pour des raisons inconnues, il quittait parfois sa somnolence pour japper et essayer de mordre certains patients. Avec tout son savoir, La Nicoula ne pouvait expliquer ce qui l'irritait le plus. Il aboyait parfois, même contre les membres de la famille, ce qui rendait Teotin fou de rage. Pour le punir, il lui administrait quelques bons coups de fouet et, le soir, le privait de repas.

Flora n'avait pas le choix, car sa nouvelle carrière de sorcière-guérisseuse était un devoir. Soigner les autres n'était pas un passe-temps mais le gagne-pain de la famille. Le seul avantage que cette carrière procurait à Flora était de ne pas travailler aux champs. Bon gré mal gré, elle avait donc accepté de suivre de près les séances de guérison de La Nicoula.

La tâche la plus difficile était d'apprendre par cœur les charmes sans que la grand-mère ne les récite jamais clairement, ni à haute voix. La tradition disait que le savoir d'une sorcière se forge en le volant au maître. Les sortilèges ne se récitent pas comme un poème, à portée d'oreille de tout le monde. Mais le baragouinage de la grand-mère était rendu presque inintelligible par son corps obèse et les plis de son cou d'où les sons sortaient comme le ronflement d'un mouton enrhumé. Comment saisir les longues incantations et les noms exacts de tous les démons à invoquer? En retour, La Nicoula n'avait pas la permission de vérifier ce que Flora avait appris, car la jeune apprentie non plus n'avait pas le droit de redire les divinations à haute voix. Les jours où la grand-mère luttait contre un mauvais œil, apaisait un mal de tête, chassait un diablotin d'une femme, Flora se tenait aussi près d'elle que possible. Assise en tailleur au milieu du lit, celle-ci tenait la tête du malade de ses deux mains et lui soufflait sur le front en marmonnant ses prières. Pour le mauvais œil, La Nicoula sortait une pelote de laine rouge au milieu de laquelle se trouvait une couche de peau de la tête d'un enfant vampire enlevé à sa naissance. La ficelle était régulièrement enduite d'huile pour qu'elle ne sèche jamais.

Tout ce qui appartenait à la grand-mère empestait l'huile et le vinaigre. Sur une étagère, il y avait des pots et des bouteilles de décoctions à base de piments forts, de feuilles d'absinthe, de mandragores, qui irritaient la peau et picotaient les yeux. De tous les traitements, le pire pour Flora était la remise des os, car il fallait, en plus de la force et de l'habileté, supporter les cris perçants des hommes qui mouillaient parfois leurs pantalons de douleur. Elle connaissait les trucs de La Nicoula pour détourner leur attention au moment où elle empoignait le pied ou le bras cassé pour le tordre et le replacer dans un bref craquement. Et que dire des enfants qui pleuraient à vous crever le cœur ou des enrhumés qui geignaient à vous faire frémir des heures d'affilée? La peau de Flora s'était déjà imprégnée de l'odeur des décoctions versées en abondance sur leur corps brûlant et qui transformaient leur dos en une plaie ouverte.

Un jour, La Nicoula commença à l'initier aussi au traitement des somnambules. On reconnaissait ces souffrants au pas hésitant avec lequel ils franchissaient le seuil de l'atelier, craignant d'admettre cette maladie honteuse qui les faisait se réveiller au milieu de la nuit pour quitter le lit, monter sur le toit de la maison, se battre dans le vide, aller à cheval jusqu'à la sortie du village et revenir au galop pour reprendre leur place à côté de leur épouse. Ce qui les décidait à demander secours aux deux guérisseuses était la rencontre fortuite avec des passants au milieu de la nuit, effrayés par ces apparitions aux yeux vitreux qui ne comprenaient pas ce qu'on leur disait. Dès le lendemain, leur réputation de fou était faite. La Nicoula les accueillait avec humour, blaguant même sur la possibilité qu'ils soient endormis au moment où ils se parlaient. Mais cela n'amusait pas les malades qui s'assoyaient, épuisés. Ils craignaient de tuer un jour quelqu'un... La Nicoula leur demandait d'abord s'ils étaient mal installés, s'ils avaient changé de place dans le lit conjugal ou s'ils se réveillaient fréquemment pendant le troisième tiers de la nuit, le lot des suicidaires. Aussi dangereux était un somme prolongé, souvent causé par une peine d'amour. Ce n'était pas le cas, disaient-ils résignés, mais cela pouvait le devenir, car leurs épouses allaient les quitter s'ils ne guérissaient pas. La Nicoula envoyait Flora chercher le remède qu'ils devaient mélanger avec du lait de femme et un blanc d'œuf. À une honte succédait une autre plus grande encore! s'esclaffaient-ils. Comment obtenir du lait de femme? Cela n'était pas la tâche d'une guérisseuse, concluait La Nicoula, impassible.

Flora détestait ces malades plus que tout, car obtenir la poudre miraculeuse dont ils avaient besoin lui coûtait des heures en plein soleil, dans les champs de blé, à la recherche des capsules de pavot ayant perdu leur magnifique corolle rouge. Elle incisait les bulbes et ramassait péniblement le lait brunâtre qui en jaillissait. Il aurait été plus commode d'utiliser la mandragore, la belladone ou la jusquiame. Mais La Nicoula tenait au pavot, car elle aussi s'en passait sous le nez pour mieux dormir. Pour s'assurer d'un bon résultat, elle broyait des racines de jusquiame, les mélangeait avec de la menthe et s'en appliquait des cataplasmes sur le front.

Parfois, des hommes en bonne santé venaient aussi pour un mal de dos, une épaule fatiguée ou des muscles endoloris par leur dur travail. Ils payaient double tarif pour un bon massage qui les fasse suer. Depuis que Flora était apprentie, même les plus jeunes avaient commencé à se hisser derrière la clôture. La Nicoula avait l'habitude de s'asseoir à califourchon sur leur corps et de les travailler du dessus, mais elle avait interdit à Flora de chevaucher les malades. Elle devait s'y prendre assise au bord du lit, et cette position inconfortable lui donnait mal aux reins et aux côtes. À la fin de la journée, La Nicoula lui demandait de rester nue comme un nourrisson et de s'étendre sur un drap propre pour se faire masser les épaules, les bras, le dos courbaturé. Ainsi travaillée, Flora comprenait que le traitement de La Nicoula n'était une torture que vu de l'extérieur, car ses mains fortes, capables d'étrangler un bouc, savaient faire des miracles. L'odeur d'huile parfumée de basilic, de camomille et de sa propre sueur lui donnait une chaleur qui ranimait son corps exténué, lui redonnait l'énergie de se rendre de l'autre côté de l'allée et de préparer le souper de la famille. La Nicoula, quant à elle, se remettait avec un pot de vin bouilli, sucré et aromatisé. C'était sa médecine à elle, plus efficace que toutes les panacées. Teotin demandait à sa femme de s'exercer aussi sur son corps à lui. Flora savait à quoi conduisait ce massage et, parfois, elle acceptait de bon cœur.

Un jour, Sarda décida d'emmener son mari Dikran voir les deux sorcières dans l'espoir qu'elles trouvent un remède pour ses yeux de plus en plus faibles. Depuis quelque temps, l'homme n'était plus capable de distinguer les visages des passants qu'à quelques mètres de distance. Tout le monde savait que la vie de Sarda n'était pas facile avec un homme qui n'était plus utile ni dans la maison ni aux champs. Faute de pouvoir se débrouiller seul, il avait commencé à se tenir toujours sur les pas de sa femme, la seule forme qu'il distinguait à n'importe quelle distance. Ses mouvements, la couleur de ses blouses, sa manière de marcher en croisant légèrement les pieds étaient des signes discrets que Dikran décodait facilement. Sa famille était attendrie par la patience de Sarda qui ne le réprimandait jamais pour cette fâcheuse habitude de la suivre comme un chien. Heureusement que les parents pouvaient encore venir à bout des tâches quotidiennes, mais pour combien de temps? La solution serait d'enfanter rapidement des garçons qui viennent en aide à leur mère au moment où Dikran serait complètement aveugle. Mais une mauvaise graine s'était plantée dans le ventre de la femme qui, même au bout de deux ans, les privait de bonne nouvelle.

La famille se gardait de reprocher à Sarda quoi que ce soit car, en plus de sa cécité, elle devait supporter les lubies de son mari, qui s'adonnait à des cultes secrets, en compagnie de fidèles venus d'autres villages. Le prêtre avait eu vent de ces réunions nocturnes tenues dans la maison de l'aveugle et avait essayé de le raisonner. Dikran avait tout nié. Un temps, Onou avait dû le mettre sous surveillance, mais il se lassa vite de cette quête. Le village entier savait que ces réunions étaient bien réelles, certifiées par la présence dans certains tombeaux de «lamelles d'or», apportées par les membres du culte. Mais qui s'intéressait à ces os incrustés? Comment se fier à une doctrine qui faisait de l'homme un mélange des cendres retombées des dépouilles de géants foudroyés? Rassuré par l'impassibilité d'Onou et la paresse des villageois, Dikran attendait patiemment que les esprits se calment pour envoyer ses estafettes secrètes à travers les villages. Quelques soirs plus tard, ses fidèles, des hommes uniquement, commencèrent à arriver par petits groupes, exténués après les longues distances parcourues à pied ou à cheval.

Sarda refusait de prêter l'oreille aux balivernes de son mari. Une fois entamée la réunion dans leur propre pièce, elle se réfugiait dans la chambre de ses beaux-parents pour se coucher au pied de leur lit. Avant de s'endormir, elle s'entretenait avec les vieux de la folie de ceux qui voulaient croire les promesses de Dikran. Comment comprendre ces gens qui se languissaient d'une vie où ils ne seraient plus humains ? Revenir sur terre dans la peau de n'importe quel autre être vivant, chien, chat, rat, serait donc l'aboutissement de notre existence ?

Le jour de sa visite à Flora, Sarda demanda à la guérisseuse s'il n'y avait rien à faire pour guérir les yeux de son mari. Conseillée par sa belle-mère, elle se tut sur la salade des lamelles d'or qui n'était sûrement pas du ressort de la sorcière.

Flora lui donna une bonne et une mauvaise nouvelle. La Nicoula connaissait une recette pour la maladie de la courte vue, mais elle ne l'avait plus préparée depuis longtemps. Avec sa mémoire affaiblie, qui pouvait garantir qu'elle se rappellerait tous les ingrédients ? Nul besoin d'ajouter que vu la fragilité des yeux, aucune erreur n'était permise. Pour le moment, il n'y avait rien à faire sinon mélanger de la boue avec de la salive, l'étendre sur les yeux de Dikran et lui dire : «Va te laver.»

Celui qui donnait aux villageois des nouvelles de Kostine était Onou. Des voyageurs de passage s'arrêtaient pour lui raconter ce que leur avaient transmis de tierces personnes, appris d'autres tiers, sur le périple du jeune Coman, commencé peu après l'enlèvement des Slavines.

Kostine était le seul qui avait raté le coup monté par les villageois, le seul à subir le chagrin de rester célibataire

lorsque de moins doués que lui avaient épousé des étrangères. La ruse qu'il avait tentée afin de couvrir son échec était
plus humiliante que le coup manqué. Se voir ainsi démasqué
devant ses amis avait été une dure épreuve. Ceux qui étaient
allés à la fête des Moutons dans le but de se trouver une
femme avaient réussi, mais pas lui. Si les choses en étaient
restées là, au moins! Mais au moment de la reconnaissance,
il avait essayé par deux fois de duper Nifon et Cosman. Non
pas que Vava ou Minodora l'eussent tenté plus que les autres.
Mais sachant que l'un des deux jeunes hommes était malade
et l'autre, faible d'esprit, il s'était imaginé qu'ils allaient céder
facilement. Ce n'avait pas été le cas, car les deux avaient
désespérément besoin de fonder une famille qui subvienne
à leurs besoins. Leur acharnement à garder leur dû avait
obligé Kostine à reconnaître son impuissance à enlever la
fille sur laquelle il avait jeté son dévolu, mais qui avait réussi
à s'enfuir avec son père.

Il avait remarqué Sabina au moment même de son arrivée au village. La fille avait aidé son père, un vieux apparemment très fragile, à descendre de la charrette et avait
demandé pour lui une chaise au coin de la table, puisqu'il
devait se rendre souvent au petit coin. «Vieux et malade!»
avait-elle dit aux hôtes, sans gêne et sans pudeur. Lorsque la
vieillesse s'associait à la maladie, les secrets du corps n'avaient
plus rien de honteux. Le vieux savait même tirer profit de la
défaillance de son corps, en la mettant en valeur comme un
trophée. Tout ce qu'il désirait étaient les avantages de cette
combinaison : une meilleure place auprès du feu, un bon
morceau et qu'on lui fiche la paix.

Les deux avaient donc été assis au coin de la table, dres-
sée en plein milieu du village. La fille avait eu raison d'installer son père à cet endroit, car il quittait souvent sa chaise
pour se fondre dans l'obscurité de la nuit. Une vessie fragile

ou un estomac rebelle, voilà ce qui troublait sans doute la paix du vieux. Kostine se réjouissait du grand avantage que lui procuraient ces absences répétées, car son élue n'était chaperonnée par aucun autre membre de sa famille. Kostine prenait ses aises avec elle ; il la courtisait ouvertement et lui offrait du vin à répétition, même si elle le refusait systématiquement. À ce moment, il aurait dû remarquer que le père non plus n'était pas un adepte de la bouteille puisqu'il ne buvait que de petites gorgées d'une boisson apportée dans une cruche. Il aurait dû aussi remarquer le regard méprisant que le père et la fille jetaient à leurs compatriotes qui se goinfraient des mets offerts par leurs voisins, étonnamment devenus, du jour au lendemain, de bons Samaritains.

Lorsque la fête avait été à son apogée, les jeunes enlacés dans des danses de plus en plus fougueuses et les Slavins de plus en plus ivres, le père et la fille avaient commencé à échanger des regards inquiets. Ils avaient acquis la certitude que quelque chose se tramait. Soit le vin était empoisonné, soit la viande était altérée, soit les jeunes allaient sortir leurs couteaux et les tuer pour un crime inconnu. Afin de ne pas éveiller les soupçons, ils avaient commencé à feindre l'appétit tout en jetant sous la table, dans les brefs moments d'inattention de Kostine, le contenu de leurs assiettes. Le père, qui se levait de plus en plus souvent pour aller au petit coin, scrutait leurs hôtes, à l'abri de l'obscurité, pour analyser leurs regards, leurs échanges de signes et leurs doigts pointés vers l'une ou l'autre des familles.

Mais pourquoi, pourquoi donc ? Le seul espoir pour lui et ses compatriotes était qu'il n'y avait pas de raison évidente à ce piège. Qu'avaient-ils fait ? Ils n'avaient pas d'argent sur eux, ce qui excluait le vol. Quant aux disputes avec les Comans, ils n'en avaient pas eu depuis belle lurette, puisque l'échange de leurs marchandises se faisait, à présent, au marché, sur la place publique. Cela évitait le contact direct entre les villages, tous deux situés à bonne distance. Alors pourquoi y aurait-il un guet-apens ?

Le père revenait à sa place et s'entretenait avec sa fille de choses inintelligibles pour Kostine qui, malheur de malheur, ne comprenait pas la ruse du vieux ni la vigilance accrue de Sabina. Il était fermement persuadé que les choses allaient se dérouler comme prévu, rassuré par les clins d'œil qu'Onou lui envoyait à la dérobée. Cela voulait dire, dans leur langage à eux, que les Slavins étaient presque ivres et qu'il restait peu de temps avant l'assaut. Il ne voyait pas qu'outre les Comans, Sabina aussi percevait les gestes de leur chef.

Pour écarter tout soupçon, la jeune fille avait commencé à prêter attention aux paroles de Kostine. Elle était devenue plus polie qu'au début, elle répondait aux questions posées par le jeune homme qui, de son côté, s'intéressait aux habitudes des Slavins. De retour des toilettes, son père les rejoignait pour animer la conversation et rire de bon cœur lorsque la situation s'y prêtait. Pas souvent, car Kostine n'était pas un amuseur. Après coup, il enrageait à l'idée que les deux Slavins ne s'étaient amusés de ses blagues que pour le berner. Ils avaient anéanti ses soupçons avec leur bienveillance, leur politesse et leur intérêt feint. Kostine aurait dû s'en douter quand il avait appris que le père était une sorte de sage qui veillait à l'éducation des enfants. Il n'était pas agriculteur et maniait d'autres d'outils que la faucille ou la bêche. Kostine avait appris que son école se trouvait dans sa propre maison, car le vieux l'avait invité à lui rendre visite et à y rester quelque temps. Il pourrait, par exemple, lui dévoiler les petits secrets du ciel, où les étoiles s'alignaient dans des configurations qui n'étaient pas uniquement de belles légendes, ou lui enseigner une manière plus simple de calculer sa fortune, s'il en avait une, ou lui expliquer le fonctionnement de son corps et la manière de le soigner sans faire appel aux guérisseurs. Le vieux maître aurait pu lui raconter un tas d'événements surprenants sur leur propre histoire et celles des voisins et lui montrer des cartes avec les grands chemins menant aux cités des rois, ainsi que ceux, plus petits, utilisés en cas d'invasion. Il était au courant des guerres qui ne cessaient d'éclater dans le monde quoique, pour le moment, leur coin à eux fût épargné. Même un simple d'esprit aurait compris qu'un tel homme ne pouvait être dupé par la mise en scène maladroite d'Onou. Quant à sa fille, elle n'était pas nécessairement la plus belle, mais son calme, sa prévenance à l'égard de son père, sa manière d'intervenir dans leur discussion la lui avaient rendue très chère. Son nom aussi lui plaisait beaucoup. Sabina! Ce nom le comblait tout autant que celle qui le portait.

Quand s'étaient-ils évanouis?

Plus tard, réfléchissant à tout ce qui s'était passé ce soir-là, il avait compris. Vers minuit, Onou avait fait le tour de la table pour les avertir, discrètement, de se préparer. L'enlèvement était en marche, ce qui voulait dire qu'une petite troupe de villageois avait déjà été postée devant la grange et qu'une autre gardait la route au cas où les Slavins auraient riposté. Sauf que Sabina et son père furent, eux aussi, avertis de l'imminence de ce qui les menaçait. Lorsque Onou s'était éloigné pour chercher du renfort, le vieux avait demandé à Kostine de lui apporter une cruche d'eau chaude pour y dissoudre quelques sels et soulager la douleur de son ventre. Le jeune homme avait couru aussi vite que possible satisfaire son désir, malgré l'attaque imminente. Il ne doutait pas qu'il serait de retour à temps pour enlever Sabina. Mais pendant son absence, les deux étaient montés dans la charrette, préparée en cachette pour la route, et avaient fouetté sans pitié leur cheval, sans regarder en arrière.

Le sentiment des Comans envers Kostine n'était pas le mépris, comme il le craignait, mais la pitié, ce qui était pire encore. Secrètement, il désirait que l'enlèvement des Slavines porte préjudice au bonheur de ses copains même si, apparemment, tous étaient contents de leur nouvelle situation et plaignaient leur ami resté célibataire.

Son existence suivait la même routine, partagée entre les mêmes tâches quotidiennes et les quelques fêtes. Il sortait et buvait avec les mêmes amis, participait aux mêmes discussions et se disputait avec sa mère pour les mêmes raisons. Il rendait plus souvent visite à Stratonic pour demander à Kira de lui tailler une nouvelle chemise ou de rapiécer ses chandails, et à Teotin, pour que Flora lui traite une morsure de chien, des coliques, une jambe cassée. Veres, l'ivrogne, avait essayé de l'entraîner dans sa débauche, pensant qu'il était tout aussi affligé que lui par l'enlèvement raté. Nifon ne lui en voulait pas d'avoir tenté de lui voler la femme qu'il avait portée sur son dos au risque de rendre son âme. En revanche, Cosman le taquinait souvent pour le coup raté. Le bavardage harassant de sa femme l'exténuait tellement qu'il lui disait parfois être prêt à changer Minodora contre une bonne paire de moutons, au moins plus silencieux. Kostine n'enviait ni Bassarab, si heureusement marié à Rada, ni Dikran dont la courte vue et les hérésies étaient soignées avec dévouement par Sarda, ni l'orphelin Vartan, vu l'hygiène sévère imposée par Efstratia. Et que dire d'une nabote comme Gostana, seulement bonne pour un autre nain, ou d'une femme comme Théodora qui méprisait Ermil pour son gros ventre ? Il y avait aussi l'autre paire de buffles, Miran et Nafina, qui mangeaient même l'herbe de la cour. Que dire des quatre derniers, ayant épousé les laiderons rejetés par les autres : Olimpia qui gavait sa belle-famille pour gagner sa sympathie, Vergina qui ne savait où cacher son visage noirci par le soleil de tout le pays, Zaza, esclave dans l'atelier de Kira afin de renouveler la garde-robe de sa belle-mère, ou l'affreuse Pantana qui, disait-on, s'adonnait à des pratiques honteuses pour satisfaire les désirs pervers de son mari? À vrai dire, sa situation de célibataire n'était-elle pas enviable?

L'hiver venu, ses pensées n'étaient plus aussi rassurantes. La perspective des longues journées de décembre à passer devant l'âtre en compagnie de sa mère ne lui semblait pas très attirante. Plus le froid s'intensifiait et la couche de neige augmentait, plus Kostine pensait au départ. Il chercha Onou pour lui demander son avis, mais celui-ci lui déconseilla fermement de se rendre chez les Slavins à la recherche d'une épouse. Personne n'accepterait de lui accorder sa fille. Ils devaient se garder de raviver leur haine et laisser les choses macérer dans ce jus d'incertitude. Même si, à présent, ils ne redoutaient plus d'attaque, Onou n'en avait pas totalement écarté la possibilité, et c'était la raison pour laquelle on montait encore la garde à la sortie du village. Cette absence de riposte était surprenante, toutefois. Quels hommes pouvaient se résigner si facilement à la perte de leurs femmes? La paix les étonnait mais, surtout, les inquiétait.

Le meilleur conseil à donner à Kostine était de se trouver une épouse ailleurs et de renoncer à aller la chercher dans la tanière de l'ours. Mais les conseils ne sont bons que lorsqu'ils sont ce qu'on veut qu'ils soient, et Kostine pensait tout autre chose. Onou avait ses raisons de ne pas vouloir mettre les deux villages en contact, mais ce n'étaient pas celles du jeune homme. Suivant son intuition, consolidée par la manière dont le père avait su sauver sa fille, Kostine ne doutait pas que la seule personne qu'il trouverait chez les Slavins serait le vieil instituteur. Ce qui allait s'avérer.

Il avait longtemps réfléchi avant d'informer sa mère de ses intentions. Disparaître sans faire ses adieux à la vieille femme, qui restait seule au milieu de l'hiver avec la tâche de nourrir les bêtes, d'apporter de l'eau et de faire le feu, ne lui aurait pas laissé l'esprit en paix. Il parla donc à sa mère de son désir de partir à la recherche d'une épouse. La réaction de la vieille femme l'étonna : elle lui souhaita bon voyage et bon retour. Sa mère n'avait pas compris sa véritable destination, et Kostine décida de ne pas insister. Au fond, une fois en route, personne ne la connaît véritablement.

Cependant, dès qu'il quitta l'enclos de la cour, la frontière du village et les bois qui séparaient les terrains en friche des champs cultivés, il sut que sa destination restait le village des Slavins.

C'était la première fois qu'il parcourait des territoires étrangers, et ses premières découvertes l'étonnèrent : la margelle des puits, la forme des bancs devant les portes, les arbres fruitiers plantés sur les talus devant les maisons pour ombrager et nourrir les passants, la forme et la nature des toits, les clôtures en cordes de vignes. Les femmes portaient autrement leur fichu, et les chapeaux des hommes avaient les bords plus étroits. La cloche pendue au cou des animaux tintait autrement, tout comme celle de l'église. Les enfants glissaient sur des traîneux plus larges et plus hauts, et les charrettes étaient plus longues, ce qui facilitait le transport de plusieurs personnes. La neige devint moins épaisse quand il entama la descente vers la plaine. Les gens de son village avaient plutôt l'habitude de se tourner vers le nord, favorisant les échanges avec les montagnards, car c'était dans les montagnes qu'ils trouvaient refuge lors des invasions. La vie des campagnards n'éveillait pas leur envie, à cause du soleil implacable et du manque d'eau. Le sud signifiait des espaces ouverts, brûlés par le soleil, des pluies rares, des récoltes menacées par la sécheresse, les sauterelles et les barbares.

L'arrivée de Kostine dans le village n'éveilla pas de soupçons parce qu'il interrogeait les Slavins sur la maison de l'instituteur. Il empruntait tranquillement le chemin indiqué, les ruelles tortueuses aboutissant souvent dans des vergers ou des terrains couverts de neige.

Un village en plein hiver semble désert. Les gens se déplacent rapidement, emmitouflés dans leurs touloupes, soufflant par leurs narines des nuages de vapeur. Seules les cheminées des maisons fument, et l'odeur dégagée dans l'air trahit la nature des plats de chaque foyer. Le mélange de bois et de viande réveillait en Kostine le regret des choses et des lieux familiers. Un voyage est ce qui trouble le plus un être humain. Les gens ne sont pas faits pour voyager, pensait-il, maussade, mais pour rester à côté de leur mère, dans l'attente paisible de leur destin. Le jeune Coman commençait à avoir peur et à douter du bien-fondé de sa démarche. Il avait froid et faim, car ses provisions durcies par le gel et le lait caillé dans sa bouteille ne le tentaient pas.

À un carrefour, il s'arrêta au puits abreuver son cheval qui fumait à cause du long trajet parcouru. Kostine s'étonna que l'auge d'à côté ne soit pas remplie d'eau, comme chez eux. Pourquoi donc? Il interrogea la femme qui lui avait permis d'utiliser son seau pour désaltérer son cheval. Pour qu'elle reste fraîche, lui répondit-elle, car les animaux n'aiment pas l'eau croupie, pas plus que les gens. « Oui, mais pour la sécheresse ? » demanda Kostine. « On est en hiver, riposta l'autre. Pourquoi imposer aux villageois une tâche inutile ? Et en été, en quoi une seule auge pourrait-elle empêcher la sécheresse ? L'eau doit rester dans sa réserve, au fond de la terre. Ceux qui en ont besoin vont la trouver lorsqu'ils auront soif », conclut-elle avant de reprendre ses seaux et de s'éloigner. Suivant le conseil de la femme, qui lui avait montré la direction à emprunter, Kostine poursuivit son chemin vers la maison de l'instructeur.

En route vers le village, Kostine avait élaboré un plan de bataille à partir de quelque clôture, verger ou étable. Sur place, il comprit l'absurdité de son projet, car la maison de l'instructeur était grande mais isolée, entourée par une immense cour où la neige était tassée. De part et d'autre de l'allée menant à la porte, de grosses pierres de rivière marquaient des parterres de fleurs et ce qui pouvait être, en été, un petit potager. Au fond de la cour, il y avait une étable à deux stalles, abritant un cheval et une chèvre.

La bâtisse n'avait presque pas l'air d'une habitation. Une maison pue, sue, fume, alors que celle-ci dormait dans un silence glacé. Les fenêtres étaient obscures, et seule la fumée de la cheminée trahissait une quelconque présence à l'intérieur.

Que faire? Monter la garde jour et nuit, surveiller les allées et venues de la fille et du père?

Un petit vent lui fouettant le visage, ses mains engourdies sur les rênes du cheval, la soif qui le tiraillait plus que la faim le décidèrent à modifier son projet initial: au lieu de geler dehors, mieux valait frapper à la porte. Au fond, qu'avait-il fait de mal? L'intention n'est jamais punie, au contraire de sa réalisation. Et c'étaient les autres qui avaient fait du tort aux Slavins, car c'étaient eux qui avaient épousé leurs filles de force. Pourquoi donc avoir peur?

Ce n'est qu'au troisième coup que la porte s'ouvrit. Sur le seuil, le père de Sabina le regardait de sous une coiffe comique, taillée en peau d'agneau. Faisait-il si froid dans la maison? se demanda Kostine, au lieu de s'inquiéter du danger. Le vieux l'invita à l'intérieur, dans une grande salle où donnaient les portes d'autres pièces. Le froid qui y régnait n'était pas très accueillant. Kostine fut conduit dans la cuisine, une pièce plus longue que large. La lumière filtrait pauvrement à travers une petite fenêtre, mais le feu qui brûlait gaiement dans l'âtre la rendait inutile. Le vieux faisait bouillir de la viande dans un chaudron accroché à une crémaillère. Il apporta une deuxième chaise pour le visiteur et lui demanda de s'installer à côté de lui. Il lui offrit un broc plein d'un liquide parfumé et très doux. Kostine goûta, circonspect, cette boisson, car il aurait préféré du vin. Le vieux le regarda un certain temps, puis il commença à rire.

— Tu es venu, finalement!

Le Slavin n'attendait aucune explication et ne posa aucune question sur ses intentions. Tout ce qu'il ajouta à propos de l'événement désagréable de l'automne fut que Sabina n'habitait plus ici et qu'il avait fait toute cette route pour rien. Il n'aurait qu'à rebrousser chemin le lendemain, mais il lui offrait un lit pour la nuit et un repas pour lequel il n'était pas tenu de payer. Mieux valait ne pas se remettre en route à la tombée du jour, car le froid et les loups auraient raison de lui. Le cheval pouvait être installé dans l'étable, car le sien était un animal très accommodant, poli comme un humain.

Kostine accepta l'invitation de bon cœur, remettant le moment de quitter cette maison les mains vides. Il avait, au moins, l'espoir que pendant la nuit passée sous le toit du vieux, celui-ci pourrait changer d'avis et le prendre en sympathie. Kostine était venu demander sa fille en mariage, et c'était à elle de le refuser. Il n'en fut pas moins déçu lorsque, après le repas mangé en silence, le vieux l'installa dans la cuisine, sur un banc. La pièce allait refroidir au cours de la nuit, lui dit-il, mais il n'y avait rien à craindre: avec son sang actif, un jeune corps faisait mieux de dormir dans le froid, comme l'ours, car le froid conserve l'énergie et prolonge la vie. Ensuite, le vieux se retira dans sa chambre sans permettre à Kostine d'y jeter un coup d'œil. Il aurait peut-être dû examiner l'intérieur de cette pièce, voir si Sabina n'y était pas. Mais l'attitude du père et son accueil poli l'en dissuadèrent. Rien dans la maison ne trahissait la présence d'une femme, aucun soulier traînant dans l'entrée, aucune blouse mise à sécher, aucun manteau accroché à la penderie. Recru de fatigue et amolli par la chaleur, Kostine s'étendit tout habillé sur le banc étroit, sous une grande peau de mouton en guise de couverture.

Tard dans la nuit, Kostine fut réveillé par des bruits de pas et des cris aigus. Quatre hommes foncèrent sur lui, l'immobilisèrent et l'enchaînèrent. Encore à moitié endormi, Kostine pensait que ce n'était qu'un mauvais rêve. Mais quand les hommes le traînèrent à l'extérieur, il comprit que c'était le début d'un long cauchemar. Il commença à appeler son hôte, qu'il ne voyait nulle part. Un des hommes lui couvrit la bouche d'un torchon qui avait un goût salé. D'autres gaillards attendant à l'extérieur le catapultèrent dans une charrette, à côté d'autres jeunes hommes attachés à des chaînes. Les mains et les pieds de Kostine furent immobilisés par deux gros colliers fixés à la paroi de la voiture. Il s'étonnait du silence des autres, qui le regardaient sans pitié ni curiosité. La charrette fut déplacée à quelques rues de là, et dissimulée derrière une clôture. Les mêmes quatre hommes se glissèrent à pas de loup dans la maison, d'où ils sortirent en portant un baluchon qui remuait violemment. Lorsqu'ils le rangèrent dans la charrette pour le fixer aux chaînes, Kostine découvrit un visage éploré à la bouche bandée, tout comme la sienne. L'un des garçons de la voiture dit au nouveau venu :

— Inutile de t'opposer, Valis. On s'en va à la guerre, qu'on le veuille ou non.

❖

Onou avait dû attendre un an avant d'avoir des nouvelles de Kostine. Après le recrutement forcé dans l'armée et son départ pour affronter les hommes enturbannés du Nord, les informations se firent extrêmement rares. On savait que le pauvre Kostine était à la guerre. Or, à la guerre, le plus naturel est de mourir. Mais le bruit de sa mort ne courait pas encore, ce qui donnait de l'espoir aux villageois, puisque la mort était la nouvelle qui circulait le plus vite. Tant qu'il n'y avait pas de cadavre, on était encore dans l'attente de ses exploits.

Et les nouvelles de la guerre commencèrent à arriver. Leur violence étonna outre mesure les villageois, partagés entre y croire et en douter. Kostine était devenu un héros, tant les voyageurs de passage vantaient sa contribution aux victoires qui tenaient les barbares aux portes de leurs frontières. Plus tard, les barbares passèrent les portes, mais cela ne diminua pas les exploits de leur compatriote. Il fallait se fier à sa bravoure, sans précédent dans leur communauté, car le village ne comptait aucun héros mort à la guerre. Mais le courage de l'un des leurs rendait possibles les petits événements de leur vie. Les barbares devaient être maintenus hors les portes, même s'ils les avaient déjà traversées et s'avançaient vers l'intérieur du pays.

Trois ans plus tard

Tout le monde assista à l'enterrement de Diran, même si sa mort n'affectait ni les gens du village ni les membres de sa famille, peu nombreux d'ailleurs.

La jeune veuve accomplissait les tâches du rituel avec une adresse surprenante pour une étrangère. Sur son visage disgracieux on ne lisait ni chagrin ni émotion, ce qui étonnait les gens, habitués en pareilles circonstances aux larmes et aux cris perçants. Pantana les laissait sur leur faim, se concentrant plutôt sur la répartition des tâches entre les hommes et les femmes venus l'aider. Le soutien de la vieille servante était inutile, mais Pantana aurait eu tort de s'y fier, car Dourma n'était pas présente. Pourquoi celle qui avait soigné Diran pendant plus de temps que sa dernière femme manquait-elle le cérémonial qui aurait dû, finalement, les réconcilier?

Le cadavre fut veillé trois jours et trois nuits, et personne ne manqua de quoi se mettre sous la dent: du pain, du fromage, des fruits. Les hommes cassaient des noix pour accompagner le vin, sans égard pour les pleureuses qui se lamentaient au-dessus du cadavre, par une chaleur qui faisait fondre les bougies sans qu'on ait besoin de les allumer.

Le sacrifice des animaux eut lieu au fond de la cour, où le sang et les tripes furent immédiatement nettoyés pour empêcher les mouches et les asticots de proliférer. Le vin servi à table aurait été suffisant pour deux enterrements car, à part les deux tonneaux gardés dans la cave, Diran conservait deux dames-jeannes dans un trou creusé dans le jardin, à l'ombre d'un mûrier. Dans un coin de la cuisine, des paniers en roseaux étaient prêts avec les vivres destinés aux fossoyeurs, au menuisier qui préparait le cercueil et au prêtre qui priait depuis le matin.

D'une malle aussi grande qu'une charrette, Pantana commença à sortir et à étaler les dons destinés à ceux qui étaient présents au cérémonial : les femmes allaient recevoir une petite serviette brodée d'une grappe rouge, et les hommes, un fin mouchoir de mousseline beige. Pour le prêtre et son diacre, on avait préparé deux couvertures en cotonnade rouge, festonnées de franges blanches. Pour les pleureuses, Diran avait prévu deux rouleaux de popeline jaune à petits pois noirs, servant à la fabrication des blouses. Les enfants non plus n'avaient pas été oubliés. Du fond de la malle, Pantana retira des petits mouchoirs en coton, brodés autour d'une double ligne ondulée. Les bords étaient festonnés au crochet d'une dentelle en bourgeons. Diran avait même prévu un pot rempli de petite monnaie car, en route vers le cimetière, le cercueil s'arrêtait aux carrefours pour que la famille jette de l'argent à la foule. Les enfants suivant le cortège se disputaient rudement les pièces, car ils pouvaient les monnayer contre des sommes considérables, offertes par les femmes s'adonnant à la magie. Personne n'aurait voulu trouver une telle monnaie glissée sous son oreiller, manière sûre de perdre l'ouïe et d'avoir des maux de tête jusqu'à la fin de ses jours.

Pour le grand repas d'après la mise en terre, Diran avait prévu des réserves de miel dans des pots scellés à la cire, de grosses boules de sel transparent comme du cristal, du blé et de l'orge décortiqués, des petits pois gardés dans des sacs enduits de graisse solidifiée au soleil pour garder les mites à distance. Il y avait aussi des bocaux de prunes séchées, des colliers de tranches de pommes et de poires fumées, de la compote de griottes, des raisins gardés dans des paniers capitonnés de foin, des corbeilles de noix et de noisettes. Dans la basse-cour, on avait marqué le coq qui devait passer au-dessus du tombeau, ce qui donnerait au défunt des ailes pour monter jusqu'au ciel. Diran avait même prévu quatre fuseaux devant être enfoncés dans les coins de la tombe, au cas où il serait un vampire à son insu. Rien de sa physionomie ne le laissait croire, mais on ne savait jamais, et les quatre fuseaux dans la terre ne pouvaient faire de mal à personne.

Les gens étaient éblouis par cette abondance. Une fois leurs langues déliées par le vin, les hommes commencèrent à faire des pronostics sur l'avenir de Pantana.

Les villageois veillèrent le cadavre, accompagnèrent son dernier trajet, d'abord à l'église, ensuite au cimetière, revinrent recevoir leur petit cadeau, manger à se déchirer la ceinture, et se dispersèrent en vantant le défunt pour la première fois de leur vie. Personne ne s'inquiétait de la manière dont Pantana allait finir la journée et régler ses différends avec la famille.

Peu de temps après l'enterrement de Diran, Olimpia renonça elle aussi aux services de Dourma. Lass et Bitar furent très étonnés de cette décision, d'autant que la vieille semblait éprise d'Olimpia à qui elle faisait part de tous les ragots. Dourma était contente de trouver une oreille attentive à ses histoires, sachant que l'autre ne se rendrait jamais compte de ses exagérations. Olimpia sortait rarement et connaissait mal les gens du village, alors pourquoi s'inquiéterait-elle de sa démesure? L'air placide de la Slavine la rassurait, car celle-ci l'écoutait sans jamais argumenter ou poser de questions, uniquement préoccupée par le contenu de ses casseroles.

Était-ce un hasard que sa nouvelle attitude à l'égard de la servante ait débuté avec le veuvage de Pantana? Dourma ne trouvait aucun lien entre les deux événements, ce pourquoi elle hésita à faire part à sa famille de cette coïncidence. Ce dont elle ne doutait pas était que la première critique portant sur son habileté à éviscérer une poule lui soit adressée deux jours après l'enterrement de Diran. Et une semaine plus tard, elle comprit qu'Olimpia n'écoutait plus ses nouvelles avec le même plaisir. Au début, celle-ci avait essayé de se dérober tout simplement à son bavardage, mais un samedi soir, Olimpia lui donna congé, en l'accusant d'indiscrétion. Elle dit à sa famille qu'elle préférait se charger de tout le ménage, malgré la fatigue que cela lui procurait, plutôt que d'accepter la compagnie d'une telle menteuse.

Il ne fallut pas longtemps à la famille pour sentir le changement, car le vieux Lass était malade, Bitar, paresseux et les neveux, ayant grandi, mangeaient de plus en plus. Ce furent eux qui regrettèrent en premier le départ de Dourma, car les gâteaux de la tante n'étaient plus aussi riches et, de plus, sa bonne humeur s'était complètement évanouie. Olimpia avait été une femme bonne qui devenait, irrémédiablement, méchante.

Dourma n'était pas la seule à sentir les effets de l'enterrement de Diran. Depuis un certain temps, Aspasia avait remarqué une diminution de la rage guerrière de son mari. Sa belle-sœur comprit elle aussi que son frère n'était plus aussi sensible à leurs flèches venimeuses concernant sa virilité ou son incapacité à atteler une charrette. Vu l'indifférence de Varlam à leur ironie, les deux femmes commencèrent, de leur côté, à s'étonner de leur bêtise. Au fond, pourquoi se tirer les cheveux chaque soir, au vu et au su de tout le monde? Pourquoi ne pas s'asseoir sur la véranda après le souper et discuter tranquillement, tout en chassant les moustiques? Malgré ces bonnes résolutions, les disputes ne cessèrent pas complètement. Il y avait encore des jours où les querelles commençaient de la même et ancienne manière : Varlam frappait Aspasia, Aspasia demandait du secours à sa belle-sœur, la belle-sœur à la mère, ce qui nécessitait l'intervention finale du père.

Tout le monde sait que dès qu'il y a un changement dans l'attitude du mari, l'épouse doit rapidement en chercher la source. Ce qu'Aspasia ne fit pas. Elle n'avait même pas remarqué que leurs querelles avaient diminué pour la simple raison que, après le souper, Varlam s'éclipsait de la maison. Il disait aller voir son ami Vartan, et les femmes lui prodiguaient toujours le même conseil : « Demande à Efstratia de te donner un bain à toi aussi. » Les derniers temps, il ne faisait plus attention à ces remarques.

Varlam empruntait le chemin menant vers la maison de son ami mais, une centaine de pas plus loin, il sautait la clôture d'une petite cour et, de verger en verger, les chiens tenus encore attachés aboyant sur son passage, il se glissait comme un voleur dans l'obscurité, pour arriver à la maison de Pantana. D'abord, il montait la garde derrière une haie de ronces, regardant la femme qui préparait le repas, jetait l'eau du lavabo où elle s'était lavée et avait rincé ses chaussettes et, finalement, libérait le chien avant d'aller au lit. C'était le chien qui avait trahi la présence de Varlam. L'animal l'avait flairé dès le premier soir et l'homme avait été obligé de s'enfuir. Le deuxième soir, il était revenu avec une poignée d'os de poulet que le chien avait avalés d'un coup, cessant d'aboyer contre l'intrus.

Pantana avait remarqué les jappements du chien suivis, les soirs d'après, d'un frétillement qui annonçait une présence familière dans l'obscurité. Au début, elle avait pensé à des voleurs, mais ceux-ci avaient l'habitude de tuer les chiens et de ne pas se faire remarquer par des visites répétées au même endroit. Or celui ou ceux qui montaient la garde au delà de la clôture semblaient justement vouloir annoncer leur présence. Un soir, au lieu de se mettre au lit, elle prit son courage à deux mains et alla piéger le cambrioleur. Varlam sortit tranquillement de sa cachette pour lui adresser la parole. Ce soir-là, Varlam était devenu l'amant de Pantana. À la différence d'Aspasia, Efstratia ne tarda pas à comprendre que Varlam courait après une autre femme. Elle n'hésita pas à faire part de ses soupçons à son mari qui lui dit, sans ménagement, de fermer sa gueule. Le fait que Varlam avait cessé de leur rendre visite ne faisait pas de lui un adultère. En ce qui le concernait, il ne voulait ni aller voir ailleurs ni se laver, de sorte que sa femme était occupée à nettoyer derrière lui, car il avait repris toutes les mauvaises habitudes de l'époque où il était orphelin. Vu que les séances d'amour prodiguées par sa femme, toujours en quête d'effluves pourris, lui occasionnaient tant de peine, il ne lui annonçait plus souvent vouloir prendre un bain. Ce qui le chassait inévitablement du lit conjugal. En revanche, sa femme avait décidé de ne plus toucher sa literie sale et infestée de puces. Vartan ne se couvrait plus d'une couette mais d'une touloupe, alors que son matelas de paille était protégé uniquement par un tapis de chanvre. Exténué, il se couchait vêtu de sa chemise au col noirci et de son pantalon taché de boue, parfois d'urine. Il tirait sa tuque sur son front pour se protéger des perce-oreilles et commençait à ronfler aussitôt.

La nouvelle attitude de son mari engendra d'autres changements dans les habitudes du couple. Ils ne mangeaient plus ensemble, car Efstratia voulait éviter l'odeur de Vartan. Elle préparait la nourriture pour eux deux, mais ils mangeaient à des endroits différents. Efstratia restait dans la cuisine, à la table qui lui était désormais réservée, alors que Vartan allait manger dans la cour. En hiver, il dormait dans l'étable à côté des animaux.

Le passage de Vartan dans les pièces habitées par Efstratia produisait une vraie tempête. Que Vartan ait cherché une aiguille ou une paire de ciseaux, le geste était impardonnable. Pour éviter de tels contacts, elle avait déposé dans son gîte une boîte avec des papillotes, des aiguilles, des ciseaux et même des morceaux de tissu. Dorénavant, la tâche de rapiécer ses haillons lui incombait.

Les soupçons d'Efstratia quant aux déboires de Varlam ne restèrent pas sans écho dans le cœur de Vartan. Ce qui l'intriguait était que son ami ait choisi Pantana, une femme qu'il n'aurait pas acceptée le soir de l'enlèvement. Qu'est-ce qui avait changé depuis ? Pantana tendait à devenir la femme la plus désirée dans les parages, seulement parce qu'elle était seule et, apparemment, assez aisée. Après la mort de son mari, elle gérait sa fortune avec plus de succès que de son vivant. Elle n'avait pas à s'inquiéter de l'absence d'un homme au foyer, car son argent lui permettait d'embaucher des journaliers pour semer et récolter la terre restée en sa possession, malgré les complaintes de sa belle-sœur. Pantana tirait un bon profit de la vente de ses produits et elle conduisait parfois elle-même sa charrette chez les montagnards.

Si Vartan s'était empêché de parler à quiconque des fantaisies de sa femme, celle-ci n'hésita pas à les partager avec Gostana. Il les entendit s'entretenir dans la cuisine, alors qu'Efstratia invitait la naine à partager un poulet rôti. Vartan les laissait continuer leurs confidences indécentes, craignant que les gargouillis de ses entrailles, réveillées par l'odeur de viande grillée et aspergée de jus d'ail, trahissent sa présence.

Les visites de Gostana étaient devenues plus fréquentes car, depuis un certain temps, elle évitait Antim, qui la pressait d'avoir des enfants, ce qu'elle ne souhaitait pas. Les enfants ont la fâcheuse habitude de se montrer plus rapidement à ceux qui ne les désirent pas.

Que voulait-il prouver? Que sa descendance serait comme les autres, qu'elle aurait la même taille et la même allure? Ne fallait-il pas plutôt y penser à deux fois afin d'éviter que leur enfant naisse nabot et subisse les mêmes remarques désobligeantes que ses parents? Et si c'était un garçon, ne devraient-ils pas éviter d'être un jour obligés d'organiser un autre enlèvement afin de lui trouver une épouse?

Les parents d'Antim donnaient plutôt raison à Gostana. Eux non plus ne voulaient pas d'enfants nains. Ils étaient contents des petits-enfants, en pleine santé, nés de leurs autres enfants de taille normale. La famille s'était résignée à ce que Gostana soit uniquement destinée au confort d'Antim, la meilleure chose à faire pour elle. Qu'Antim n'insiste donc plus!

Mais Antim insistait, ce qui poussait Gostana à l'éviter et à s'éclipser de la maison lorsqu'elle le pouvait. Elle pénétrait dans la cour de son amie sans même l'avertir, rassurée de toujours la trouver armée d'un balai ou les mains dans le lavabo. Efstratia était contente de revoir Gostana. La vue de sa petite taille lui ramenait le sourire aux lèvres, perdu à cause de ses idées noires à l'égard de son mari. Elle cessait sa besogne pour offrir à Gostana un verre de lait, des noix, un fruit, que la petite femme mangeait avec plaisir. Ces derniers temps, le regard inquisiteur d'Antim avait définitivement anéanti son appétit. Son reproche muet lui indiquait que, d'une certaine manière, elle n'était plus qu'une bouche de plus à nourrir. Les denrées d'Efstratia étaient donc les bienvenues tant qu'elle les lui donnait de bon cœur.

Les deux femmes n'étaient pas les seules à avoir eu vent du changement intervenu dans la vie de la veuve. Un jour, Kira reçut la visite de Pantana alors qu'elle était en compagnie de deux autres femmes, venues essayer leurs robes. Celles-ci furent mécontentes de cette apparition qui augmentait encore plus la clientèle de la couturière. Leurs yeux en disaient long sur leurs pensées. Comment habiller une telle femme et à quoi bon?

Pantana fit semblant de ne rien remarquer. Elle s'assit sur la chaise indiquée par Zaza, qui cousait tranquillement dans un coin les boutons d'une robe de mariée. Son tour venu, elle sortit de son sac un rouleau de mousseline qui laissa les quatre femmes bouche bée. C'était le tissu le plus exquis qu'elles aient jamais vu, de la soie pure, rouge, et si mince qu'on voyait à travers comme si c'eût été une toile d'araignée. Elle leur dit que Diran tenait à ce qu'elle porte un jour cette blouse sous son manteau. Sur son lit de mort, il lui avait déclaré que le deuil ne devrait pas l'empêcher de vivre sa vie.

Les deux couturières eurent du mal à retenir leur rire, car le boniment sur la générosité d'un moribond ne les dupait pas, elles qui voyaient passer dans leur atelier plus de femmes adultères qu'au confessionnal, et toutes, chère Pantana, leur fournissaient les mêmes explications pourries. Mais elles agirent en sages femmes d'affaires, qui ne se mêlaient pas de ce qui encourageait leur commerce. Kira lui dit que la blouse ne serait pas prête de sitôt, car elles étaient surchargées de travail. Pantana ne se laissa pas décourager, car elle avait eu vent des ruses de Kira, même si elle n'avait jamais fréquenté son atelier. Elle lui dit que la blouse lui rapporterait le prix de dix, si elle était prête dans une semaine. Étant donné la délicatesse du tissu, elle pourrait même lui accorder plus de temps, d'autant qu'elle allait s'absenter quelques jours pour affaires.

Le prix décida Kira à changer d'avis en un clin d'œil, sans explication supplémentaire, lui attirant le regard dédaigneux de Pantana. Les deux autres clientes dévisagèrent aussi froidement la couturière qui ne faisait pas mentir sa réputation. Kira dit à Pantana de passer dans deux jours pour le premier essayage et, si possible, de se procurer des boutons de nacre.

Cette remarque réconcilia, en quelque sorte, les deux femmes. La réaction flegmatique de Pantana calma aussi les deux clientes, qui se hâtèrent de quitter l'atelier pour répandre la nouvelle. Une femme laide avait elle aussi le droit de porter de beaux habits, mais la question était : pour qui la veuve voulait-elle s'habiller de rouge ?

Après le départ de Pantana, Kira et Zaza se mirent au travail, laissant de côté les autres ouvrages. Elles étendirent le tissu sur la grande table, dégagée des chiffons, rubans et papillotes. Devant le rouge éclatant de la soie, elles hésitèrent longuement avant de saisir les ciseaux. La décision leur vint simultanément : la blouse de la veuve aurait des boutons dans le dos, de sorte que quelqu'un d'autre devrait l'aider à la fermer et à l'ouvrir. Le col, taillé en biais, serait évasé comme un éventail. Les manches, bouffantes, se termineraient au poignet par des manchettes fermées par cinq ou même six boutons, autant que la riche veuve pouvait se le permettre.

Zaza partit, laissant Kira songeuse, les bras croisés sur sa poitrine. Sa belle-mère la surprit dans cette posture et lui demanda si elle allait bien. Quoique les deux femmes ne fussent pas de grandes amies, Kira décida de lui parler de Pantana et de sa blouse rouge. Croyait-elle que c'était un vêtement approprié pour une veuve ? Et la belle-mère eut une réponse qui laissa Kira perplexe. Ce n'était pas la blouse qui lui faisait envie, mais la situation de Pantana. Dorénavant, cette femme laide pouvait se commander de beaux vêtements, avoir un amant, partir en voyage sans avoir de comptes à rendre. Sa maison était tout à elle, alors que les autres s'affairaient pour rien. Au bout d'une journée, leurs efforts étaient oubliés et le fruit de leur travail, invisible. Sa belle-mère comprenait la peine de Kira qui habillait de beaux vêtements le village entier, alors qu'elle n'avait jamais cousu une robe pour elle-même. Que pouvait-elle lui conseiller ?

Tant qu'à avoir subtilisé les meilleurs morceaux de ses clients, qu'elle prenne le temps de se couper une belle robe et qu'elle oublie Pantana.

Étrangement, une fois revenue à la maison, Zaza reçut un accueil tout aussi surprenant de sa belle-mère. Elle devina que cette attention spéciale était causée par le fait que la vieille attendait ses deux tabliers, mais la soupe d'oie mise avec égard sur la table adoucit Zaza et la rendit plus communicative que d'habitude. Elle aussi parla de la visite de Pantana et du précieux tissu qu'elle tenait de son défunt mari. Cette blouse rouge était définitivement destinée au regard d'un homme, mais de qui?

Comme son mari n'était pas à la maison, elle avoua à sa belle-mère que, sur le chemin du retour, elle avait pensé que, peut-être, c'était lui l'heureux élu. Zaza avait compté ses absences, les nuits où il s'attardait sous prétexte de surveiller les moutons laissés dans les champs. Ensuite, il y avait les longs trajets dans les villages du nord pour vendre du fromage et des pommes.

Ces propos enragèrent la belle-mère, revenue à sa morosité habituelle. Zaza avait le droit de s'inquiéter des absences prolongées de Kalinic et de certains changements dans son comportement, mais la raison était tout autre que celle qu'imaginait sa femme. Si elle voulait le savoir, son mari ne mangeait plus du même appétit, ne se lavait plus les pieds, et son peigne avait deux dents de moins. Mais à qui la faute? Il était temps qu'elle comprenne que la vie de son mari était devenue rude depuis qu'elle travaillait comme apprentie pour un revenu minime. Cela dit, la belle-mère ne voulait jamais plus entendre de telles bêtises, nourries, décidément, par les ragots trafiqués dans l'atelier de couture.

Deux autres femmes étaient en train de s'interroger sur les nouveaux besoins de Pantana. Un jour, la veuve s'était rendue chez les deux guérisseuses pour réclamer une poudre contre les maux de tête. La Nicoula lui enleva le mauvais œil, lui frotta les tempes avec la peau du bébé vampire, lui massa la nuque et les épaules.

Pantana revint le lendemain avec un bout de viande fraîche. Elle disait que les incantations l'avaient beaucoup aidée et qu'elle voulait ajouter une petite récompense. Elle demanda aussi un remède pour les maux de ventre précédés d'une chaleur horrible qui la faisait suer comme un cheval, surtout la nuit. Flora lui frictionna longuement le dos, lui donna des herbes à infuser et à boire avant d'aller au lit.

La Nicoula avait laissé sa belle-fille en charge de sa pharmacopée. Petit à petit, la vieille avait tendance à délaisser les gros travaux de l'atelier. Elle s'adonnait plus souvent à son broc de vin bouilli, accompagnant le traitement des somnambules. La rougeur de ses joues, son souffle court, ainsi que ses fréquents saignements de nez auraient alarmé même un néophyte. La Nicoula ne s'inquiétait pas pour autant. Depuis deux ans, elle ne faisait qu'assister son apprentie. Lorsque Flora rompait les charmes ou jetait des sorts, La Nicoula penchait discrètement l'oreille pour voir si elle avait bien retenu ses poèmes maléfiques. Exténuée par la tâche de guérir les villageois, Flora avait elle aussi pris l'habitude du traitement de La Nicoula : un gros broc de vin bouilli, et la fatigue partait en fumée.

À la troisième visite, Pantana accusait toujours les mêmes maux de tête ainsi que le feu intérieur qui lui brûlait les entrailles. Flora prit l'initiative d'améliorer le traitement prescrit par la grand-mère, en ajoutant un mélange à base d'eau-de-vie et de quelques graines noires apportées, disait-on, de l'autre côté de la terre et aussi chères que l'or. Elle lui conseilla aussi de prendre des bains froids. Ces bons conseils leur valurent d'autres denrées : du fromage de chèvre gardé dans une tinette en bois de mûrier, du lait caillé, du sel en granules et de la cire parfumée. Mais Pantana avait une nouvelle lubie : elle voulait ni plus ni moins que blanchir sa peau.

La Nicoula dit à Pantana que ce traitement n'était pas sans danger, car changer ce que la nature avait légué n'était pas du pouvoir des humains. « Notre peau n'est pas uniquement un sac qui nous enveloppe. Nous sommes aussi notre peau, et cela ne peut pas être changé », lui dit-elle.

Pantana réagit placidement à cet avertissement, tout comme elle l'avait fait dans l'atelier de la couturière. Elle répondit que blanchir sa peau ne pouvait représenter une si grande menace. Tant de femmes étaient malheureuses à cause des aléas de la nature ! Regardez la pauvre Vergina ! Quel don était sa peau noire si son mari refusait de s'éprendre d'elle ? S'il était dans leur pouvoir d'améliorer cet héritage, elles en seraient bénies.

La sincérité de Pantana et son insouciance quant aux conséquences décidèrent les deux femmes à se mettre au travail. Sous la surveillance de la grand-mère, Flora s'engagea à préparer la crème blanchissante le soir même. Le jour où Pantana s'empara de la petite bouteille emballée dans une bourse de cuir, elles commencèrent par avertir la veuve que ce traitement pourrait avoir des effets secondaires graves si elle l'interrompait. Pantana leur demanda s'il y avait des incantations à faire, mais Flora lui dit que rien d'autre n'était nécessaire à part un nettoyage de la peau. Les charmes indispensables avaient tous opéré pendant la cuisson.

Deux semaines plus tard, les effets de cette crème furent si visibles que la cliente suivante fut, inévitablement, Vergina. Elle avait remarqué la première le visage clair de la veuve de Diran, mis en évidence par son habit de deuil. Elle se rendit chez La Nicoula réclamer ce traitement miraculeux mais, cette fois, la sorcière fut impossible à convaincre. Pantana était une femme seule et riche. Il n'y avait personne dans son entourage à qui rendre des comptes de la réussite ou de l'échec du traitement. Flora ajouta qu'un petit accident pouvait empêcher la crème d'agir proprement et que, parfois, la peau prenait sa revanche, se maculant davantage. Était-elle prête à courir le risque et, surtout, à imposer à sa famille le prix d'un tel produit? Vergina voulut demander conseil à son mari, ce qui rassura les deux femmes, car Satenik n'était pas homme à prêter l'oreille aux besoins de sa femme. De plus, le nouveau penchant de l'homme pour la boisson aurait rendu difficile une telle acquisition.

De retour à la maison, Vergina se plaignit à sa belle-mère des deux gloutonnes qui monnayaient si chèrement leur savoir et l'offraient à quelqu'un qui ne devait ni adoucir son mari ni lui plaire. Comment allait-elle venir autrement à bout des crises de rage de Satenik qui soulageait son chagrin en cassant des assiettes et en fouettant les animaux de la cour? Le temps n'avait rien apaisé de sa colère d'avoir été trompé, le soir de l'enlèvement. Le peu d'enthousiasme qu'il mettait au travail, son indifférence devant la grêle qui détruisait le blé au printemps ou la bruine qui rouillait les vignes en automne parlaient d'eux-mêmes de l'avenir qu'il accordait à son couple. Qu'est-ce qui aurait pu le libérer de son épouse, noire comme le charbon? Par quel moyen s'en débarrasser? L'affamer, la chasser, la tuer?

Quant à la belle-mère, elle prodiguait à Vergina les mêmes conseils: ne pas perdre patience, être gentille et toujours à la disposition de son mari. Après cinq ans, toutefois, quelle femme aurait pu être encore disponible pour un mari qui la détestait? Pour Vergina, les mets n'avaient plus de goût, et les chambres puaient la sueur. De tristesse, sa peau avait noirci encore plus.

Nafina fut la seule à bénéficier du veuvage de Pantana. Un jour, celle-ci la fit venir chez elle pour lui dire qu'elle allait lui céder un petit lopin de terre au fond de son jardin, pour y cultiver des légumes ou toute autre chose à jeter dans la marmite. Nafina reçut la nouvelle avec grande joie, mais pas sa belle-famille. Miran se ralliait à sa mère pour considérer cette offre comme une humiliation. De quel droit Pantana les traitait-elle de pleure-misère? Ils allaient même jusqu'à plaindre Diran d'avoir été berné par cette femme qui lui survivait pour se moquer de tout le monde. Nafina osa leur rappeler qu'on ne pouvait pas reprocher à Pantana d'avoir trompé Diran, car ce n'était pas les Slavines qui avaient choisi leur mari. La mère de Miran se déchaîna devant cette remarque désobligeante. Elle lui cria que personne ne l'aurait épousée dans son village, car elle était un sac sans fond qui avalait plus qu'elle produisait. Nafina répondit que Miran non plus n'aurait pas trouvé sa moitié dans leur village, car lui aussi dévorait tout ce qui lui tombait sous la main. Miran se mêla à la dispute, disant qu'il avait le droit de faire ce qui lui plaisait tant qu'il était chez lui, sur la terre de ses ancêtres. Les mains sur les hanches, Nafina répliqua qu'elle se fichait de ses ancêtres.

Le lendemain, elle se rendit chez Pantana, qui avait déjà marqué les limites du futur jardin. Nafina ne l'accepta qu'à la condition de payer, en retour, d'un petit quota de ses produits, ce que Pantana accepta volontiers.

La compagnie amicale de la veuve compensait les chicanes avec sa belle-famille, de plus en plus fréquentes. Même la complicité avec son mari avait été gâchée. Ils n'éprouvaient plus le même plaisir à manger et à concocter ensemble de succulents repas. Ils commencèrent même à préparer séparément leurs plats, ce qui créait beaucoup d'agitation dans la cuisine: depuis quelque temps, l'âtre ne refroidissait jamais, car il y avait toujours quelque chose sur le feu. Les parents partageaient la nourriture de Miran plutôt que celle de Nafina, mais ses plats n'étaient pas aussi bons. Ils commençaient à reconnaître à leur belle-fille une grande maîtrise des mets inattendus. Les parents revinrent à la cuisine traditionnelle, mais à force de ne pas avoir cuisiné depuis si longtemps, la belle-mère avait perdu son savoir-faire. Elle versait trop de sel ou mettait trop de gras et oubliait souvent les marmites sur le feu. Sa levure était moisie et le pain, dur comme de l'écorce. Étrangement, Nafina cessa de grossir. Maintenant qu'elle ne cuisinait que pour elle-même, la qualité avait remplacé la quantité.

Minodora, la femme de Cosman, fut très affectée par le nouvel arrangement de Pantana. Le terrain alloué à Nafina rendait inutile le chapardage qu'elle opérait dans leur jardin en bordure du village. À présent, c'était Miran qui avait pris en charge les réserves de légumes nécessaires à ses plats gargantuesques. Sauf qu'il était un mauvais voleur et un encore pire cueilleur. Nafina prenait ce dont elle avait besoin dans le souci de laisser en bon état la récolte derrière elle. Si elle prenait des radis et des choux, elle choisissait ceux qui étaient déjà mûrs et qui nécessitaient une cueillette urgente : de même pour les carottes, les navets et les courgettes. Les herbes étaient moissonnées près de la racine, jamais aux cimes, pour ne pas détruire la plante ou arrêter sa croissance. Quelques feuilles ici, quelques feuilles là, on ne percevait presque pas la collecte. Son maraudage ne menaçait jamais les réserves des autres. Avec Miran, c'était une tout autre histoire. L'homme était toujours à court de temps, ce qui le poussait à ramasser tout ce qui lui tombait sous la main, d'un bout à l'autre. Grands ou petits, verts ou mûrs, tout s'envolait dans son panier. Les trous laissés derrière lui enrageaient Minodora qui déplorait l'aspect de son jardin et le temps gaspillé pour sarcler au printemps et arroser en été.

Elle épargna à sa famille la nouvelle de ces dégâts, mais elle racontait abondamment aux villageoises les méfaits de Miran. Chaque jour, elle montrait à celles qui faisaient la queue au puits la pauvre récolte de son panier, après le passage du voleur. Minodora avait arrêté le flux des histoires du passé pour se moquer de la situation de certains hommes incapables de gérer leur situation familiale. Les villageoises n'étaient pas aussi satisfaites de ces chroniques qui blâmaient un des leurs, alors qu'une étrangère, Nafina, se tirait d'affaire, blanchie.

Cosman eut vent du radotage de sa femme et lui passa un savon le soir même. Sa belle-famille n'appréciait pas non plus que Minodora répande des paroles venimeuses sur un voisin. Les choses furent temporairement calmées par la mort de l'enfant de Bassarab.

Un samedi après-midi, Rada remarqua que l'enfant avait une forte fièvre. Le soir, il mourait en silence, comme un poisson.

L'enterrement fut avancé d'un jour à cause de la chaleur. Il n'y avait pas de grandes choses à regretter chez un nouveau-né, et même la famille ne savait pas sur quoi se lamenter. Seule Zabela, la sœur de Rada, prenait mal cette mort. C'était elle qui pleurait toutes les larmes de son corps, au-dessus du minuscule cadavre qui commençait à noircir. Quant aux parents, ils étaient sans voix. Rada ne réussissait plus à quitter sa chaise et, chaque fois qu'elle voulait se déplacer, deux personnes devaient la soutenir. Bassarab était plus affecté par la douleur de sa femme et commençait à s'inquiéter de l'autre enfant, que la famille avait oublié dans le drame. Celui-ci jouait au milieu des grands, sans comprendre ce qui se tramait dans leur cour. Le silence de Rada incita ses beaux-parents à reprendre leurs esprits pour la consoler. Toutefois, leurs paroles n'avaient aucun effet sur la mère éplorée, immobile comme une pierre. Elle ne se lamentait pas et ne parlait à personne. Le repas qui suivit se passa néanmoins en son absence. Rada se retira dans sa chambre et bloqua la porte avec une grosse malle. Pendant deux jours, personne n'eut la permission d'y entrer. Zabela était la seule à qui elle répondait au delà de la porte, uniquement pour lui dire qu'elle allait bien. Le troisième jour, elle accepta de laisser entrer sa sœur.

Bassarab commençait à perdre patience. Un jour, il lui demanda, à travers la porte, si elle aurait fait le même deuil pour son décès à lui. Et l'autre enfant? À qui revenait la tâche de le nourrir et de le laver? Une semaine plus tard, lorsque les autres commençaient à se résigner à cette situation, Rada sortit et s'assit à table, comme si de rien n'était.

La vie reprit son cours, mais Bassarab comprit que plus jamais les choses ne seraient comme avant. Rada n'était plus la même femme généreuse et souriante comme le soleil. Elle n'adressait la parole à personne et ne répondait que pour la forme à leurs questions.

Un jour, accompagnée par sa belle-mère, Rada alla consulter La Nicoula sur le malheur qui les avait frappés. Elle posa d'emblée sa question, sans se soucier du visage exténué de la sorcière: est-ce que son fils était mort à cause de Pantana? Le destin de ce couple mal assorti avait-il affecté le destin du nourrisson? La Nicoula lui demanda de s'asseoir et lui donna un broc d'eau au miel. Sa réplique fut qu'il n'y avait aucune incantation à réciter, aucun démon à invoquer et que c'était une énorme bêtise d'accuser la veuve de quoi que ce soit. Pantana n'était responsable du malheur de personne, et personne ne devait lui garder rancune. Rada n'avait qu'à rentrer chez elle, essayer d'être un peu heureuse et laisser Pantana vivre son bonheur à elle, s'il y avait lieu.

Un soir, lorsque Veres apparut derrière la clôture et commença à appeler désespérément Zabela, Rada dit à son mari que s'il tardait à calmer l'ivrogne, c'était elle qui s'en chargerait.

L'amertume de sa femme affectait beaucoup Bassarab, qui ne savait plus sur quel pied danser avec elle. Son chagrin dépassait la normale, car les nourrissons mouraient en grand nombre dans le village. Chaque mère était préparée à faire face à une telle épreuve même avant l'accouchement. Pourquoi une telle souffrance?

Plus rien n'intéressait Bassarab et surtout pas de se faire pardonner par Théodora, qui continuait sa poursuite en compagnie de Vava. Il s'arrêtait toujours au puits abreuver ses moutons lorsqu'il rentrait du pâturage, mais au lieu de guetter le regard de la femme, comme auparavant, il attendait son tour dans la compagnie bavarde des villageoises. Théodora ne tarda pas à remarquer ce changement. C'était son tour, maintenant, de chercher les yeux de l'homme, qui l'évitait avec précaution.

De retour à la maison, Théodora refusait toujours de saluer son mari. Celui-ci l'attendait devant la cuisine pour lui reprocher le temps perdu au puits. Théodora ne lui répondait pas. Leur maison était celle de deux muets, car ils n'échangeaient que les quelques paroles nécessaires pour savoir quoi manger au souper ou si la porte du poulailler était fermée pour la nuit.

La situation changea le jour où Théodora décida de se consacrer à l'élevage des lapins. Un soir d'automne, elle trouva dans le jardin un lapin blessé. Un chasseur maladroit avait sans doute essayé de le tuer avec un bâton, mais il n'avait réussi qu'à lui casser une patte. Théodora piégea l'animal sous une corbeille renversée et dit à Vartan de le tuer le lendemain. Le matin suivant, Vartan dut quitter la maison pour régler une affaire et, quand il fut de retour, Théodora lui interdit d'y toucher. Au cours de la journée, elle s'était éprise de l'animal et avait décidé de le garder. Ce qu'elle avait pris pour un lapin dodu était une hase prête à mettre bas. Elle demanda à Vartan de lui construire une cage, où elle enferma l'animal et elle commença à le nourrir d'herbe et de trognons de pommes. Quelques jours plus tard, Théodora attrapa aussi le mâle, probablement parti à sa recherche. Du moins, c'était ce que Vartan disait, mais Théodora se moqua de cette supposition :

— Vous êtes soulagés de vous débarrasser de nous, et je pense que les lapins sont aussi las de leurs moitiés que les hommes.

Théodora se mit à soigner le couple qui commença vite à procréer. Les lapereaux, nés les yeux et les oreilles fermés, grandissaient à vue d'œil, jusqu'au moment où les femelles se mirent à dévorer les mâles. Vartan ajouta d'autres cages pour enfermer les célibataires, jusqu'à la période du rut. Théodora était émue surtout par le silence des animaux : la femelle ne gémissait qu'au moment où elle était en chaleur, et le mâle lorsqu'il atteignait l'orgasme après lequel il s'écroulait sur le côté pour se reposer.

Théodora avait pris en charge presque la totalité de leur entretien : elle les nourrissait, changeait leur eau tous les jours, mettait à leur portée une brique de sel et leur procurait des rameaux de hêtre, de noisetier et d'aulne pour qu'ils s'usent les dents. La litière était nettoyée chaque jour et changée au bout d'une semaine. Une fois par mois, elle rinçait la cage à l'eau, ce que Vartan trouvait vraiment exagéré. La verdure qu'elle ramassait dans toutes les collines faisait même l'envie de Flora. Celle-ci lui rendait parfois visite pour fouiller dans les réserves des lapins qui se goinfraient d'acanthe, d'armoise, de bourse-à-pasteur, de camomille, de jeunes orties, de luzerne, de menthe, d'oseille, de pissenlit, de sauge et de trèfle blanc. Théodora avait cependant appris à ses dépens que certaines plantes ne convenaient pas aux lapins. À la suite de la mort de dizaines d'entre eux, gonflés comme des vessies de porc, Flora lui avait déconseillé de leur donner de l'ail des ours, de l'anémone des bois, de la belladone, des coquelicots, du genévrier, du muguet, des boutons-d'or et des soucis d'eau. La guérisseuse en tirait aussi un certain profit car, dès qu'un lapin mourait, elle venait analyser les entrailles de l'animal. Vartan était de plus en plus irrité par ce commerce, qui lui avait en plus amené la sorcière à la maison.

L'élevage en soi n'était pas une mauvaise chose. Il commençait à adoucir Théodora qui perdait son air maussade, quoique uniquement en présence des lapins. Ce que Vartan endurait plus difficilement était la conséquence de cette activité. Pourquoi élever des lapins, sinon pour les manger ? Or, le lapin n'avait jamais été populaire dans l'assiette des Comans, malgré leur abondance dans les parages. Peu nombreux étaient ceux qui savaient que faire d'un lapin dans un chaudron.

Théodora commença à utiliser le râble, la cuisse, la gigolette. La chair foncée et le goût de gibier n'entraient pas dans les grâces de Vartan, mais il en mangeait par défaut et pour entretenir de bonnes relations avec sa femme. Par gentillesse, elle avait accepté d'abattre les lapereaux vers l'âge de trois mois, lorsque leur viande était encore tendre et avait encore le goût du poulet. Ce fut la seule concession accordée à Vartan, sinon les râbles rôtis et sautés, marinés ou en civet n'en finissaient pas. Théodora lui parlait avec passion de la chair luisante, des pattes flexibles, du gras autour des rognons, du foie bien rouge et sans taches. Il lui répondait avec hargne qu'il suffisait de manger du lapin, pas besoin de tomber amoureux de lui. Par ailleurs, cette viande avait raison de sa santé, car ces coureurs infatigables prenaient une vengeance tardive, en lui donnant de terribles maux de pieds. Plus il mangeait du lapin, plus il se déplaçait péniblement.

À cause de cette nouvelle occupation, Théodora cessa de s'attarder au puits. Les voisines s'en réjouirent, mais pas Vava, privée ainsi de prétexte pour s'éloigner de la maison et échapper à la présence fatigante de son mari. Nifon ne dormait plus ni de jour ni de nuit, ce qui tenait aussi sa femme réveillée. Tous deux avaient l'air de revenants, comme ceux que Nifon accusait de vouloir détruire les murs de sa maison. Dès qu'il fermait l'œil, il se réveillait en criant à sa femme de se cacher, car une grêle de pierres allait s'abattre dans leur pièce. Il levait les mains pour se protéger contre les fantômes qui se dressaient devant ses yeux encore fermés et qui lui parlaient de leurs voix suppliantes. Le matin, l'esprit plus tranquille, il racontait à Vava avoir reconnu leurs visages, des hommes et des femmes du village, morts depuis des années, qui revenaient pour lui demander de l'aide. Parfois seuls, parfois en troupeau, ils quittaient les trous de la terre, les cheveux rongés par la teigne. C'était une terrible armée de spectres partis en chevauchées nocturnes, essayant de l'entraîner dans leurs cavalcades. Des hommes émasculés, des femmes torturées, des moines sodomites, ils se rassemblaient tous sous des bannières noires pour traverser le ciel à la sauvette.

Un jour, Vava se rappela sa sœur d'infortune, affublée d'un malade encore plus encombrant que le sien. Sans avertir son mari, elle alla frapper à la porte de Sarda, la femme de l'aveugle. Ce fut Dikran qui avertit sa femme qu'il y avait un visiteur, car une ouïe de lapin compensait ses yeux de taupes. Sarda essuya ses yeux en larmes, car elle coupait un oignon dans la cuisine, et sortit suivie de près par son mari, qui avançait en tâtant les murs. Tous trois se rendirent à l'ombre du mûrier, où était installé un lit pour Dikran lorsqu'il était seul à la maison. À présent, sa vue presque nulle ne lui permettait plus de s'aventurer seul dans la rue.

Sarda s'étonna de voir Vava. Dikran essayait de deviner ses traits à travers le voile épais qui couvrait ses yeux. Incapable de voir à quoi elle ressemblait après cinq ans, il s'informa de Nifon et de sa maladie. Allait-il mieux? S'était-il remis après avoir porté sa femme sur son dos, au péril de sa vie? Elle devait être encore très belle, conclut-il, espiègle.

Sarda alla chercher du vin de leur maigre réserve et proposa à Vava de rester pour souper. Elle avait prévu un bouillon léger, mais elle pourrait changer la recette pour quelque chose de plus consistant. Ils ne recevaient pas souvent de visites, et son arrivée leur faisait plaisir à tous les deux. Vava refusa de partager leur repas, parce que son mari risquait de s'inquiéter et de dormir encore plus mal cette nuit-là.

Toutefois, elle ne partit pas avant de leur dévoiler la vraie raison de sa visite. Vava avait entendu parler des réunions nocturnes organisées par Dikran. Infirme de jour, l'aveugle devenait la nuit le Grand Maître de cet ordre qui s'adonnait à des pratiques capables de conduire les gens non pas au ciel, mais en une autre vie terrestre, dans un autre corps et vers un meilleur sort. La métamorphose de notre chair dans une autre était-elle possible? Nos yeux pourraient-ils regarder autrement le monde, à hauteur de museau? Aujourd'hui humain, demain chat, après-demain souris, où aboutirait la chaîne de notre existence? Et si la vie d'un humain peut être si pénible, pourquoi craindre de vivre dans un trou, de ronger les poutres des maisons, d'être chassé à coups de balai par les ménagères?

Le visage de Dikran changea d'un coup, et sa bienveillance à l'égard de la femme s'évanouit en un clin d'œil.

Même Sarda fut surprise de la voix de son mari lorsqu'il dit à Vava de retourner à son foyer et de se mêler de ses affaires. Si Vava était à la recherche de quelque solution miraculeuse pour s'épargner cette vie de chienne, un aveugle n'était pas la bonne personne à qui demander conseil.

Tant Sarda que Dikran allaient regretter leur hâte à la chasser de leur cour car, quelques mois plus tard, Vava serait veuve, ce qui mettrait un terme définitif à ses visites.

❖

En route vers le Nord, Kostine traversa le pays du côté est. Son contingent avait grossi, grâce à des effectifs venus des régions parcourues. Les jeunes recrues parlaient tous la langue de Kostine, mais étaient habillées plus pauvrement que lui. Après une brève période de révolte, de morosité et de peur, les jeunes hommes s'étaient résignés à leur sort. Ils étaient au moins contents d'être assurés de trois repas par jour et de vêtements neufs, ce qui n'était pas le cas dans leur coin de pays. Les chefs du convoi leur promettaient, une fois arrivés sur le champ de bataille, de meilleurs vivres et des habits plus chauds.

L'hiver passa au rythme du trot de cheval; le printemps suivit avec des pluies abondantes, puis l'été, avec une sécheresse tenace. Le convoi suivait la grande route, évitant de s'attarder dans les villages dont les frontières étaient incertaines, les rues, boueuses et les maisons, des huttes délabrées et non clôturées. Les animaux broutaient librement les talus et les chiens hantaient les rues, au désarroi des enfants, qu'ils attaquaient parfois par surprise.

L'approvisionnement du convoi se faisait grâce à des intermédiaires, qui négociaient les prix et des vivres avec les chefs. Les jeunes recrues n'avaient rien d'autre à faire que d'attendre tranquillement l'heure des repas pour descendre de charrette et s'empiffrer du pain et du fromage. Le campement du soir était toujours installé sur des terrains en friche, aux bords des rivières et à proximité des forêts. La constance de ces lieux propres au cantonnement amena Kostine à croire que leurs chefs connaissaient la route et la géographie des lieux. Chaque soir, ils s'assuraient d'offrir aux jeunes de l'eau pour se rafraîchir et pour laver leurs vêtements, ainsi qu'une forêt pour faire leurs besoins, car certains d'entre eux ne pouvaient pas vider leurs entrailles à la vue de tous. Plus tard, Kostine comprit que la raison était tout autre : le bois offrait une protection sûre pour les paysans des plaines, élevés au milieu d'espaces à l'horizon illimité et qui craignaient plus que tout les profondeurs des forêts, leurs meutes de loups, de lynx et d'ours. La rencontre de troupeaux de bisons, qu'ils n'avaient jamais vus auparavant, avait définitivement convaincu ceux qui rêvaient encore de s'évader de se lover plus fermement au fond de la charrette. De plus, la présence de ces monstres à quatre pattes correspondait à la libération de leurs chaînes. Seuls deux garçons essayèrent de s'enfuir, mais ils revinrent le soir même, effrayés et affamés. En suivant le convoi, ils avaient au moins l'espoir de retourner chez eux vivants et avec une bonne solde, ce que les chefs leur avaient promis dès le premier jour.

Les villes étaient évitées. On n'en voyait que le clocher des églises, un conglomérat de banlieues sales et, parfois, une muraille en ruine, envahie par les mauvaises herbes. En quelques semaines, tous se résignèrent à ce voyage commode, ballottés par le mouvement des charrettes aux roues de bois. À la fin de la journée, ils étaient épuisés, mais la compagnie de gaillards blagueurs leur offrait un maigre réconfort. Ils commencèrent à prendre intérêt aux contrées traversées, les comparant à leur arrière-pays. Ils guettaient l'apparition de femmes sur la grande route, chargées de corbeilles, mais elles savaient les éviter pour s'épargner leurs sifflets. Les chefs leur disaient, en riant, de conserver leur énergie en vue de la bataille pour laquelle ils étaient engagés.

Ils traversèrent d'abord un paysage à la végétation abondante, une alternance de forêts épaisses, de champs cultivés et de villages pauvres mais assez étendus en surface. Les maisons ne s'alignaient pas en bordure de la grande route, mais se dispersaient dans des vallons verdoyants, cachés à la vue des voyageurs pressés. Leurs chefs leur expliquèrent que cela en faisait des cibles difficiles à atteindre pour les envahisseurs, qui avaient du mal à incendier ces localités, dont les bâtisses en paille étaient séparées par de larges espaces. Plus encore, les huttes étaient à moitié enfoncées dans la terre, parfois recouvertes d'herbe, ce qui les rendait encore plus difficiles à localiser. Seule la fumée des cheminées trahissait une présence humaine. Plus au nord, les vallons firent place à la plaine. On ne voyait que des troupeaux de moutons gardés par des bergers à cheval. Ensuite ce furent de grandes steppes, où les arbres se firent rares, les jachères, sombres, et les villages, de plus en plus réduits. Les champs de trèfles et de marguerites jaunes au parfum épicé furent remplacés par des surfaces couvertes de colza jaune, de campanules blanches ou mauves, de scabieuses rouges, de plantains et de cuscutes. Les chardons aux rameaux piquants, qu'on appelait là des chardons tartares, bordaient abondamment les routes et, bien que foulés régulièrement par les chars, ils se revigoraient à vue d'œil. Le bêlement des moutons et l'odeur de suif des bergers rappelaient à Kostine son village, surtout à cette époque où on fauchait les prés et moissonnait le seigle. Le convoi n'était dérangé que par le jappement des chiens de bergers, calmés par leurs maîtres à coups de fouet. Les hommes rencontrés en route avaient la tête couverte d'un capuchon, et leurs pelisses en peau de mouton avaient une coupe inhabituelle. Peu avant d'atteindre leur but, le terrain devint une ligne parfaitement droite, où le ciel se fondait avec la terre, laissant voir un cheval ou un voyageur approcher à bonne distance. Le convoi comportait maintenant vingt charrettes, bondées de jeunes hommes bavards et insouciants qui préféraient souvent aller à pied pour se dégourdir les jambes et cueillir des framboises sauvages au bord de la route.

Un matin chaud et venteux de juin, leurs chefs leur firent signe de descendre, d'arranger leur tenue et de suivre les voitures à pied. Ils étaient arrivés à destination. Du sommet d'une petite colline, ils virent un campement qui s'étendait à perte de vue. Malgré la poussière soulevée par les fortes rafales de vent, ils furent éblouis par la marée de tentes, de charrettes dételées, de chevaux et d'hommes. Les cris des soldats qui s'exerçaient arrivaient jusqu'à eux.

Les chefs les groupèrent deux par deux en une longue file, leur intimant de s'avancer vers le campement en gardant cette disposition. Leur arrivée provoqua une rumeur dans le camp. Tout le monde cessa son activité pour lorgner les jeunes qui s'avançaient en cadence ainsi que le leur avaient enseigné leurs chefs. Une petite estafette, formée de cinq cavaliers, auxquels se joignirent rapidement trois autres, vint à leur rencontre. Kostine était trop loin pour voir la couleur de leurs yeux et la beauté de leur appareil. Depuis l'arrière du convoi, où il avait été placé, il attendait de connaître l'issue de cette rencontre, sous une chaleur de plomb.

Un quart d'heure plus tard, ils se mirent en marche à la suite des cavaliers. Ils entrèrent dans le campement sous les yeux avides des soldats qui s'agglutinaient pour les examiner comme des bêtes de foire : comblés par cette attention inattendue, ils purent à peine constater qu'on leur adressait la parole dans une langue étrangère. Ils virent toutefois la variété des visages, selon la forme des yeux, la couleur de la peau et les boucles des cheveux. Leur équipement, formé d'une cotte de mailles, laissait à peine voir la laine de leurs chemises, alors que sur la tête certains portaient un drôle de chaudron.

Les tentes qui leur étaient réservées se situaient en bordure du campement. À l'intérieur, on avait installé une literie faite de peaux de mouton : derrière le bivouac, d'immenses chaudrons bouillonnaient à petit feu. Abandonnés par les cavaliers, leurs chefs leur dirent de ranger leur baluchon et de revenir manger. Mais ils n'avaient pas la tête à la nourriture.

La rumeur se répandit vite que les grands commandants de l'armée étaient mécontents de leur contingent. Leurs chefs ne leur dirent rien, mais ceux qui étaient aux premiers rangs avaient pu écouter les échanges avec les cavaliers venus à leur rencontre. À la vue des jeunes aussi peu préparés à la guerre que des pucelles, ils avaient juré et craché par terre du fond de leurs poumons. Ils attendaient un bataillon de soldats entraînés au combat et expérimentés, et ce qu'ils recevaient était un troupeau de paysans nigauds. Toute l'armée se fiait à leur expérience, alors que c'étaient eux qui avaient besoin d'un bon entraînement. On ne savait même pas si on pouvait leur confier une arme, vu que, de toute leur vie, ils n'avaient manié que la pioche et le bâton de berger. Les chefs des convois avaient essayé de vanter leur force physique, mais cela avait accru la rage des cavaliers étrangers qui manquaient de mots pour exprimer leur révolte. Ils dirent que la force des bras n'a rien à voir avec l'aptitude au combat et que seuls la ruse et l'exercice peuvent gagner les batailles. Comment cette armée de déguenillés pouvait-elle combattre un ennemi né soldat, qui vivait du pillage ?

À la suite de cette désacralisation, les recrues de fortune virent les peaux de mouton s'envoler et leurs tentes vidées.

À eux de s'accommoder! Les jeunes hommes se contentèrent d'étendre à même le sol les tapis déchirés offerts en hiver pour se tenir au chaud dans la charrette. Heureusement que la canicule de l'été rendait inutiles les couvertures, qui n'étaient plus que des guenilles. Au moins, l'armée avait accepté de les nourrir, ce que les jeunes apprécièrent plus que les peaux de mouton. Plus encore, la nourriture qu'on leur offrait était meilleure que les miches dures et le fromage salé servis tout au long de leur voyage. Ces nouveaux mets, à base de viande de mouton accompagnée d'une sauce jaune odorante et de graines blanches qui ressemblaient à du blé, les firent se lécher les doigts et demander de remplir à nouveau leur assiette. Le lait caillé était plus dense et le vin, plus sucré, mais ce ne fut désagréable qu'à la première gorgée.

Ils n'avaient pas encore digéré le mouton et le pilaf blanc, qui gonflait maintenait dans leurs entrailles, qu'un des cavaliers vint les chercher pour les conduire au camp d'entraînement. On leur donna des vêtements neufs et une hache. On leur apprit comment se battre en formation carrée pour résister aux attaques rapides des archers ennemis, comment contrer les charges de chevaliers en se servant de leur bouclier. On leur dit surtout de ne pas déserter, de ne s'enfuir du champ de bataille pour rien au monde, car la punition serait plus sévère que celle infligée par les ennemis aux prisonniers. Être vaincu était une honte facile à surmonter, mais abandonner la lutte lorsque ses camarades s'y faisaient encore tuer, c'était un péché mortel.

On leur montra ensuite, morceau par morceau, les armes et l'équipement de leurs ennemis. Les Asiatiques disposaient de deux arcs, un court et un long, avec des flèches légères, taillées en pointe pour les tirs à longue portée, et des flèches plus lourdes, à pointe métallique, pour le combat rapproché. Leur cavalerie était dotée de longues lances, munies d'un croc pour désarçonner les cavaliers ennemis. La cavalerie légère était armée d'épées, d'arcs et parfois de javelots. Certains de leurs guerriers étaient armés de haches légères et d'un lasso en crin de cheval. Leurs armures étaient faites de cuir durci et de mailles de métal.

Le soir, ils étaient tous morts de fatigue et de peur. On leur avait épargné jusqu'à présent les menaces et le tableau des crimes à expier. La guerre était pour eux ce que leurs grands-pères leur en avaient dit : une rencontre de deux armées qui produisait des héros. Ils revinrent à leurs tentes et s'assirent par terre en compagnie de leurs nouveaux amis, très différents de ceux avec qui ils avaient voyagé dans le fracas des charrettes. Ils avaient déjà un avant-goût de la confrontation à venir et avaient appris à qui il fallait se fier ou non. Après coup, ils donnaient raison au cavalier qui avait craché à leurs pieds : la force n'avait rien à voir là-dedans. Les plus gros étaient les plus maladroits, et les plus petits, les plus habiles à esquiver les coups et à pivoter sur leurs chevilles pour frapper l'ennemi dans le dos. Les bras ne valaient rien s'ils n'étaient pas utilisés en accord avec l'arme qui les prolongeait : une hache à droite et un bouclier à gauche.

Lorsque les feux furent allumés pour chasser les moustiques acharnés, un autre commandant vint leur parler par l'intermédiaire d'un traducteur. Ils étaient à deux jours du grand combat qui allait décider du destin de leur territoire et des pays alentour. Trois royaumes s'étaient réunis pour s'opposer à l'invasion des tribus asiatiques, venues de l'est pour s'emparer de leur terre, de leurs animaux et de leurs femmes. Si la bataille était perdue, plus rien ne serait comme avant. Et la victoire dépendait du courage de tout un chacun. Ces paysans devaient savoir que les ennemis étaient comme le mauvais temps, comme le grésil au moment de la récolte, comme les sauterelles au printemps. Ils allaient joindre les rangs de soldats qui ne parlaient pas leur langue, ne mangeaient pas leur cuisine, ni ne portaient leurs costumes, mais cela ne les empêcherait pas de lutter à leur côté pour vaincre l'ennemi. Tous ensemble, ils devaient châtier les barbares qui avaient conquis le monde depuis la selle de leurs chevaux. Quatre-vingt mille soldats étaient venus les repousser vers leurs steppes, et eux appartenaient à cette brave armée.

Qui était leur ennemi? Quels étaient ses exploits? Le commandant faisait toutes les pauses nécessaires au traducteur pour que les autres suivent le fil de son histoire. Leur origine n'avait pas d'importance, il suffisait de les appeler les barbares d'Asie : cela allait de soi pour tous ceux qui venaient de l'est. Ils avaient une nature envieuse et, pour cette raison, au lieu d'aménager leur territoire selon le modèle de l'Ouest, ils voulaient s'emparer de leurs pâturages, qu'ils trouvaient plus verts que les leurs, de leurs moutons, plus blancs, et de leurs femmes, plus séduisantes. Des derniers rangs, quelqu'un avait ajouté le mot *propre*, mais le traducteur n'avait pas jugé bon de le traduire. Par la ruse et par la force, les barbares détruisaient tout ce qui se dressait sur leur chemin vers l'ouest, ils pillaient les villes, brûlaient les villages, violaient les femmes et enlevaient les pucelles. Les jeunes recrues trouvaient cela normal car, l'occasion venue, ils feraient la même chose.

Le lendemain, on leur permit d'assister à l'entraînement des vrais guerriers. Le commandant avait décidé qu'il ne fallait pas perdre de temps avec l'entraînement des paysans. L'attaque était imminente et il n'avait d'autre choix que de se fier aux effectifs de son armée et à l'habileté de sa cavalerie. On ne savait pas encore quelle place leur assigner, et cette incertitude allait planer jusqu'à la veille de la confrontation, lorsqu'on décida de les laisser traîner à l'arrière. Si on opposait une bande de musards à un ennemi réputé pour sa cavalerie et la rapidité de ses attaques, tout était perdu d'avance. Mieux valait vouer la racaille à l'approvisionnement, au ramassage des armes sur le champ de bataille et au soin des chevaux blessés. S'ils gagnaient, ce que tout le monde escomptait, la collecte serait importante : mieux valait donc leur enseigner ce qu'il ne fallait pas voler et garder pour soi-même. On décida donc de leur apprendre à reconnaître les étendards et la couleur de l'équipement porté par leurs alliés, pour qu'ils ne s'affairent pas en premier à dépouiller les cadavres de leur propre camp : après la victoire, ils devaient d'abord s'occuper des ennemis, enlever leurs cottes de mailles, les pointes de leurs flèches, leurs haches et leurs boucliers. Il fallait bien fouiller leurs poches à la recherche de leurs effets personnels, de bijoux et d'or. Les alliés étaient ainsi différenciés : le drapeau du royaume de l'ouest était bleu, celui du nord, rouge et celui du sud, vert.

Malgré la nature rustre qu'on leur attribuait, les Asiatiques ne manquaient pas d'habiles éclaireurs. Les nouvelles concernant les effectifs des alliés leur avaient fait retarder l'attaque de neuf jours. Ils misaient sur leur cavalerie, et ils comprirent que les alliés misaient aussi sur l'homme à cheval, muni d'une lance et d'un arc. Les Asiatiques ignoraient que, dans le camp adverse, seuls les riches étaient dotés d'une monture, d'un casque, d'une cotte de mailles et d'un bouclier en métal. Le reste de l'armée était constitué d'une infanterie légère, avançant lentement, aussi bariolée en structure et en idéaux que les couleurs de ses drapeaux. Les fantassins, de plus, étant donné la précarité de leur alliance, étaient difficiles à faire manœuvrer et faciles à désorienter.

Le neuvième jour, les Asiatiques attaquèrent le campement des alliés. Et ils eurent vite raison de l'infanterie, devenue une proie facile pour les cavaliers des steppes qui ne tardèrent pas à saisir sa faiblesse. Ils chargeaient à toute vitesse, décochaient les flèches à une distance où ils étaient en sécurité, se retirant en vitesse pour reconstituer leurs formations. Les cavaliers alliés, qui comptaient sur leurs grands chevaux, furent vite accablés par une pluie de flèches. Pris par surprise, les chefs perdirent le contrôle des troupes : aucun appel ne réussit à les rallier, car on courait de toutes parts, en proie à la panique et à la confusion. Ce qui les déstabilisait le plus était qu'après chaque attaque les Asiatiques disparaissaient dans la nature et que, quelques instants plus tard, leurs cavaliers réapparaissaient de nulle part, réunis pour une seconde charge semant la désolation. L'affrontement se fractionna bientôt en multiples rencontres individuelles, tournant à l'avantage des Asiatiques, enragés par le fait que les alliés avaient tué leurs émissaires venus leur proposer une reddition honorable. Avant le coucher du soleil, le camp fut occupé et les guerriers, massacrés. Les Asiatiques firent exécuter tous les chefs alliés, en les étouffant roulés dans un tapis : au moins, ils leur accordaient la mort réservée aux ennemis honorables, en évitant que leur sang n'entre en contact avec la terre.

Les cavaliers et les soldats en fuite coururent porter la nouvelle du désastre : les barbares allaient franchir leurs portes.

Un an et demi plus tard

Veres fut trouvé mort derrière la maison de Bassarab. L'hiver avait été dur, la neige était tombée tôt et n'avait plus quitté la terre jusqu'au printemps. Le village sommeillait sous une épaisse couche de glace. Les gens ne sortaient de chez eux que pour nourrir les animaux et chercher de l'eau et du bois. Les vents violents chassaient toute âme qui vive dans son gîte ; on n'entendait dans les rues ni enfant ni chien. Par une nuit glaciale, Veres s'était endormi dans la neige, sans doute épuisé par ses appels incessants à Zabela.

C'est Rada qui avertit son mari de cette découverte. Étrangement, les loups qui se rapprochaient du village en quête de nourriture ne l'avaient pas touché. Bassarab eut la difficile tâche d'annoncer la nouvelle à la mère de Veres, qui sortit dans la rue s'arracher les cheveux. On pensait que ses lamentations à crever le cœur étaient adressées aux deux femmes de la famille de Bassarab, tenues responsables de sa mort. Pourquoi Rada avait-elle refusé de laisser sa sœur emménager chez Veres ? Il avait gagné ce droit, le soir de l'enlèvement, comme tous les autres Comans. C'était Rada la responsable de ce malheur, car elle enfermait Zabela. Le fait que Veres était un ivrogne n'aurait pas dû empêcher leur mariage.

L'enterrement du jeune homme fut une occasion pour les villageois d'exprimer leur colère. Tous approuvaient les accusations portées contre Rada, devenue méconnaissable depuis la mort de son bébé. Sa sœur et elle n'étaient pas venues à l'enterrement. Bassarab non plus, préférant se dérober aux regards inquisiteurs de l'assistance. Prétextant le froid de chien et la santé précaire de ses parents, il était parti après la dernière messe, qui précédait la mise en terre.

Deux semaines plus tard, les parents de Bassarab furent convoqués par Onou pour décider du sort de Zabela. Il proposa de la marier à quelqu'un d'autre, un garçon à choisir en accord avec les deux femmes concernées. De nombreux jeunes hommes étaient à la recherche d'une épouse et, comme Zabela avait atteint l'âge de se marier, rien n'empêchait que cela se réalise. Les parents de Bassarab trouvèrent cette décision juste et donnèrent leur accord.

Rada, elle, s'opposa farouchement au projet de mariage de sa petite sœur. À son avis, Zabela était destinée à Veres, et le temps qu'il avait passé devant leur porte pouvait être considéré comme un mariage consommé. À présent, elle n'était qu'une veuve, libre, et en état de décider de son sort. Et la meilleure chose à faire était qu'elle quitte le village, tout comme Vava après le décès de son mari. Celle-ci avait liquidé la propriété et était retournée dans son village, l'automne précédent, dans une charrette où elle avait déposé quelques meubles et un peu de vaisselle.

La facilité avec laquelle Onou avait accepté de la laisser partir avait étonné les villageois. Ils avaient eu vent des fantômes qui hantaient les nuits de Nifon. La vie de Vava avait sûrement été une longue suite de cauchemars, de jour comme de nuit, mais cela justifiait-il d'abandonner la maison de son mari et de la laisser à la merci des revenants et des chauves-souris ? Qu'allait devenir ce lieu dépourvu de vie en plein milieu du village, source de peurs effroyables pour les passants nocturnes ?

Onou avait essayé d'intervenir auprès de la veuve, de la convaincre de rester et d'oublier les visions de son fou de mari. Elle semblait avoir eu des arguments plus forts, car Onou l'avait laissée partir sans donner d'explications aux gens du village. Il avait aussi accepté de faire démolir la maison, condition exigée par la veuve avant son départ.

Les disputes continuèrent chez Bassarab l'hiver durant, et le printemps n'apporta aucune amélioration. Rada restait ferme sur sa position, soutenue par Zabela qui ne voulait épouser personne d'autre par respect pour Veres, resté constant dans son amour pendant toutes ces années. Onou ne pouvait faire plus, et les parents de Bassarab se virent obligés de laisser la jeune fille s'en aller. La semaine d'après, Zabela partit retrouver les siens, alors que Rada pleurait, enfermée dans une pièce.

Onou décida de la procédure de départ : Bassarab amènerait la fille jusqu'à la porte du village des Slavins. Les chemins étaient encore pleins de boue, mais cela ne l'empêcherait pas d'y arriver. Zabela disait se rappeler parfaitement la maison paternelle, située au pied d'un petit vallon et entourée de champs de chanvre. Elle se rappelait aussi que ses parents gagnaient leur vie de la culture de cette plante, transformée ensuite par sa mère en sacs et en tapis. Rada avait comblé les lacunes de ses souvenirs en lui parlant de leur gros mâtin qui répondait au nom de Doulou. Elle devrait se débrouiller pour rentrer de jour, lorsque le chien était encore enchaîné.

Un hiver aussi rude n'annonce jamais une bonne année. La fonte des neiges, suivie de pluies abondantes, produisit des inondations qui arrachèrent les maisons, emportant gens et animaux. Les propriétés au bord de la rivière furent presque complètement détruites. En moins d'une heure, les villageois se virent dépossédés de leurs biens, heureux d'être encore en vie.

La famille de Cosman fut parmi les plus gravement affectées, car elle perdit son jardin, installé au bord de l'eau.

La couche de terre fertile fut lavée et emportée comme une couverture légère, ne laissant que des pierres et du sable, et leur maison s'écroula ; ils ne sauvèrent que les poules. La crue était arrivée de nuit, alors que la famille était au lit. Le père insomniaque avait entendu du bruit et pensé que c'était un tremblement de terre. Il était sorti, et un vent glacé chargé de gouttes d'eau l'avait averti du danger. Tout ce qu'il était parvenu à faire, avant d'apercevoir les vagues écumantes, avait été de libérer les animaux. Il avait crié aux autres de quitter leurs lits, avec ce qui leur tombait sous la main et, surtout, avec leurs vêtements, car il faisait un froid de canard. Ils n'eurent pas le temps d'exécuter ses ordres. L'eau avait pénétré dans la maison à travers un mur écrasé d'un seul coup par la violence des vagues. Elle avait monté si rapidement que la famille avait à peine eu le temps de se réfugier dans le grenier. Là-haut, ils avaient compris l'ampleur du désastre, car le plancher était couvert du blé qui n'avait pas été déposé dans des récipients. Ils payaient pour l'entêtement du père à garder les céréales dans un lieu ouvert et non pas dans des tonneaux ou des sacs. Si l'eau montait jusqu'au grenier, elle allait noyer toutes leurs réserves. Ce qui n'avait pas tardé à arriver. Une heure plus tard, ils regardaient les flots emporter en aval une véritable marée de grains à côté des lits, des vêtements d'enfants, des tapis, de la vaisselle, des chaudrons, des tinettes à fromage, des saucissons. Grimpés sur le toit délabré, ils comptaient, abasourdis, les cuillères, le pétrin, les assiettes, les chemises de nuit, les bottes.

Aux premières lueurs de l'aube, les gens eurent la vision cauchemardesque d'un village réduit à un archipel d'îles flottantes, peuplées de gens en chemise de nuit, de moutons attachés à des cordes, de poules gardées sous des corbeilles, de chats mouillés. Les cris des hommes qui appelaient ceux qui étaient encore à l'eau complétaient cet enfer, ainsi que les lamentations des femmes pour les enfants qui manquaient à l'appel et les pleurs des bébés incapables de s'endormir à cause du vacarme. Les cris les plus déchirants étaient ceux des chèvres, qui bêlaient à donner la chair de poule. C'est d'ailleurs la peur de leurs cris, sans doute, qui explique qu'aucune ne fut sauvée du déluge : personne n'avait eu le courage de se porter à leur secours.

Les inondations immobilisèrent le village pendant deux semaines. Des vagues chargées de glaçons, d'arbrisseaux, de meules de foin, de cadavres gonflés ne cessaient de déferler. Les gens s'étaient déjà habitués à braver la crue des eaux et à descendre des toits, accrochés à des cordes ou à des mains, pour pêcher des objets apportés par l'eau. On récupérait, par-ci par-là, un canard effrayé, un mouton qui luttait pour rester à la surface, une casserole, des vêtements, des navets, des tinettes à fromage, des pots de cornichons et même des bouteilles de vin. En haut, on criait victoire chaque fois que la pêche était bonne. Oubliant la perte de leur fortune, les gens se considéraient déjà riches à la vue de quelques outils ou d'une oie attrapés dans les ondes vertigineuses.

Une semaine plus tard, le village était couvert d'une boue épaisse où se débattaient les têtards arrachés au limon de la rivière. Certaines maisons avaient résisté aux vagues, d'autres n'étaient qu'un tas de glaise amassée autour des piliers restés debout. Des cadavres de moutons, de poules, de chiens et de chats pourrissaient à vue d'œil sous un soleil qui redoublait de force.

La quatrième semaine, les villageois apprirent la disparition d'Antim, emporté la nuit où la crue s'était ruée sur le village. Ses parents l'avaient appelé longtemps et avaient interrogé tantôt les voisins isolés sur leurs toits, tantôt ceux qui flottaient à la dérive sur des embarcations de fortune à la recherche des leurs. Pendant les deux semaines qu'ils restèrent entourés d'eau, ils ne cessèrent d'attendre le retour de leur fils.

Leurs espoirs s'évanouirent dès que le limon commença à sécher sous la chaleur de l'été naissant. Antim était introuvable. Il aurait eu le temps de revenir, même s'il s'était rendu au bord de la mer. Au pire, il aurait envoyé un message, car les bonnes nouvelles finissent, elles aussi, par arriver. Le fait qu'on ne trouvait son cadavre nulle part laissait un maigre espoir à la famille qui continuait à examiner toutes les dépouilles enfouies dans le limon.

Personne ne savait par où commencer : où se loger pendant la canicule de l'été qui s'annonçait féroce ? Comment nourrir sa famille, alors que les troupeaux et les réserves de graines avaient été anéantis par le déluge ?

Les terres ne purent pas être sillonnées au printemps, par manque de chevaux, emportés par l'eau, malgré leur taille. Les chanceux ayant réussi à sauver leurs animaux étaient recherchés pour venir en aide aux sinistrés. Faute d'argent, on leur promettait la moitié de la récolte, et même plus, pour leur soutien.

Ermil faisait partie de ces fortunés, et plus personne ne se moquait de sa lourdeur. Malgré son gros postérieur et son ventre rond comme un tonneau, il avait réussi à libérer son cheval avant le passage de la crue, sans l'abandonner à la dérive. L'homme s'était accroché au cou de l'animal, décidé à le suivre même en enfer. Vu son calibre et sa difficulté à se déplacer à pied, il savait que, sans ce véhicule, il était mort. Son cheval était ses pieds. Mieux valait périr que de rester immobile. Homme et cheval avaient flotté des jours et des jours, parcourant des kilomètres en aval, jusqu'au moment où les eaux avaient commencé à relâcher leur galop effréné. Les flots s'étaient embourbés dans une mare boueuse qui avait mis un terme à leur voyage. Le cheval, à bout de forces, avait porté son maître jusqu'au bord, où tous deux s'étaient écroulés de fatigue. Au coucher du soleil, Ermil avait repris ses esprits. Avant de commencer le long voyage du retour vers son village, il avait lavé ses vêtements et nettoyé son cheval jusqu'aux crins de sa queue.

Son arrivée avait été saluée comme un miracle. Il était mort et il avait ressuscité. Même Théodora était aux anges, malgré son mépris pour lui. Il avait sauvé le bien le plus précieux de la famille et, pour la première fois de sa vie, Théodora l'avait embrassé sur la bouche. Son retour avait fait cesser ses lamentations sur le sort des lapins, dont les cages avaient été avalées par les eaux sous ses yeux. La vision de leur noyade hantait encore ses nuits, raison pour laquelle elle n'envisagea jamais de reprendre cette activité.

Depuis des jours, elle vivait dans un abri de fortune, construit à l'aide des branches entassées par les eaux devant sa maison. Pour faire bouillir sa soupe, elle utilisait un chaudron ébréché, pêché dans le limon, et quelques éclats lui servaient d'assiettes. Elle mangeait des racines cueillies dans les champs ravagés, déterrées du sable et des pierres. La nuit, elle se couvrait de hardes boueuses qu'elle avait sorties des débris. La maison s'était effondrée et Théodora manquait de force pour enlever les poutres et les tuiles afin d'arriver aux trésors de sa cuisine et de sa chambre à coucher.

Enthousiasmé par cet accueil, Ermil commença tout de suite ce travail de fossoyeur. Tous deux creusèrent un véritable mausolée dans les ruines de leur demeure. Avec leurs quatre bras, ils dégagèrent poutre par poutre pour arriver au plancher de la maison, où les objets étaient cimentés sous une couche épaisse de sable. Ils atteignirent ensuite la cave, et les sacs de farine trempés dans l'eau, les radis et les navets pourris. Les tinettes de fromage étaient encore intactes grâce à leurs couvercles étanches, tout comme les tonneaux de

choux, dont ils se régalèrent sur place avec une bonne gorgée de saumure. L'abri de fortune improvisé par Théodora
pendant l'absence d'Ermil fut consolidé par des piliers et des
branches de saule. La femme découvrait chez son mari des
qualités qu'elle n'avait jamais remarquées auparavant. Ermil
était un homme sur qui on pouvait se fier. Le cheval mangeait tranquillement dans son coin et, apparemment, même
l'animal comprenait le rôle de leur exploit dans la nouvelle
attitude de Théodora : il ne tarda pas à remarquer que sa
maîtresse l'étrillait deux fois par jour.

Plus à envier encore étaient ceux qui possédaient de
l'argent et qui avaient eu la présence d'esprit de le sauver
du déluge. Personne ne s'étonnait que Kira et Flora fussent
de ceux-là. En véritables boutiquières, les deux femmes
gardaient toujours l'argent à leur portée. La nuit fatidique,
avant de se mettre leur touloupe sur le dos, les deux femmes
avaient eu le réflexe de ramasser au fond d'une malle ce qui
pouvait racheter tout ce qu'elles avaient perdu.

Le premier constat de Teotin, qui frappa le village entier
comme un coup de foudre, fut la disparition de La Nicoula.
Malgré son corps massif et son pouvoir, elle n'avait pas su
opposer ses charmes aux forces de la nature. Certains disaient
que si elle avait péché dans sa vie, elle était lavée par l'eau.
Flora se rallia à l'opinion générale et demanda à son mari
de cesser les recherches. La Nicoula n'était pas une femme à
être retrouvée dans la vase. Si l'eau l'avait tirée de son atelier,
elle l'avait emportée à sa véritable demeure, l'éternelle. Pas
besoin de larmes ni de messe pour sa disparition.

La maison, elle, avait subi le passage impitoyable des
flots, mais la situation n'était pas désespérée. Le chien s'était
sauvé en arrachant le pieu de sa chaîne et était revenu un
mois plus tard. Flora constata qu'elle avait perdu beaucoup
de décoctions et de poudres. Par miracle, la peau du bébé

vampire trempait dans une flaque, sur le plancher de l'atelier. Les grands chaudrons étaient à jamais perdus, mais pas le tisonnier qui, comme les mortiers en granit, était enfoncé dans la terre battue du plancher. Les réserves de plantes étaient détruites, les bouquets de camomille, d'absinthe, de lavande, de menthe, de mille-pertuis, de primevère, de prêle des champs qui capitonnaient le plafond de l'atelier avaient disparu à jamais. Perdus étaient les pots de queues de cerise et les feuilles de cognassiers pour les maux de foie. Plus dévastées encore étaient les provisions destinées aux somnambules. Comme La Nicoula n'était plus la maîtresse de l'atelier, Flora décida sur-le-champ de remplacer à l'avenir le terrible lait de pavot par des sédatifs moins dangereux. Elle avait parlé à la grand-mère des vertus de la ciguë, de la laitue sauvage, de la pivoine, de la valériane et même de la violette, et le temps était venu de s'en servir.

Moins fortunée était Kira, qui avait perdu presque la totalité de ses biens. Les eaux lui avaient volé ses rouleaux de tissu, ses coussins, ses pots de boutons, ses ciseaux. Elle avait perdu aussi ce qui était en chantier : des manches déjà plissées aux épaules, des jupes déjà ourlées, des chemises aux boutons cousus. Étrangement, cette ruine n'eut pas l'air de l'affecter. Les flots l'avaient débarrassée d'une tâche qui commençait à lui peser. En fait, elle devait sa fortune plus à son talent de négociatrice et à ses prix indûment gonflés qu'à l'efficacité de son travail. Même soutenue par l'habileté et le talent de Zaza, la couture lui demandait trop de temps et de minutie. Vendre des habits pouvait être payant, mais les coudre était fastidieux.

À l'initiative de leurs femmes, Teotin et Bassarab se rencontrèrent dès que le temps le permit. Ils achetèrent à un bon prix un cheval, ils l'attelèrent à une charrette et se mirent en route vers le nord. Ils allèrent chercher des moutons de monte, des poules, des chaudrons, du tissu, de la fleur de sel, de la farine. Il leur fallut racheter un cheval et une charrette pour retourner au village ainsi chargés de denrées. Ils devaient être deux pour se protéger, car les chemins étaient devenus des coupe-gorges, hantés par de bons villageois transformés en larrons par le déluge. Il fallait bien garder la fortune ramassée à la sueur de leurs femmes. De leur prévoyance dépendait, encore une fois, l'avenir de leur famille.

Le vieux Lass ne survécut pas au chagrin d'avoir perdu ses avoirs. Sa maison en ruine, l'étable vide, le foin répandu partout dans la cour, les cadavres des poules noyées l'anéantirent plus que la vision de cauchemar du déluge. Il avait été capable de suivre Bitar et Olimpia sur le toit, de jeûner, d'étancher sa soif avec l'eau croupie qui les entourait de toutes parts, de se protéger contre les pluies diluviennes. Secrètement, il pensait que ce n'était qu'un cauchemar et que, d'un moment à l'autre, il allait se réveiller dans son lit, le visage baigné par la lumière du jour. Au bout de quelques semaines, il avait compris que ce cauchemar allait être suivi par un autre, plus terrible. Et celui-ci ne tarda pas à arriver.

Un jour, ils descendirent du toit, même si l'eau leur arrivait encore au-dessus des chevilles. Ils commencèrent à racler la boue de leur maison, qui n'était pas aussi dévastée que celles des voisins, devenues d'immenses tombeaux. Les fenêtres avaient gardé leurs cadres et les portes, leur cadenas. Les lits trônaient encore au milieu des chambres et les trépieds des chaudrons étaient bien enfoncés dans la terre. Les placards, les vaisseliers, les buffets gardaient encore leur fret. Dans la cave, les tonneaux flottaient sur l'eau mais, à l'intérieur, on entendait le glouglou agréable du vin et de l'eau-de-vie. Il y avait aussi un bon côté au malheur, car les trous des rats et des souris avaient été vidés de leurs indésirables locataires. Leurs cadavres flottaient à la dérive, avec ceux des serpents chassés de leur gîte et des chauves-souris délogées du grenier.

Une fois la chaleur installée, couvrant les champs d'une croûte de limon grisâtre, toute la famille mit la main à la pâte. Les jeunes, avec leur optimisme inébranlable, travaillaient du matin au coucher du soleil. Ils nettoyaient, lavaient, collaient, bouchaient les trous, chaulaient les murs, refaisaient les planchers, jetaient les crapauds et ramassaient les petits poissons pour les frire. Lass simulait le même enthousiasme que les autres, mais son cœur n'appartenait plus à ce monde. Sa maigreur et la pâleur de ses joues auraient dû avertir la famille de sa fin imminente. Mais ils étaient trop occupés à apaiser leur faim au jour le jour, à s'abreuver de bonne eau et, parfois, à aider les plus faibles, comme l'aveugle Dikran et sa femme Sarda.

Comme si leur malheur ne suffisait pas, ils avaient décidé de prendre en charge ce couple infortuné. Dikran et Sarda avaient survécu avec ce qui était sur leur dos uniquement. Leur chance avait été que le toit de leur maison, réduit à quelques planches leur servant de radeau de fortune, avait flotté en aval jusqu'à ce qu'ils soient repêchés par la famille de Lass. Sarda regardait autour, effrayée, alors que son mari ne cessait de la questionner sur ce qu'elle voyait. Il aurait payé cher pour deux bons yeux, rien que pour voir le désastre. Lorsque les eaux avaient cessé leur chevauchée, que les pluies s'étaient arrêtées et que le soleil avait commencé à dissiper les nuages, le couple avait été pris en charge par Olimpia et Bitar, qui n'avaient pas eu le cœur de les chasser. Lass avait donné son accord pour qu'on soutienne l'infirme et sa femme, qu'on partage avec eux chaque bouchée de pain et chaque gorgée d'eau. Mais le vieux était lassé de sa propre vie, et ce délai l'impatientait. Il avait tout vu : depuis son enfance, il avait vécu des incendies, des tremblements de terre, des invasions barbares. C'était peut-être le signe qu'il devait se laisser emporter par l'eau.

Une fois que la maison fut proprement nettoyée, Lass décida que son temps était venu. Olimpia fut la première à comprendre son dessein et elle ne se résigna pas à le laisser partir. Il l'avait choisie comme sa fille et elle ne voulait pas abandonner un tel père.

Ses larmes ne parvinrent pas à le faire changer d'avis. Il se mourait à vue d'œil, un peu plus chaque jour. Il leur demanda de ne plus gaspiller de nourriture pour sa vieille carcasse, qui n'avait besoin que de paix. Avec ses dernières forces, il leur demanda d'être enterré dans un coin de la cour. Le cimetière avait été dévasté, tout comme le village, les croix avaient été emportées, certains cercueils, déterrés. Même ce lieu sacré n'avait pas été épargné, ce qui prouvait qu'il n'y avait rien de saint sur cette terre.

Finalement, il leur dit avec sa bonne humeur habituelle :

— Pourquoi donc êtes-vous tristes ? Je vais me loger dans une maison avec la porte au plafond et je vais sentir les fleurs par la racine !

Cela provoqua le rire de tout le monde.

La perte de Lass ne fut pas aussi grave, pour Olimpia, que la mort de sa belle-mère, pour Vergina. La famille de Satenik s'était bien tirée du désastre, car ils habitaient une colline. Les vagues avaient lavé surtout les maisons des vallées, alors que les autres étaient restées pour la plupart intactes. Avant que leurs chambres ne soient inondées jusqu'au plafond, ils avaient eu le temps de faire monter même les moutons sur le toit. Parfois, le grenier était resté au-dessus de l'eau, de sorte que certains villageois avaient pu sauver leurs réserves de blé. Dans le cas de la famille de Satenik, ce sauvetage miraculeux avait été favorisé par ce que Vergina avait toujours considéré comme un mauvais signe. Les parents de son mari gardaient dans le grenier les cercueils qui leur étaient destinés. Des années auparavant, ils s'étaient rendus chez le menuisier avec une voiture chargée de planches et lui avaient demandé de prendre leurs mesures pour façonner leurs cercueils. Ils y étaient même retournés pour en vérifier la taille, la couleur et l'inscription de leurs noms. Une fois achevés, les lugubres réceptacles avaient été rangés dans le grenier. Et pour les rendre utiles, ils y déposaient chaque année le blé et les pots de miel. Au moment du déluge, la crue n'avait atteint que la partie inférieure du grenier, et les cercueils, lourds de denrées, étaient restés sur place.

Reprendre leur vie là où elle était avant les inondations n'était pas chose facile, mais tout aurait été comme avant sans l'accident survenu au début de l'été. La belle-mère monta sur le toit pour procéder à la fumigation d'un nid de guêpes qui bouchait la cheminée. Son mari l'avait avertie de se couvrir le visage, mais la femme lui avait répondu que ce n'était pas la première fois qu'elle s'attaquait aux insectes. Sauf qu'après le déluge, les guêpes que la belle-mère voulait chasser étaient d'une autre nature, moins pacifiques. Comme si elles avaient su quelles étaient ses intentions, dès que la femme quitta la dernière marche de l'escalier et alluma sa torche, les guêpes sortirent pour l'attaquer. Elles pénétrèrent dans sa bouche, dans ses oreilles, dans son nez. La femme n'eut pas le temps de crier, et sa famille ne s'inquiéta de son absence qu'à la tombée de la nuit. Son visage était méconnaissable, au point qu'ils durent la couvrir et la garder ainsi jusqu'à sa mise en terre.

On remarqua que Vergina avait du mal à pleurer sa belle-mère. Elle se contentait de regarder Satenik et de se demander qui allait dorénavant lui donner des conseils. Si ceux de la vieille femme n'étaient pas sages, ils étaient au moins rassurants.

La mort de sa mère laissait Satenik libre de se déchaîner contre sa femme qu'il détestait plus que le soir de l'enlèvement. La chienne de garde disparue, il pouvait lui administrer une raclée chaque fois que l'occasion se présentait et pour n'importe quelle raison. Son père ne considérait pas qu'il était de son ressort d'intervenir et, depuis l'été, Vergina mangeait plus de gifles que de pain. Et les temps s'annonçaient plus durs encore avec l'arrivée de l'automne, la cueillette des raisins et la fermentation du vin. Au regret de la femme, les inondations n'avaient pas affecté les vignes, situées généralement sur des pentes douces, d'où les eaux s'étaient retirées sans arracher les fortes racines des ceps. Les moins affectés par la catastrophe étaient les ivrognes, et Satenik en faisait partie. Le vin et la haine de son mari ne promettaient rien de bon à Vergina pour l'hiver.

Il y avait une seule famille pour laquelle le déluge avait été comme un rameau de paix. Varlam et les siens s'en étaient tirés sains et saufs, ce qui était un grand exploit, car beaucoup de villageois, comme le pauvre Antim, pourrissaient encore ensevelis sous la boue. Ils avaient perdu leur maison, malheureusement bâtie dans une vallée, mais les animaux avaient tous été sauvés, comme par miracle, car l'étable était solide, ayant été récemment construite, et elle avait résisté à la furie des eaux, le temps que la famille fasse monter les moutons, les poules et le cochon dans le grenier.

Jusqu'en été, ils rebâtirent leur maison et, pour le prix de deux jeunes béliers, ils la remeublèrent convenablement. Et les meubles étaient importants car, en pleine bataille contre les vagues, la sœur de Varlam avait trouvé son élu. Vicor, le petit frère de Miran, qui n'était pas du tout aussi grand mangeur que son aîné, était tombé amoureux de la jeune femme, lorsqu'il l'avait vue laver ses vêtements, du haut de leur toit. Et comme il le dirait par la suite, les vêtements n'étaient pas sur elle.

Leur mariage ne manqua pas de faste, étant donné les circonstances. Les gens eurent de quoi manger et boire sous un abri improvisé de pieux et de tapis de laine. Les tables étaient montées sur les troncs des arbres déracinés et, en l'absence de chaises, les gens s'assoyaient par terre. Un orchestre fut amené d'un village voisin et, pour toute paie, les musiciens se contentèrent de deux peaux de mouton et d'une tinette de fromage. Les cuisiniers de cette fête furent Miran et Nafina, qui avaient conjugué leurs efforts pour préparer un repas mémorable. Malgré le manque d'ingrédients, la mauvaise qualité de la farine et le miel cristallisé, les gens ne tardèrent pas à remarquer le talent des deux ogres. Les mets sortis de leurs mains étaient délicieux, la viande était succulente, les légumes, encore croquants, la soupe, consistante, les gâteaux, onctueux. Le pain, agrémenté de noix ou d'oignons cuits qui enlevaient le goût de moisissure de la farine, était une grande nouveauté. La menthe, avec son parfum frais, était mélangée aux aliments trop piquants. Les deux se donnaient la main pour se passer une grosse cuillère ou une pincée de sel. Ils se relayaient devant le feu qui chauffait impitoyablement en ce mois de juillet. Se régalant pour la première fois de leurs plats, les gens comprirent, finalement, pourquoi ils étaient si gros.

Le départ de la sœur de Varlam amena la paix dans la famille; les disputes cessèrent comme par miracle. Varlam se découvrait en père aimant et s'étonnait d'avoir négligé ses deux garçons. Il avait raté une bonne partie de leur enfance, même leurs premières paroles, de sorte que ses deux fils ne disaient pas encore «père». Ce mot manquait à leur vocabulaire, tout comme le père manquait souvent à la maison. Il constata ensuite que l'énergie de sa femme n'était pas uniquement canalisée pour lui faire du mal. Elle pouvait lui prodiguer aussi beaucoup d'amour tout en ironisant encore sur ses faiblesses.

Zaza installa son atelier dans la relique de leur étable. La bâtisse tenait encore debout et, comme les animaux avaient été emportés par l'eau, Kalinic fut d'accord pour lui donner une nouvelle vocation. Le clayon des moutons fut transformé en étagères pour les outils de couture. Un banc long et étroit permettait aux clients de s'asseoir contre le mur et de bavarder, le temps que la couturière rapièce leurs hardes. Les gens n'avaient pas sauvé beaucoup de leurs vêtements, mais ce qui leur restait avait besoin d'un bon raccommodage. Zaza était beaucoup plus rapide que Kira, qui tardait à rouvrir son atelier. La nouvelle couturière avait l'avantage de travailler plus vite et pour moins cher. Kalinic se rendait souvent dans l'atelier, pour voir le miracle de ses yeux. Il avait toujours cru que l'apprentissage de sa femme n'était qu'une ruse pour se sauver du labeur. À présent, il s'étonnait de sa dextérité et ne se blâmait plus de l'avoir choisie par défaut. Sa mère, elle, n'était pas si enchantée, car sa bru ne lui donnait pas la priorité. En fait, elle ne privilégiait personne, sous aucun prétexte. Le premier arrivé était toujours le premier servi, homme, femme ou enfant. Il n'y avait pas d'exceptions à la règle, ni prix capable de l'amadouer. Malgré ses tarifs raisonnables, Zaza fit vite la différence dans leur ménage, d'un point de vue financier. Dorénavant, les parents de toutes les branches de la famille passaient lui demander de l'argent pour répondre à leurs besoins.

À la grande surprise de Kalinic, Zaza commença à prêter de l'argent contre un intérêt infime, mais pour des termes qui devaient être strictement respectés. Si les villageois tardaient à effectuer le paiement, elle ne renouvelait pas le prêt. La seule exception à cette règle était Efstratia, à l'attrait de laquelle la prêteuse ne pouvait résister. Chaque fois qu'elle la voyait franchir le seuil de son atelier, elle oubliait les mots sévères qu'elle avait préparés à son égard et, surtout, à celui de son mari. Parfois, elle lui disait même que Vartan ne devait pas laisser sa femme gérer les affaires de la famille.

Efstratia lui raconta d'abord qu'ils avaient acheté du bois pour le toit de la maison, mais que les planches étaient trop minces et qu'ils avaient dû s'en procurer d'autres, plus épaisses. La fois suivante, elle dit que Vartan avait acheté deux moutons, mais qu'ils étaient malades de la douve. Ils les avaient tués, enterrés et en avaient acheté deux autres, en plus d'un bélier de monte. Ensuite, il y eut la cuisine. Avant le déluge, le couple partageait la même cuisine, mais puisqu'ils avaient la chance de rebâtir, ils croyaient préférable de construire deux petites pièces plutôt qu'une grande. Plus tard, elle demanda à Zaza de lui rapiécer deux jupes, les seules sauvées du déluge, mais le bon côté était que Vartan n'avait rien à raccommoder : il le faisait seul depuis longtemps. Vers la fin de l'été, elle lui demanda de l'argent pour un jeune cheval ; en automne, Efstratia rêvait d'une nouvelle marmite, et l'hiver était inconcevable sans une nouvelle couverture en coton. Zaza lui dit que le coton était pour les riches et que la laine était à la portée de tout le monde, mais elle finit par donner l'argent. Kalinic était contrarié par l'indulgence de sa femme à l'égard d'Efstratia, la femme à l'odeur de tilleul : elle resta, heureusement, la seule exception.

Malgré une sécheresse qui détruisit tout ce que les gens avaient cultivé avec tant d'effort au printemps, les villageois reprenaient espoir. Les morts et les disparus valaient tous les éloges, mais les plus méritants étaient ceux qui avaient survécu à l'épreuve. Dans l'euphorie générale, la décision de Pantana de quitter le village et de retrouver les siens obtint l'approbation générale.

La veuve de Diran avait échappé de justesse à la noyade, chevauchant la malle qui avait enfermé la dot d'enterrement de son mari. Bien agrippée au couvercle, Pantana aurait pu voyager jusqu'aux confins de la Terre, car personne ne se pressait de mettre un terme à sa dérive. Les gens faisaient la sourde oreille à ses appels : personne ne lui tendait la main ou ne tentait d'arrêter son embarcation de fortune. Si elle avait vécu en pensant que l'argent pouvait remplacer l'homme de la maison, qu'elle goûte donc aux conséquences. Pantana avait renoncé à demander de l'aide. Elle s'était abandonnée à la volonté des vagues jusqu'à ce qu'elles décident de sa destination finale. Ensuite, elle avait abandonné le coffre vide et était retournée au village avec un gros baluchon. Qu'y avait-il dedans? se demandaient les villageois. Certains comprirent que la malle avait pu être remplie d'argent et qu'aider Pantana aurait pu leur rapporter une petite fortune. Maintenant, il était trop tard et ils se mirent à en vouloir doublement à la veuve.

Pantana se rendit chez elle pour constater l'ampleur des dégâts. Elle avait grand besoin de rebâtir sa maison effondrée et d'acheter un nouveau troupeau. Mais elle n'en voulait plus. Tout ce qu'elle désirait à présent était de partir. Lorsqu'elle annonça au village que Gostana allait l'accompagner, les gens trouvèrent cela très sage, car la famille était lasse d'une nabote stérile et paresseuse.

Après le passage des eaux, la petite femme avait vite compris que sans Antim la famille n'allait plus l'épargner. Fini le temps où son mari couvrait ses manquements aux devoirs, les soupes insipides, les seaux d'eau vides, les canards affamés, les moutons assoiffés. Le temps était venu de faire véritablement l'inventaire de ses talents. Pas difficile de constater que la liste était extrêmement brève. Elle ne mangeait pas beaucoup, c'était vrai, mais ses bouchées pouvaient nourrir ceux qui les produisaient. Sa belle-famille n'était pas la seule à lui en vouloir; la parenté entière aussi, même la souche la plus éloignée. Maintenant qu'Antim avait disparu, la famille avait lavé ses péchés, alors pourquoi garder la nabote dans leurs rangs ?

Onou prêta main-forte à la préparation de leurs baluchons et à l'attelage d'une charrette dans laquelle les deux femmes furent escortées jusqu'à la frontière de leur village. Au départ, il essaya de trouver quelques mots d'adieux, mais les deux Slavines lui en épargnèrent l'effort.

Pendant un certain temps, Kostine voyagea en compagnie d'un cavalier ayant échappé, comme lui, au massacre du Nord.

Les effectifs alliés, éparpillés dans la plaine, s'étaient regroupés à la tombée de la nuit pour soigner leurs plaies et prendre conseil auprès de l'un de leurs commandants, sauvé de justesse de l'exécution. La plupart des rescapés décidèrent de rentrer chez eux, exploit plus difficile que de combattre les barbares. Le pays était pauvre, et la nouvelle de l'arrivée des Asiatiques avait transformé tout voyageur en un espion potentiel. Les autres se rallièrent aux chevaliers partant à la découverte d'autres guerres et d'autres causes à défendre. Ces derniers représentaient la partie la moins touchée de l'armée, car ils avaient appris à se battre mais aussi à sauver leur peau. Les mercenaires de l'Ouest vivaient de la guerre et de la vantardise. Leurs exploits, racontés de bouche à oreille, prenaient des allures d'Apocalypse mais, peu à peu, les gens s'étaient mis à s'en méfier. Sur le champ de bataille, on comprenait vite qu'il valait mieux ne pas leur faire confiance. Les rescapés regrettaient même que leurs commandants ne punissent pas la traîtrise à la manière des Asiatiques, car ces fanfarons méritaient tous de mourir étouffés, enroulés dans un tapis. Armés et vêtus de beaux appareils, à cheval sur des destriers dont ils prenaient un soin jaloux, ils parcouraient le monde à la recherche d'un roi généreux, d'une cause liée à la foi ou à la reprise d'un trône, d'une dulcinée à sauver des griffes de son mari. Ils n'oubliaient jamais de demander leur paye avant la bataille, ce qui leur donnait un avantage sur les paysans rustres mais honnêtes : pour eux, comme dans tout bon commerce, la facture devait être payée au moment de la livraison de la marchandise.

Kostine ne voulait plus se laisser entraîner dans une nouvelle guerre tant qu'il n'en comprendrait pas les causes, et il décida d'entamer sa descente vers le Sud, coûte que coûte. Cinq ans avaient passé et il n'avait pas encore retrouvé celle qui avait ravi son cœur. Sabina n'était ni fée ni châtelaine, mais elle était la seule qu'il voulait épouser et il savait que pour ce faire il n'aurait pas à se vanter de ses exploits.

En route, il croisa un chevalier solitaire dont les desseins ne concernaient ni la guerre, ni la gloire, ni les épouses oppressées. Lui aussi voulait regagner le Sud mais pour passer à l'Ouest, son lieu d'origine. Il n'était pas content de rentrer chez lui, mais son destin était lié à cette partie du monde plutôt qu'aux contrées barbares. Ainsi que la bataille perdue en avait décidé, l'Est était maintenant à la merci des tribus asiatiques devenues les nouveaux maîtres des lieux. Ceux qui avaient quelque chose à perdre faisaient mieux de plier bagage.

Le chevalier Kross venait des pays teutons et était un guerrier de la foi. Kostine se décida à continuer sa route comme écuyer à son service, parce que l'étranger se débrouillait assez bien dans sa langue. Il n'était pas de ceux qui méprisent le patois des plus humbles. Il croyait plutôt que leur baragouinage pouvait toujours servir à quelque chose. Le temps passé en sa compagnie, pendant des jours ensoleillés et des nuits humides, en apprit plus à Kostine sur la vie, les plaisirs et les désirs du chevalier.

Personne ne détestait autant que Kross sa propre classe, celle des chevaliers vantards dont les histoires servaient uniquement à leur procurer un humble repas dans des auberges miteuses. Leur épée leur servait plus souvent à attraper les poules du rôtisseur qu'à tuer des infidèles. Esprits lascifs, ils n'hésitaient jamais à culbuter la femme de leur prochain, à séduire les reines veillant leurs maris agonisants et à engrosser leurs propres sœurs. À l'intérieur des châteaux forts, toute abomination était possible car, dans ces villes militaires, l'inceste et l'adultère étaient devenus un passe-temps. Voulant échapper à cette promiscuité, le chevalier Kross avait pris la route.

De temps en temps, il hésitait entre le grand chemin et la stabilité, entre guerre et oisiveté. Sa vie était partagée entre le désir de combattre pour la foi et celui de prier pour les âmes des damnés. Il était fatigué de ses prouesses. Et l'âge lui pesait, car le chevalier Kross avait bien passé sa première jeunesse. Les rides profondes autour de ses yeux bleus et ses cheveux blonds tournant au blanc témoignaient de la dureté de ses épreuves. Il savait qu'être un chevalier brave et sage était un idéal qui ne s'atteignait que dans les histoires à dormir debout des poètes.

Sa jeunesse avait été tout autre, remplie de joie, passée à errer en compagnie de jeunes turbulents, cherchant plus la bagarre que les grands exploits. Il n'avait sauvé aucune dame des griffes d'un monstre ; il n'avait pas même bénéficié du sourire d'une belle femme. Pareillement à ses camarades de bravoure, il avait tiré avantage des laides, des vieilles et des édentées. Au lieu de l'hostie, il avait communié avec des brins d'herbe, cueillis dans les champs où ses compagnons avaient versé leur sang, les entrailles retournées, les yeux crevés, les bras coupés. Lui aussi avait pleuré devant le Saint-Sacrement après la libération de Jérusalem, puis avait massacré les femmes et les enfants de la cité. Il n'était peut-être pas aussi cruel que les jeunes partis du même bourg que lui, mais il suivait leur voie par commodité. Il était austère par tradition, mais son penchant ascétique était difficile à maintenir dans une mer d'avidité, de violence et de corruption. Le moine-soldat s'était voué à la cause de la foi, mais celle-ci était de plus en plus difficile à discerner dans la foule des mauvaises causes.

Le cavalier Kross portait les cheveux coupés court, pour pouvoir mieux fixer son heaume, et avait laissé sa barbe pousser selon la mode orientale. Ses vêtements étaient ternes et sans dorures, et cela rendait la vie facile à Kostine, car il n'avait pas à les nettoyer tout le temps. Quant à ses épreuves, il disait avoir accompli plus de prouesses dans des tournois, plus meurtriers que la guerre aux barbares. Il s'était bâti une belle réputation dans les joutes individuelles, qu'il remportait toutes sans exception. À la fin, tout ce qu'il avait appris était qu'à cheval on ignore la guerre ; à cheval, on ignore tout du peuple à pied.

Ensemble, Kostine et lui participèrent à une guerre qui se déroula et fut perdue par leur camp au bout d'un seul jour. Le chevalier prépara Kostine à le servir sans se mêler à la bataille. Son rôle était d'arranger son armure, d'astiquer ses armes et de garder son cheval pendant que le chevalier descendait de sa monture pour s'engager dans un combat individuel. Ils avaient été embauchés par un peuple qui parlait la langue de Kostine, mais d'une manière terriblement déformée. Pour chaque mot connu, les soldats, avec qui il pouvait toutefois bien communiquer, en avaient un autre. Pour maintenant, ils disaient *minten*, pour le soir ils disaient *vecer*, et pour pain, *pita*. Drôle de patois que sa propre langue !

Ses compatriotes, s'il pouvait les nommer ainsi, se disputaient un bout de terre avec les peuples enturbannés du sud, ayant la même origine que les Asiatiques. Dans cette partie du monde, les choses étaient extrêmement mêlées, et Kostine renonça à y comprendre quoi que ce soit. Le chevalier aussi se déclara désarmé par l'histoire des conflits dans cette partie du monde. Ce qu'il tenait pour certain était que le peuple de Kostine était indulgent et optimiste. Sa plus grande qualité était de traverser, insouciant, toutes les épreuves. Ce pays était un espace vague et imprévisible, où les modèles étaient copiés de bon cœur mais de mauvaise manière. Ses habitants n'étaient jamais capables de retenir l'original, voilà ce qu'un chevalier avait du mal à digérer.

En peu de temps, leurs effectifs furent dépassés. Le retrait fut la meilleure solution pour le peuple de Kostine. Les combattants se sauvaient à côté des villageois qui abandonnaient les villages incendiés pour se réfugier dans la montagne. Là-haut, dans les cavernes et les forêts épaisses où les envahisseurs n'osaient pas s'aventurer, ils prenaient contact avec d'autres populations en fuite. Des villages entiers avaient été bâtis dans des clairières, habités par des gens qui parlaient plusieurs langues, se nourrissaient de plusieurs cuisines, chantaient différentes chansons. Des éclaireurs allaient souvent aux nouvelles, voir si les barbares étaient partis et s'ils pouvaient rentrer. Parfois les nouvelles étaient bonnes, et tout le monde prêtait l'oreille, même sans comprendre la langue. D'autres fois, on leur disait que leur village avait été complètement brûlé et que rien ne restait debout. Encore une fois, nul besoin de connaître la langue pour comprendre le désespoir de ceux qui se voyaient réduits à la misère.

La guerre fut perdue mais de telles batailles, comme le disait le chevalier, comptaient peu pour le peuple de Kostine. Son avenir se décidait toujours avec de l'argent, car son pays restait un des grands payeurs de tributs aux vainqueurs.

Nulle part au monde la liberté n'était aussi précaire et aussi chèrement préservée.

Kostine décida de suivre le chevalier Kross à travers les montagnes, vers l'ouest. Il lui avait fait part de son désir de retourner vers le sud, dans un pays qu'on reconnaissait à ses vallons et au peu d'étrangers qui y vivaient. Le chevalier lui avait dit que la manière la plus sûre d'y arriver était de traverser l'ouest et non pas l'est. Si, à l'ouest, les gens ne comprenaient pas tous sa langue, au moins il était certain de ne pas être tué seulement pour le prix de ses bas.

La traversée de la montagne s'avéra un voyage plus sûr et plus agréable que celui de la plaine. À travers les forêts de feuillus, puis de conifères, les chemins étaient plus sûrs et mieux tracés que ceux, poussiéreux, de la campagne. Les animaux qu'il craignait depuis sa tendre enfance s'avérèrent finalement de pauvres fauves à la recherche de nourriture, féroces uniquement lorsque leurs petits étaient menacés. Les sangliers, les ours, les loups vidaient les lieux à l'approche des humains, ces bêtes féroces à deux pattes.

L'air était pur et imprégné d'une fraîche humidité. La compagnie silencieuse du chevalier était rassurante. Celui-ci connaissait les secrets des tanières et des forêts aussi bien que ceux de la guerre. Ils se nourrissaient de baies et de gibier, se lavaient dans l'eau glacée des torrents, dormaient sur des branches de sapins qui imprégnaient, agréablement, leurs vêtements de leur odeur de résine. Kostine n'avait qu'à suivre le chevalier et à obéir à ses ordres, qui n'étaient que des conseils amicaux.

Un jour, ils frappèrent aux portes d'un monastère pour passer la nuit. Le moine qui se hissa derrière la lucarne courut chercher le supérieur. Quelques instants plus tard, les battants massifs s'ouvrirent pour laisser pénétrer les deux voyageurs dans une cour pavée, entourée de tous les côtés par des bâtiments en pierre. Le père Macar vint à leur rencontre pour les saluer et leur demander le but de leur visite. Il désigna un moine pour qu'il leur montre leurs cellules et leur explique ce que les étrangers étaient censés faire dans un lieu dédié aux prières et à la réflexion.

Ils restèrent au monastère l'automne entier, au cours duquel le chevalier passa le plus clair de son temps en compagnie du supérieur. Entre les heures consacrées aux repas, aux messes et aux prières, les deux se retiraient dans la cellule du père pour s'entretenir dans une langue inconnue à Kostine, mais qui ressemblait plus à la sienne qu'à celle du chevalier. En échange, il fut assigné aux tâches ménagères. Il aidait à la cuisine, nourrissait les cochons et nettoyait l'enclos des moutons. Sa tâche incluait aussi de balayer le grand réfectoire après les repas, et d'aider un vieux moine à faire la vaisselle.

Kostine s'étonnait de cette existence silencieuse, insoupçonnée par les peuplades d'en bas qui se disputaient pour n'importe quoi. Les moines étaient contents de leur routine bien réglée et d'un lit modeste dans le dortoir commun. Le père Macar avait aboli les cellules pour combattre l'instinct de propriété, un vrai péril pour la pureté de l'âme. Malgré l'affluence des gens venus prier, guérir de maladies et demander conseil, la vie des moines n'était troublée que par les caprices de leur supérieur. Celui-ci avait des habitudes qui échappaient à un horaire fixe. Les apprentis ne savaient jamais s'il allait rester enfermé dans sa cellule pour prier, faire le tour des bâtisses pour inspecter le travail de chacun ou se retirer pour une ascèse prolongée. Le plus difficile à prévoir était ses voyages dans le monde d'où il revenait chargé de corbeilles remplies de livres. Toute la communauté remarqua que l'arrivée du chevalier avait un peu ralenti le rythme de ses excès. Occupé par leurs débats, le supérieur leur donnait un peu de répit.

Kostine s'habitua vite aux dépendances, tenues sous clé par habitude. Ce qui l'étonnait était la propreté des lieux et la beauté des fleurs qui égayaient l'austérité des bâtiments gris. Ce lieu ne semblait pouvoir être troublé ni par les passions humaines ni même par celles du ciel. Kostine n'avait jamais prié avec ferveur et il ne le fit pas davantage en ce lieu, car la messe était assommante et il finissait toujours par s'y endormir. Le cuisinier, qui était devenu son ami et assistait à la messe avec le tablier par-dessus sa soutane, le taquinait parfois à ce sujet.

À la sortie de l'église, il avait la permission de faire un détour pour regarder le père Wetti soigner les rêveurs. Celui-ci menait les séances de guérison dans une cellule aménagée au pied de l'enceinte dont les fenêtres donnaient sur un abîme. En vertu de son amitié avec le cuisinier, qui entretenait en cachette la gourmandise du chasseur de rêves, Kostine pouvait jeter un coup d'œil aux corps étendus par terre, sur des matelas en paille. L'odeur des chaussures et des manteaux puant le suif devait être une dure épreuve pour le père Wetti, qui abandonnait volontiers la prière pour tenir compagnie à Kostine. Celui-ci sortait de sous son manteau la bouteille confiée par le cuisinier, et Wetti s'abreuvait goulûment.

Kostine n'avait jamais pensé que les gens devaient se méfier de leurs rêves, jusqu'à ce qu'il entende le bon père prêcher que les songes mensongers menaçaient les mortels comme un poison. Wetti menait un combat infatigable contre l'empire du sommeil, alors que l'humain n'est plus que matière morte, uniquement animée par ses peurs ancestrales. Ce qu'il fallait craindre n'était pas les rêves du début du sommeil, mais ceux qui se produisent après minuit, le temps des prophètes. Les premiers pouvaient être annihilés par le contrôle de la digestion et la réduction du gras ingéré avant d'aller au lit. Mais pour les seconds, il fallait annuler l'orgueil des dormeurs. Divinations, augures, songes, tout cela n'était que vanité. Ceux qui se fiaient aux rêves quittaient le chemin de la foi. Croire à la prophétie du songe, c'était croire que Dieu vous adressait la parole. Or Dieu ne parlait pas la langue de tout le monde. Le but des rêves était d'induire les humains en erreur. Le sommeil ne préfigurait pas la rencontre avec Dieu mais l'éloignement de son empire. C'est en rêvant que le diable vous tendait ses pièges. Satan se déguisait tantôt en ange de lumière, tantôt en vieillard à barbe blanche, tantôt en enfant menant son troupeau au pâturage. C'était lui qui poussait les gens à s'ériger en prophètes.

Le père Wetti gardait les rêveurs une nuit pour convertir leurs rêves et leur envoyer de vrais anges pour chasser le Malin. Il était souvent accompagné d'autres moines munis d'outils de tortures, prêts à supplicier les diablotins. Les mauvais esprits ne pouvaient rien contre les cierges, gros comme des javelots. Le travail fini, l'ange devrait conduire les dormeurs chez quelques vierges, de saintes femmes qui intercédaient auprès de Dieu. Le lendemain, les malades se réveillaient frais et dispos. La seule incertitude qui leur restait était la rencontre ratée avec les vierges, mais le père Wetti les chassait en les menaçant d'anathème : les vierges sont le lot des barbares, des maudits païens.

L'intimité de Kostine avec son maître d'armes diminuait à vue d'œil, tant celui-ci était séduit par le père Macar. Le chevalier Kross accompagnait le moine lors de ses randonnées au delà de la muraille, alors que le saint homme se joignait aux cueilleurs de myrtilles et de champignons. Kostine fut accepté en leur compagnie une seule fois, pour porter la corbeille du père aux prises avec des maux de dos. Le moine lui jetait, de temps en temps, des regards curieux, en interrogeant le chevalier à son propos. Le lendemain, Kostine fut invité dans la cellule du père qui lui demanda s'il ne voulait pas apprendre à lire et à écrire. Il répondit que si cela ne signifiait rien de mal, pourquoi pas, même si ses tâches à la cuisine l'occupaient toute la journée. Le père cuisinier donna gentiment son accord pour lui trouver un remplaçant, durant le temps consacré aux études.

Le chevalier le conduisit dans un petit scriptorium aménagé dans l'aile sud du monastère, où les pièces recevaient plus de lumière que les autres cellules, aveugles comme des tanières. Les murs étaient tapissés de livres qui dégageaient une odeur étouffante. À l'intérieur, trois moines debout se penchaient sur leurs parchemins : deux copiaient des manuscrits et un autre dessinait des images dans les marges des pages. Kostine fut confié au plus jeune, récemment arrivé au monastère après des études dans une grande ville. Le novice, la tête couverte d'un capuchon pour protéger son crâne dégarni des courants d'air, le dévisagea avec dédain.

Dès le lendemain, Kostine goûta à la tutelle du jeune moine, qui lui dictait chaque action avec autorité. Il s'amusait à l'humilier pour son griffonnage maladroit et pour sa piètre mémoire, peu exercée à la tâche de l'apprentissage. En conséquence, Kostine demanda au chevalier de lui épargner l'épreuve des études et de le retirer du scriptorium. Il n'aimait pas l'odeur du parchemin et surtout pas la compagnie du savant. Il préférait de loin se rendre utile à la cuisine. Le père Macar lui accorda cette faveur sans faire de remontrances au maître intransigeant.

Au début du printemps, le chevalier fit venir Kostine dans sa cellule et lui dit avoir finalement trouvé la bonne armée à qui offrir ses services. C'était ici, au monastère, que régnait la discipline et l'obéissance la plus stricte, ce qui lui avait toujours manqué. Dorénavant, il allait se dédier à l'armée de Dieu, renonçant à celle des hommes, protégeant la foi non pas par son épée, mais par son ascèse. Il abandonnait les faiblesses et les misères des mortels. Le vrai porteur de la foi était l'ermite, qui la défend de l'intérieur. Dans le père Macar, il avait trouvé le vrai commandant à qui obéir jusqu'à la fin de ses jours, dans la main de qui abandonner sa volonté. Ce second baptême était son véritable adoubement, le moment de céder ses armes de fer pour recevoir celles de la prière. Cette nouvelle existence allait le conduire non pas à Dieu mais à sa propre paix, car pour trouver Dieu il fallait toucher, d'abord, sa propre sérénité. La quête divine excluait la haine ou la révolte. Dorénavant, il allait se vouer à son perfectionnement et à son salut, tout ce qu'un homme devait accomplir de son vivant. Convertir les autres à ses croyances, ce qu'il avait essayé de faire parmi les barbares, était une illusion diabolique. Ce qui importait était sa propre correction. Si le prix de cette épiphanie était la séparation d'avec le monde, il était prêt à en faire le sacrifice. Sous le nom de Cesse, il allait se dédier aux desseins des premiers apôtres et lutter contre les tentations contre lesquelles ils mettaient en garde les mortels. Il savait que personne n'était épargné par la tentation, même pas le père Macar, qui utilisait l'argent des dons pour acheter des œuvres n'ayant rien à voir avec l'enseignement des Apôtres. Le sens allégorique qu'il proposait à la lecture de ces livres ne trompait que les néophytes, car Kross connaissait mieux que quiconque la débauche contenue dans leurs pages.

Kostine ne comprit rien à ce discours et pensa que c'était à cause de la langue. Ce n'est qu'au moment où le chevalier Kross, devenu le père Cesse, lui dit de préparer son baluchon que la lumière se fit : leurs chemins se séparaient ici.

Que dire de plus ? ajouta le père Cesse. Que Kostine soit parti à la conquête d'une femme restait une bonne cause. Rien ne devait l'en détourner.

Au moment des adieux, le chevalier fut généreux : il lui offrit sa bourse et son destrier. Kostine accepta l'argent, mais pas la noble monture. Le cheval, avec sa stature et son appétit, était un compagnon trop exigeant pour lui. Il préférait se fier à son bâton de voyageur et à ses deux jambes pour entamer sa descente vers le sud.

Le père Macar et le moine Cesse l'accompagnèrent un bout de chemin, lui épargnant d'autres conseils. Dans le monde où il s'en allait, il n'avait pas besoin de leur savoir.

Trois ans plus tard

La cantine de Miran et Nafina était ouverte à longueur d'année. Avec l'argent prêté par Zaza, ils avaient d'abord fait construire un long hangar à haut plafond, avec des fenêtres à grandes baies. Sur les parois intérieures, ils avaient prévu une triple couche de chaux, car la fumée les noircissait au bout de quelques semaines. Au fond de la pièce, on avait maçonné, dans l'épaisseur du mur, deux âtres géants, dont les cheminées étaient pourvues de grosses chaînes à crémaillère pour suspendre les marmites au-dessus du feu. Les écumoires, les louches, les couperets, les outils pour retirer le cœur des fruits, les crochets pour retourner les quartiers de viande et les broches pendaient à portée de main. Des pots en terre vernissée, des cruches à bec verseur, des tasses recouvertes de glacis étaient rangés dans des niches aussi aménagées dans l'épaisseur du mur et protégés par une grille. Les bancs, rangés contre les parois, servaient aussi de garde-manger pour les sacs de farine, de sel, de haricots, de lentilles, les pots de saindoux, les bouteilles d'huile et les betteraves. Les gens s'y assoyaient, lorsqu'ils mangeaient, et, chaque fois que Nafina avait besoin de quelque chose, ils devaient se lever pour la laisser fouiller dedans.

Au début, la cuisine servait aussi de salle à manger : Nafina remplissait les assiettes des clients, alors que Miran remuait ce qui cuisait dans les chaudrons ou hachait la viande. Toutefois, les rafales de vent qui repoussaient la fumée dans la cheminée rendaient l'atmosphère irrespirable, de sorte que les cuisiniers bâtirent par la suite une autre pièce, séparée de la cuisine par une porte à double battants, dans laquelle ils installèrent des tables en bois et des bancs recouverts de tissu.

Une fois le bâtiment terminé, ils se concentrèrent sur des outils plus adaptés à leur nouvel établissement. Par l'intermédiaire des marchands ambulants, ils firent venir des pots en cuivre qui remplacèrent ceux en argile, plus fragiles et plus petits, des chaudrons à anse solide, des cocottes à fond plat et d'autres à chaînettes. Nafina favorisait les récipients aux incisions en losanges, au bec en forme de lion ou de taureau, au couvercle représentant des visages humains, laissant les vapeurs s'échapper à travers l'orifice des yeux. Pour débiter les carcasses ou trancher la viande, Miran s'était commandé des couperets qui pouvaient pénétrer même les os. Pour éplucher, découper et désosser, il avait un arsenal de couteaux aux manches en bois ou en acier. Dans le pétrin confectionné sur commande, on faisait de la pâte pour cinquante pains. À cela s'ajoutait une multitude de paniers, gros et petits, d'assiettes, de salières, de verres et de couverts. Pour laver la vaisselle, ils avaient embauché une femme du village qui la faisait bouillir dans du son et l'essuyait par la suite vigoureusement.

Miran et Nafina devinrent bientôt les cuisiniers officiels des mariages et des enterrements. Embauchés pour préparer les repas de fête, ils prêtaient aussi la vaisselle nécessaire aux cérémonies. Trois jours avant les festivités, les clients venaient avec deux grandes charrettes, l'une pour charger les paniers de vaisselle et les chaudrons, et l'autre pour faire déplacer les deux ogres qui avaient retrouvé la bonne forme et l'appétit d'antan. Ils ne mangeaient pas beaucoup mais ce qui les engraissait, disaient les gens, était la quantité de fumée avalée du lever au coucher. Leur estomac s'était habitué à digérer les odeurs dissoutes dans les vapeurs de soupe et dans l'effluve des rôtis.

Ils se formèrent un réseau d'approvisionnement en marchandises et en épices étrangères, car leur cuisine surpassait à présent les jardins des Comans. Tous les marchands avaient appris qu'il valait la peine de faire un petit détour par le village et de s'y arrêter pour que Nafina ait le temps de fouiller les paniers, de renifler le contenu de chaque bocal, de passer la main à travers des graines rondes et délicates comme des perles, de mettre le bout de la langue dans chaque poudre, de frotter les épices de ses doigts.

Les bons cuisiniers étaient devenus des négociateurs aguerris. Pour venir à bout de leur ténacité, les marchands avaient eux aussi appris une petite ruse. Ils commencèrent à se loger à la petite auberge bâtie à côté de la cantine. Il s'agissait de deux chambres aux lits superposés où les voyageurs pouvaient passer la nuit. Cependant, vu que le village était situé en retrait des grands chemins, les deux pièces étaient vides la plupart du temps, de sorte que les deux patrons préféraient les offrir gratis. Le prix de la nourriture et d'un cruchon de vin de plus, bu par les passants en compagnie du cuisinier après la fermeture, couvrait le prix de la nuitée. Les marchands préféraient donc s'attarder un jour de plus dans ce lieu, car le temps jouait toujours en leur faveur. La nuit, Miran et Nafina discutaient de la qualité de certaines épices et du goût des nouveaux légumes: ils concoctaient déjà des recettes dans lesquelles tel ou tel assaisonnement s'assortirait à merveille à la viande d'agneau ou de chèvre. Les rôtis trop durs ou la viande déjà faisandée pourraient être vendus si on leur ajoutait une pincée de cette poudre jaune, qui sentait comme rien d'autre. Les pommes cuites saupoudrées de l'autre épice brune, obtenue de la mouture de quelques bâtons d'écorce, étaient de plus en plus en demande. La même poudre pouvait être ajoutée au vin chaud, en hiver, pour réchauffer le sang. Les entremets prenaient de la valeur si on les ornait de pétales de rose ou de framboises fraîches.

Les marchands leur apportaient aussi des oignons de plantes inconnues. Dans des pots en argile, ils leur offraient des échantillons préparés en conserve, au vinaigre ou en saumure. La première cuillerée était comme du poison mais, après une nuit de réflexion, Miran et Nafina concoctaient déjà des recettes prodigieuses.

Un marchand de passage les avait aidés à fabriquer une boisson à base d'orge, de blé et d'avoine, dont la touche finale était donnée par le houblon. Les villageois la trouvèrent amère, au début, mais ils s'habituèrent vite à cette boisson qui gonflait le ventre et les rassasiait. Ils l'appréciaient surtout en été, car Nafina la gardait sur de la glace tenue sous de la paille, au fond de la cave. Même la présentation des plats avait changé depuis que des voyageurs étrangers faisaient une halte dans leur cuisine. Nafina avait appris à colorer les mets avec du jus de fruits ou de légumes, ou encore à les noircir avec de la chapelure grillée.

Cosman avait offert ses services à l'un des marchands logés dans la petite auberge de Miran et de Nafina. Depuis que le déluge avait lavé la couche fertile de leur terre, sa famille vivait dans une grande pauvreté. Minodora avait du mal à remplir les assiettes chaque jour, et sa spécialité était devenue le potage d'herbes, fraîches en été, conservées dans le sel en hiver. Après l'éclosion des bourgeons au printemps, elle commençait la cueillette des orties, du chou d'amour, des rumex des marais, qui proliféraient après le passage des eaux. À la maison, elle les lavait, les hachait finement et les faisait sécher. Tout le monde en avait assez de la bouillie verte, malgré le souci de la belle-mère d'en diversifier le goût. Il y avait toujours trop de sel, mais l'avantage était qu'après le repas il fallait boire de l'eau comme un cheval, et l'eau était une denrée qui ne manquait jamais.

Dès que la boue des routes séchait, Minodora partait à la cueillette des tubercules sauvages, munie d'une corbeille à deux anses. Seule dans les champs, elle avait eu le temps d'observer le comportement des animaux et avait compris comment piéger les lapins avec un simple collet. Auparavant, sa viande n'aboutissait qu'accidentellement dans les assiettes des Comans, soit à cause d'une famine, soit par mauvaise volonté. À présent, les villageois considéraient sa chair rosée comme une denrée providentielle pendant la période de gestation des moutons et l'allaitement des agneaux. Minodora commença donc à délaisser de plus en plus la cueillette des tubercules pour se consacrer à la chasse.

Dans les champs, elle reconnaissait vite les rabouillères des lapins, délimitées par la présence des crottes, par la terre grattée aux limites du territoire et par la végétation broutée. Il n'était pas rare qu'elle soit accueillie par le mâle qui s'acharnait à la défense des lapereaux, alors que la hase les abandonnait sans remords après le sevrage. Les meilleurs moments pour les chasser étaient les premières gelées, lorsque les fougères et les herbes qui permettaient au lapin de se fondre à l'environnement s'abaissaient, laissant les animaux à découvert. Avec le refroidissement des températures, leur pelage tourné au blanc était un piètre camouflage dans les terres brunes. En été, Minodora suivait leurs traces au milieu des asters, des impatientes, des fraisiers, des trèfles, des marguerites et des fougères broutées. En hiver, elle découvrait les lapins grâce à l'écorce rongée des noisetiers, des bouleaux, des peupliers et des arbres fruitiers.

Ensuite ce fut la découverte des cailles, dont la saison commençait au printemps par l'arrivée des mâles, toujours les premiers à revenir des pays chauds en quête d'un bon emplacement pour leur nid. Minodora comprit vite que ces oiseaux dodus affectionnaient les champs de blé et de luzerne. Quoique leurs nids fussent bien cachés dans les herbes, elle les dénichait facilement grâce à la présence abondante des oiseaux autour des œufs. Les cailles étaient très sociables, fuyant la solitude, vivant dans des colonies où l'amour se pratiquait librement entre différents partenaires. De sa cachette, Minodora observait avec passion leurs ébats. À la fin de la période de ponte, elle vidait quelques nids, mais elle laissait les autres intacts pour assurer la récolte de cailleteaux. Et elle avait intérêt à revenir à temps, car les petits apprenaient à voler très vite, trois semaines après l'éclosion des œufs. Depuis peu, plus que la viande dure, qu'elle bardait abondamment de lard pendant la cuisson, Minodora appréciait les petits œufs, que la famille mangeait, généralement, cuits dur. Parfois, elle s'amusait même à les garder pour décorations, dans un pot, car elle aimait regarder leurs coquilles tachetées, pas plus grosses qu'un caillou.

Au début, elle avait caché le gibier au fond de son panier car, au village, la chasse était une tâche d'homme. Mais le départ de Cosman avait pleinement justifié sa pratique par une femme. Encouragée par ce statut de gagne-pain, elle commença à conduire le cochon de la famille dans la forêt de chênes pour qu'il engraisse à peu de frais, en mangeant des glands. Elle proposa même à ses beaux-parents de sacrifier l'animal après la glandée de novembre, plutôt qu'avant.

La femme de Cosman continuait à être aussi le meilleur conteur du village. Ses histoires incluaient maintenant des animaux, des fées des plantes, des anges qui guidaient les pas des chasseurs, des mauvais esprits qui brouillaient les chemins. Elle faisait encore sa halte au puits, là où les femmes attendaient leur tour, pour les amuser. Les femmes du village s'étaient habituées à son bavardage sans méchanceté et, depuis le départ de Cosman, la pitié qu'elles éprouvaient à son égard la leur rendait encore plus agréable. Sa belle-famille s'abandonna complètement à sa charge. Le matin, les deux vieux s'assoyaient sur le banc devant la porte de la cour pour demander aux passants s'ils n'avaient pas rencontré Cosman. Bon gré mal gré, ils avaient adopté l'habitude de leur belle-fille d'adresser la parole aux inconnus, rien que pour passer le temps.

Deux mois après le départ de son mari, Minodora eut de ses nouvelles. La charrette du marchand qui l'avait embauché, au nom impossible à prononcer, était immobilisée dans l'une des cités du nord. Les barbares avaient bloqué le défilé, seul passage pour aller de l'autre côté de la montagne. Les commerçants du nord ne pouvaient plus descendre vers le sud, ce qui anéantissait l'activité des marchés tenus au pied de la montagne. Tous attendaient la levée du blocus, sommeillant sur leurs réserves. Ils ne pouvaient pas quitter les lieux avant d'avoir échangé leurs graines, difficiles à transporter à de telles hauteurs, contre des denrées en demande dans le sud. Alors que les plaines étaient connues pour les matières premières, le nord était renommé pour le raffinement de ses poteries, de ses vêtements, de la quincaillerie, du harnachement des chevaux. Ses harnais, ornés de petits clous, d'œillets et d'agrafes valaient parfois le prix de quatre paniers de blé.

Après un mois d'attente, ils apprirent que les barbares avaient été repoussés vers les steppes. Le trafic reprit son cours et, au bout de deux semaines, Cosman revint au village avec une bourse rondelette. Devant sa femme et ses parents, il compta l'argent, pièce par pièce, tout en exposant leur destination immédiate : des moutons, des tuiles pour le toit, de la chaux pour les murs. Cela n'apaisa pas la colère de Minodora, déçue de n'avoir rien reçu en cadeau. Pour tous ses efforts, ramasser chaque bout de plante et se déchirer les doigts dans les pièges des lapins, son mari ne la récompensait même pas d'un fichu. Cosman se défendit de son mieux, disant que l'argent était destiné à eux tous et qu'un jour elle ne devrait plus ni cueillir ni chasser. Malgré cela, sa femme bouda toute la soirée.

Kira trouvait que Minodora n'avait aucune raison d'être fâchée contre son mari, doté de grandes qualités de marchand. S'il était avare en cadeaux, en revanche, il savait négocier de bons prix, ce qui était plutôt rare pour un paysan.

Depuis que Kira avait ouvert une teinturerie, Cosman était très précieux pour son commerce. Il s'était instruit sur le secret des couleurs, des pigments, des poudres. Le lendemain de son retour, il apporta à Kira des trésors destinés à son commerce : des sachets à double revêtement pour mieux garder la poudre aussi fine que la farine, des boîtes gigognes, des goulots au bouchon de métal, des pots en liège. En échange de ses prix raisonnables, Kira accordait une attention spéciale à la teinture de ses vêtements.

Après la ruine de son atelier emporté par la crue, Kira avait changé de métier. Elle avait demandé à Stratonic de lui construire une plus grande pièce afin d'y monter de gros alambics de cuivre, aux couvercles grands comme des roues. Le réseau de tuyaux qui traversait les récipients se dressait comme une forêt jusqu'au plafond. Les vapeurs et l'odeur des pigments lui donnaient souvent des maux de tête, et ce fut encore Cosman qui pensa au remède. À sa visite suivante, il lui apporta une poudre blanche : une cuillère dissoute dans l'eau chaude faisait disparaître l'étourdissement.

Kira s'était acquis une réputation dans toute la région. Les villageoises venaient d'une distance considérable pour faire teindre leurs écheveaux de laine, leurs bobines de coton, leurs rouleaux de chanvre, leurs tissus de lin. Les tissus teints par Kira avaient la réputation de ne pas se décolorer, même après le lavage à l'eau chaude et des mois d'exposition au soleil. Le mélange de sel et de vinaigre qu'elle ajoutait dans le bain des couleurs était un secret impossible à lui arracher.

Elle avait renoncé à sa carrière de couturière en faveur de Zaza, qui avait repris toute sa clientèle. Mais l'ancienne apprentie lui rendait souvent visite pour admirer la fantaisie inépuisable de ses nouvelles coupes. À part ses qualités de teinturière, Kira était reconnue pour son talent de modiste. Avant de passer chez Zaza, chaque jeune fille qui voulait se distinguer en appelait à ses services. Parfois, c'était Zaza qui l'envoyait lui montrer son tissu. La cliente revenait avec une ébauche réalisée par la modiste sur un bout de papier, une autre nouveauté apportée par Cosman. Plus tard, afin d'éviter ce gaspillage, Kira ramassa tous ses dessins, les lia d'un côté avec du fil de chanvre, les plaça entre deux couvertures en cuir, réalisant ainsi un catalogue aussi grand qu'épais. Lorsqu'une jeune femme venait chez elle, Kira l'invitait dans un coin propre de l'atelier, chaud comme un sauna, pour en feuilleter avec elle les pages : la première partie était destinée aux robes, la deuxième, aux chemisiers et aux jupes, la troisième, aux pantalons et aux chemises d'homme. À la fin du livre, des pages moins lisses étaient occupées par les pièces détachées : des cols, des manchettes, des boutons, des ourlets. Depuis peu, Kira réalisait aussi des modèles de broderie et de dentelle. Pour faciliter la communication avec Zaza, elle avait numéroté les images : il suffisait d'en donner le numéro à la couturière.

À l'exemple de Kira, Zaza avait bâti des livres de compte, vu que les emprunteurs venaient maintenant des villages alentour. Pour les étrangers, elle demandait des gages qui équivalaient à la valeur de l'argent demandé. À cet effet, Kalinic avait construit un magasin fermé à double tour.

Ce qui n'empêcha pas des voleurs de casser la porte et de pénétrer à l'intérieur. Un matin, il trouva les étagères du dépôt vides. Les gages volés étaient une grande perte, car ils devaient couvrir le déficit de leur propre bourse. Zaza interdit à son mari de parler du vol, car le vent de la ruine influencerait les emprunteurs. Une fois le compte vidé, personne ne serait tenu de respecter le terme et la valeur des paiements. Il valait mieux taire l'incident et continuer à utiliser l'argent remboursé pour l'octroi de nouveaux prêts. Mais que dire à ceux qui achevaient leurs paiements et voulaient reprendre leurs objets? Sous différents prétextes ou de nouveaux prêts à taux plus avantageux, Zaza fut capable de cacher le fait qu'elle ne détenait plus ces objets. Elle savait que l'argent avait plus d'attrait, de sorte que le leurre tint un certain temps. Pour entretenir la confiance de sa clientèle, elle embaucha un gardien de nuit pour la surveillance d'une caisse qui était désormais vide.

Le gardien était Vartan, le mari d'Efstratia. Sa femme avait accumulé de lourdes dettes à l'époque où elle essayait de rebâtir la maison détruite par le déluge. Depuis, elle ne demandait plus d'argent, mais les sommes remboursées étaient loin de couvrir sa dette. Zaza ne la pressait pas, mais Efstratia se sentait obligée de lui rendre visite de temps en temps pour la rassurer quant au retour du capital. Lorsque la couturière lui proposa de laisser son mari venir travailler chez eux, la femme accepta tout de suite, sans même lui demander son accord. Vartan allait recevoir une paie qui serait déduite de l'argent dû et il serait rémunéré aussi de quelques paniers de blé et d'une corbeille de légumes. Vu qu'il travaillerait de nuit, l'employeur devrait se charger de la survie de sa famille, jusqu'au remboursement des dettes.

Pour assurer le lait et le fromage quotidien, Efstratia commença à mener elle-même au pâturage leur petit troupeau de dix moutons. Le potager et la traite restaient à la charge du mari, à qui revenaient aussi les tâches ménagères. Cette nouvelle distribution des rôles pouvait sembler humiliante pour les hommes du village, mais pas pour Vartan. Il ignorait leurs suggestions d'enfiler une jupe et de se mettre à tordre la laine. Le soir venu, il chaussait ses bottes, endossait sa touloupe et se dirigeait vers la maison de Zaza, empreint d'une nouvelle dignité. Son emploi lui avait aussi redonné la fierté bafouée par Efstratia. La garde de nuit avait annihilé, par miracle, le nez sensible de sa femme qui le tolérait dans ses pièces plus souvent qu'auparavant.

Efstratia devint donc la première femme bergère du village. Cette nouvelle occupation contraria d'abord les gens, car les femmes n'avaient jamais mené les troupeaux au pâturage. C'était un travail d'homme, mais Efstratia leur dit que c'était un travail de paresseux. Alors qu'ils bayaient aux corneilles dans les champs, attendant que les animaux se rassasient, les femmes à la maison ne s'assoyaient pas de la journée. Leurs courses entre le puits, la cuisine et le jardin ne cessaient qu'au coucher du soleil. À l'heure du souper, elles crevaient de fatigue alors que leurs maris, reposés et sentant le bélier, étaient prêts pour une bonne séance d'amour.

Zaza fut aussi généreuse avec Aspasia, lorsqu'elle vint lui demander de l'argent pour l'enterrement de son mari, retrouvé dans une mare de sang au bord de l'eau. Quelqu'un l'avait poignardé alors que l'homme montait la garde devant quelques peaux de mouton mises à l'eau pour dissoudre la saumure du tannage. Il se reposait, étendu à l'ombre d'un saule, lorsque le tueur s'était rué sur lui. L'efficacité du coup avait été telle que Varlam n'avait pas eu le temps de se débattre.

Le village fut effrayé, car ce type de meurtre était pour ainsi dire inexistant dans leur coin paisible, où les gens se disputaient pour la terre et se tuaient par jalousie, mais toujours au vu et au su de tout le monde. Pendant quelque temps, ils commencèrent à fermer leurs portes à clé, la nuit, et à libérer les chiens plus tôt que d'habitude.

Zaza donna à Aspasia plus que la somme demandée pour qu'elle offre à son mari un bel enterrement. Vartan fut ému par la générosité de son employeuse, car le jour du prêt il était dans les parages. Il en savait long sur la bonté de Zaza, car il en profitait souvent : des quarts de travail plus courts, une bonne soupe au milieu de la nuit, une bonne pelisse dans le froid glacial de l'hiver. Sa femme ne lui avait jamais prodigué de telles gâteries. Elle tenait encore à marquer son territoire, soucieuse de séparer mêmes les cuillères qu'ils utilisaient pour manger. Pas difficile de comprendre pourquoi Zaza, même si elle était laide comme un pou, valait plus qu'une beauté. Kalinic appréciait bien sa femme, et n'avait pas besoin de Vartan pour lui faire remarquer les qualités de son épouse, qui avait complètement transformé sa vie.

L'enterrement de Varlam se passa selon le rituel habituel. Comme Miran et Nafina se chargèrent du repas suivant la mise en terre, les gens eurent de quoi se régaler. La famille ne réussit pas à donner autant de petits cadeaux aux participants que Pantana lors du décès de Diran, mais qui les aurait reçus de bon cœur alors que deux garçons restaient sans aucun soutien ? Comment leur mère allait-elle pouvoir les nourrir ?

Les gens n'eurent pas le temps de se casser la tête pour trouver une réponse car, trois jours plus tard, la veuve plia bagage et annonça son départ. Personne n'avait réussi à la persuader de rester au village, avec sa belle-famille, qui pouvait encore travailler pour les garçons le temps qu'ils grandissent et gagnent eux-mêmes leur pain. À Onou qui tentait de la persuader de rester, elle cria :

— Vous êtes des criminels !

Ce qui accéléra son départ. Onou la conduisit jusqu'à la lisière de son village, les enfants courant déjà à la rencontre de leur autre famille. Depuis le départ, ils ne cessaient de questionner leur mère sur leurs cousins et leurs autres grands-parents.

À l'exemple d'Efstratia, Théodora demanda à devenir bergère elle aussi. Son mari ne pouvait plus se déplacer qu'à dos d'animal, ce qui lui rendait difficile la tâche de rassembler les moutons ou de garder les loups à distance. Or les collines et les bois par où les troupeaux étaient souvent menés ne pouvaient être parcourus qu'à pied. Le nombre d'animaux égorgés par les fauves l'avait convaincu que c'était la meilleure chose à faire. Il montra à Théodora comment chevaucher, en gardant les deux pieds d'un seul côté. Il lui fabriqua des bottes qui lui couvraient les mollets et une veste en peau de chèvre boutonnée par des agrafes en os. Pour son repas, il lui construisit une petite boîte à compartiments, pouvant être accrochée à la selle. Sa canne était aussi une rareté, taillée dans du bois de courgelier blanc, pourvue d'anneaux de fer qui rendaient les coups très efficaces. Un tel choc pouvait casser même le cou d'un loup.

Le matin très tôt, Ermil conduisait le troupeau jusqu'en bordure du village, éclairant le chemin d'une lanterne pour apaiser les superstitions de sa femme. À l'orée de la forêt, on voyait déjà les premières lueurs de l'aube. Au coucher du soleil, il l'attendait au bout de la rue, toujours à cheval. Une fois le troupeau à sa hauteur, il se plaçait en arrière pour guider les bêtes de son sifflet. Dans l'enclos aussi, les rôles avaient été inversés. C'était Ermil qui tirait les moutons, alors que sa femme les menait de derrière avec sa canne aux anneaux.

Mais les secrets du métier de berger, ce fut Bassarab qui les lui apprit. Un jour, l'homme s'approcha d'elle pour lui demander une gorgée d'eau. Ce n'était qu'un prétexte pour lui parler, ce que la femme comprit tout de suite. À la surprise de Bassarab, Théodora semblait avoir oublié sa rancune du soir de l'enlèvement, lorsqu'il lui avait préféré Rada. Le temps et les épreuves avaient été durs pour eux deux, alors pourquoi lui tenir rigueur d'avoir écouté son cœur ? Ils étaient assez vieux pour ne plus laisser de telles passions affecter leur vie, et la situation leur dictait désormais d'être de bons compagnons. Bassarab savait comment rassembler les moutons et les tenir ensemble, même lorsque les vents chargés d'odeurs menaçantes les dispersaient en un clin d'œil. Une femme bergère était exposée non seulement aux loups mais aux violeurs et aux voleurs de moutons. Pour sa sécurité, elle dut accepter l'appui de Bassarab. Le matin, une fois arrivés au niveau des collines, ils regroupaient leurs moutons en un seul troupeau et montaient la garde tour à tour pour les surveiller. Pour leur repas commun, chacun apportait de chez lui les meilleures choses à manger. Le soir, ils ne séparaient leurs moutons qu'à la frontière du village pour emprunter ensuite des chemins différents.

Bassarab fit part à sa femme de sa nouvelle compagnie dans les champs, et Rada s'en réjouit. Elle disait que Théodora méritait son appui, en échange du gros cul de mari qui avait pris sa place dans le ménage. Elle s'étonnait qu'une femme puisse faire confiance à un homme pour la cuisine et le soin des enfants, car elle-même avait besoin d'aide, même pour son seul enfant. Les parents comprirent cette allusion, car leur bru les tenait loin de leur petit-fils. Depuis la mort du nourrisson, Rada ne leur faisait plus confiance, et les gens du village tendaient à lui donner raison depuis qu'elle leur avait dit que la fièvre du bébé avait été déclenchée par les mauvais soins de ses beaux-parents et qu'elle leur avait expliqué en détail ce qui s'était passé. À plusieurs reprises, Rada avait dit à ses beaux-parents de laisser l'enfant légèrement vêtu en été, mais les vieux lui répétaient que leurs ancêtres croyaient plutôt qu'un enfant devait être chaudement habillé, même pendant la canicule.

Le samedi fatidique, lorsque la fièvre s'était déclenchée, la belle-mère avait donné un bain à l'enfant et l'avait enveloppé dans une couverture de laine. À l'extérieur, il faisait une chaleur à faire fondre les toits. Rada était occupée à remplir les tonneaux d'eau pour l'arrosage du jardin. Revenue du puits avec les seaux, elle avait trouvé le bébé emmitouflé comme en plein hiver. Elle l'avait libéré tout de suite, mais il ne bougeait plus. Depuis, Rada interdisait aux parents de toucher son autre fils et elle avait même réduit son travail au champ pour mieux le garder.

Quelques mois auparavant, Rada avait reçu la visite de Sarda. Depuis la mort de son mari, elle chômait dans la maison d'Olimpia. Tant que Dikran avait été de ce monde, elle avait accepté leur miséricorde mais, après l'enterrement, elle avait décidé de prendre son destin en mains.

Après la mort de Lass, Bitar et Olimpia avaient accordé au couple la chambre du vieux. Certains l'avaient averti que l'âme du trépassé hanterait les environs pour regagner sa pièce. Pour l'apaiser, Bitar remplissait régulièrement le broc d'eau accroché à l'auvent, dans l'espoir que l'âme de son père ne gêne pas les nouveaux occupants de sa demeure terrestre. Ce qui avait été le cas : les deux locataires ne se plaignaient ni de faim, ni de froid, ni du bruit. Sarda se portait toujours volontaire pour apporter l'eau à la place d'Olimpia, guider les moutons dans l'enclos, sarcler et se rendre au marché vendre les œufs et le fromage de la famille. Le déluge les avait dépossédés de tous leurs biens mais, apparemment, cela ne leur causait ni tristesse ni soucis. Tant que la femme et l'aveugle avaient un endroit où loger, de quoi manger et payer les traitements pour les yeux de Dikran, la vie leur semblait supportable.

Le seul changement fut que l'aveugle cessa de présider les séances nocturnes et la fabrication des lamelles d'or pour ceux qui voulaient ressusciter en tant que mouton ou lièvre. L'épreuve des inondations, qui avait menacé de leur coûter la vie, avait diminué son désir de quitter ce monde pour d'illusoires promesses. Sa carcasse humaine était devenue plus attirante qu'une queue poilue ou que quatre pattes griffues. Certains disaient que c'était par égard pour ses hôtes qui n'auraient sûrement pas apprécié ces visiteurs nocturnes. Dikran n'était pas naïf au point de se faire jeter à la rue.

Le couple avait vécu dans la maison d'Olimpia et de Bitar pendant plus de trois ans, et cette cohabitation avait un peu adouci le chagrin de la famille après la mort de Lass. Bitar avait même accepté qu'au lieu de tourner son affection vers lui, sa femme la dirige vers l'aveugle. Lorsque Sarda s'absentait de la maison, celui-ci suivait Olimpia comme un enfant, marmonnant quelque chanson pour l'amuser. Les encouragements de la femme lui firent hausser la voix, de sorte que parfois même les voisins se hissaient derrière la clôture pour l'écouter. L'aveugle apprit qu'il avait un public et cessa de se déplacer alors qu'il chantait, pour mieux moduler sa voix.

Les deux femmes lui installèrent une chaise à l'ombre d'un mûrier d'où Dikran chantait toute la journée. Les gens commencèrent à lui apporter des fruits, reconnaissants pour ces moments de paix. Ensuite, ce fut une rémunération en règle, car plus personne n'osait venir l'écouter sans apporter quelque chose à manger ou même de la petite monnaie. Sarda n'avait qu'à se préoccuper du confort de son mari, car leur nourriture n'était plus un souci. Elle donnait à ses hôtes tout ce que gagnait Dikran en échange du toit et du lit offerts depuis le déluge.

À la demande de Sarda, Zaza confectionna à l'aveugle une chemise blanche, à la poitrine brodée, et un gilet noir. Kira lui procura, par l'intermédiaire de Cosman, un chapeau à large bord. Depuis peu, Dikran avait complètement changé d'allure. Il était toujours propre, les cheveux lavés et correctement brossés, la barbe rasée, les sourcils taillés, les ongles coupés court. La peau de ses mains, à force de ne pas travailler la terre, avait la délicatesse de celle d'un enfant.

Dikran était heureux pour la première fois de sa vie. Ses chansons, mélange d'anciens hymnes et de ses propres compositions, lui avaient ramené le sourire aux lèvres. Jusqu'au soir où Bitar le trouva la tête fracassée par un coup qui lui avait fendu le crâne. Olimpia l'avait plusieurs fois averti que des étrangers rôdaient dans les parages, mais l'homme n'y avait pas prêté attention. Il avait surtout négligé son avertissement parce qu'il supposait que ces étrangers étaient en fait des femmes déguisées en hommes. Lorsque Sarda fut mise au courant, elle trouva cela inquiétant. La menace représentée par ces femmes vêtues en hommes était bien réelle, car elles étaient les épouses des maris qui faisaient partie autrefois de l'ordre mené par l'aveugle. Elles souffraient de l'égarement des époux, des pères et des frères qui délaissaient le ménage pour se consacrer à la vie prêchée par le Grand Maître.

Bitar avait trouvé insensée la peur des deux femmes et n'avait rien fait pour assurer la sécurité de l'aveugle. Analysant le trou fait dans le crâne de Dikran, Onou conclut qu'il avait été causé par un gros outil de ménage, une poêle peut-être, car les cheveux du cadavre portaient des traces de suie. Malgré l'évidence que les deux femmes avaient eu raison de craindre la vengeance des étrangères, il avait vite laissé retomber la poussière sur ce meurtre. Qui avait envie de ranimer cette histoire de Grand Maître et de lamelles d'or?

leur offrait d'abord à manger car, après les coups, les deux femmes se couchaient le ventre vide. Plus que le morceau de viande ou le verre de lait caillé, elles appréciaient qu'on les laisse se coucher dans le lit propre et chaud. Exténuées après les heures de guet passées dehors dans le froid, elles ne souhaitaient que sentir la mollesse d'une couette et un oreiller bien garni de plumes. Flora les laissait se reposer autant qu'elles le voulaient, cessant même de remuer ses décoctions. Au réveil, elle les invitait à prendre un bain, mais les femmes refusaient, gênées de montrer leur linge sale.

La guérisseuse acceptait leur décision de s'en aller aussi discrètement qu'elles étaient venues. Cette femme menait la même vie depuis toujours et elle en avait vu de toutes les couleurs. Aucun drame ne troublait les eaux limpides de ses yeux bleus. Son corps semblait avaler tous les soucis, car elle avait grossi, tout en restant agile et forte. Son atelier était aussi rudimentaire qu'à l'époque de La Nicoula car, à la différence de Zaza ou de Kira, elle ne désirait pas plus que ce dont elle avait déjà hérité. Le gain n'était pas le but de son métier et Teotin avait du mal à accepter l'indifférence de sa femme. Il lui proposait souvent de diversifier leur pharmacopée, d'aller chercher de nouveaux remèdes ou de demander à Cosman de lui apporter des nouveautés. Flora refusait toujours. Elle enrageait même que son mari doute de la sagesse de La Nicoula, et il cessa de lutter contre son entêtement.

Une chose étrange arriva toutefois à ce bon mari, séduit par les yeux bleus de Flora : la peau de son visage se couvrit de taches rouges qui suppuraient pour noircir par la suite. Depuis un certain temps, il avait honte de quitter la maison, et il restait loin des patients pour leur cacher sa peau maculée. Chaque fois que quelqu'un se montrait dans l'atelier de Flora, il se retirait sur la véranda ou rentrait dans la maison sans même le saluer. Les seules personnes ayant la permission de regarder son visage étaient Vergina et Sarda. Ce que les deux femmes ne tardèrent pas à interpréter comme un manque de respect. Qui se souciait de ce que pensaient une veuve et une Noire?

Kostine voyagea pendant des semaines. Au delà des montagnes, il entra dans le domaine des collines où paissaient les moutons et où les paysans fauchaient le foin. Son grand ennemi était la nuit, hideuse et pleine de périls, qui menait son cœur au désespoir. Lorsque la lumière du jour disparaissait, le monde n'était plus que ténèbres. Parfois, la bruine épaisse du crépuscule se transformait en pluie menue qui détrempait le sol, rendant son sommeil encore plus difficile, interrompu par des visions cauchemardesques. Se réveillant en pleine nuit, il apercevait des mottes enflammées dans les clairières. Dans des abris de fortune, il était réveillé par des chiens qui aboyaient et des coqs qui criaient. Ou n'était-ce que les échos de Satan sorti de ses profondeurs pour se mettre au service de bandes de brigands? Le silence n'était pas plus rassurant. Lorsque tout bruit cessait, il veillait, l'oreille tendue par peur des loups. S'il voulait un abri auprès du feu et un maigre repas dans la hutte d'un pauvre, il fallait bien les chercher pendant le jour car, après la tombée de la nuit, les paysans se barricadaient et n'ouvraient plus aux voyageurs, considérés comme des brigands. Dans les auberges, il regardait attentivement ses voisins, des routards à la mine suspecte, se bourrant de pain noir et de fromage salé.

Depuis le monastère, Kostine avait entamé la traversée des crêtes, même si le soleil lui disait qu'il ne marchait pas vers l'ouest, ainsi que le chevalier Kross le lui avait conseillé, mais vers le nord. Il n'avait d'autre choix, cependant, que de poursuivre cette route, vu que vers l'ouest des crêtes enneigées se dressaient devant lui. En revanche, vers le nord, les chemins se ramifiaient de tous côtés, les forêts étaient moins épaisses et les sommets, moins escarpés. Depuis des jours, il se laissait conduire par le chemin même. Au lieu de mourir gelé, dévoré par les loups ou rendu fou par les fantômes, mieux valait faire un détour, rencontrer des gens et leur demander conseil, même au prix de retarder son périple vers le sud.

Un jour, il traversa un col défriché qui marquait la descente vers une pente boisée. Au loin, les cheminées étaient annoncées par une odeur de bois brûlé flottant en dessus des sapins. L'air s'était d'un coup animé de cette présence parfumée, éveillant dans ses os fatigués le souvenir d'un lit chaud et, peut-être, d'une bonne soupe. Le premier homme rencontré fut Retep, dormant sur la charge de bois dans sa charrette, rangée au bord de la route. Il ronflait, empestant la boisson, alors que les chevaux attendaient, dociles, son réveil. Le jour tombait et le vent signalait l'approche de la tempête. Les chemins étaient tous couverts de neige glacée : plus personne en vue, ni d'un côté ni de l'autre du chemin. Il secoua l'homme, lui criant de se réveiller. Celui-ci se leva, le regarda bêtement quelques minutes, puis s'assit en avant et dit à Kostine de monter dans la charrette et de l'accompagner. Il parlait la même langue que lui, heureusement.

C'est ainsi qu'il alla jusqu'à la maison de ce montagnard, bâtie au sommet d'une pente qui bordait un champ de foin. Sa femme les accueillit avec des grognements, et leurs trois petites filles s'étaient cachées derrière le gros poêle qui occupait la moitié de la pièce. Kostine allait comprendre que la raison pour laquelle Retep n'avait pas battu sa femme cette nuit-là était qu'il avait hâte d'écouter son histoire. Apparemment, les étrangers jouissaient ici de la même bonne réputation que dans son pays natal. Ils étaient nourris et logés autant qu'ils le voulaient, sans qu'ils aient à payer quoi que ce soit, sinon fournir un peu d'aide.

Kostine décida d'accepter l'offre de l'homme de le servir pendant l'hiver et de garder sa famille, le temps qu'il descende dans le sud avec son fromage et l'échange contre du blé. Les coffres à farine étaient presque vides et la famille avait commencé à la mélanger avec du son, ce que les enfants n'aimaient guère.

La famille de Retep était composée de sa femme Iza et de ses trois filles de dix, huit et cinq ans. La première portait le nom de sa mère, la deuxième, Mara, celui de sa grand-mère, et la troisième, Lena, celui de sa tante. Retep tint à lui dire qu'il allait bientôt connaître ces deux dernières, des harpies qui lui faisaient la vie dure et montaient sa femme contre lui. C'était la raison pour laquelle il buvait : en l'entendant, sa femme pouffa de rire et fit une grimace. Et plus il buvait, plus elles étaient méchantes, plus il battait Iza, et plus Iza demandait secours à sa mère et à sa sœur.

Kostine comprit vite ce que tout cela voulait dire, car le deuxième soir Retep battit sa femme avec la chaîne des chevaux : celle-ci envoya vite la petite Iza appeler sa mère et sa sœur qui ne tardèrent pas à arriver et à traiter le gendre de bon à rien. Les deux femmes s'installèrent dans la maison pour la nuit, afin de s'assurer qu'il laisserait les filles tranquilles, mais, comme Kostine allait le constater bientôt, après chaque bataille, Retep ne désirait que s'allonger à côté de sa femme.

Le lendemain, sa femme reprit ses réprimandes, mais Retep fit la sourde oreille. Il s'affaira à étriller et abreuver les chevaux, à nourrir les cochons, à pelleter la neige. De retour à la maison, il se pencha sur l'assiette fumant sur la table. De temps en temps, il faisait des clins d'œil à ses filles qui riaient tout en évitant d'être vues par leur mère. Leur grand-mère et leur tante s'assirent à la table et s'entretinrent de leurs affaires comme si l'homme n'était pas présent. Iza servit à manger à tout le monde, puis s'assit entre sa mère et sa sœur. Elle exhibait avec ostentation les marques sur son visage et ses yeux au beurre noir. Retep la regardait à la dérobée, et les filles le regardaient, lui. Les deux femmes se préparèrent à partir : elles rangèrent la vaisselle dans l'évier à côté du poêle et saluèrent uniquement Iza et les filles. Retep répondit lui aussi, bien que personne ne lui eût adressé la parole.

Iza retourna à son travail près du poêle et Retep s'approcha sous prétexte d'allumer le feu. Il lui frotta, comme par mégarde, le coude. La femme l'évita, faisant semblant d'être encore en colère. Les filles s'amusèrent de ce jeu naïf entre leurs parents. Lorsque la femme finit la vaisselle et essuya ses mains, l'homme la prit dans ses bras et l'embrassa là où il pouvait, parmi les claques que la femme lui administrait sur la tête et sur le visage. L'homme lui immobilisa les mains et l'embrassa sur la bouche de toute sa force. Sa femme cessa de se débattre. Ce fut le moment où les filles s'éclipsèrent dehors, pour jouer dans la neige.

Vers midi, Mara apporta dans son panier du pain, du fromage, des pommes. Ils s'assirent tous à table et mangèrent dans la bonne humeur.

Ce scénario se répétait deux ou trois fois par semaine, ce qui embarrassait Kostine qui se demandait quoi faire lorsque Retep, ivre, décrochait son fouet et commençait à frapper sa femme. Kostine n'osait ni défendre Iza ni arrêter le bras de Retep qui frappait violemment, car l'ivresse ne diminuait en rien ses forces.

Un jour, il osa conseiller à Iza d'attendre au lendemain pour demander des comptes à son mari pour ses déboires. Mais elle lui dit que cela ne servirait à rien. Qu'il soit ivre ou pas, ses conseils ne portaient jamais des fruits. Et elle ne pouvait pas retenir sa colère jusqu'au lendemain lorsqu'elle le voyait descendre en titubant de la charrette. C'était plus fort qu'elle, elle se mettait à crier tout ce qui lui passait par la tête et qui n'était pas du tout flatteur. Mara et Léna étaient d'accord avec elle, Iza devait dire à l'ivrogne ses quatre vérités, au moment où cela s'imposait.

Kostine trouva qu'il n'était pas en droit d'intervenir et cela lui attira l'amitié de Retep ainsi qu'un petit soupçon de la part des femmes. Elles auraient voulu le gagner à leur cause au moment de la bagarre. De cette façon, Iza aurait été moins frappée et Retep en aurait peut-être tiré une leçon. Kostine leur dit qu'il n'était pas question qu'il intervienne ni d'un côté ni de l'autre. Qu'ils règlent leurs problèmes, comme ils l'avaient fait jusqu'à présent.

Les bagarres de la maison et son travail lui laissèrent toutefois le temps de connaître les lieux et d'être ébloui par leur beauté et par la nature accueillante des gens. S'il y avait un paradis, il devait ressembler à cet endroit, au sommet de la montagne, protégé de tous côtés par des crêtes enneigées. Les maisons étaient bâties avec de gros troncs de bois et couvertes de lattes fixées comme des écailles de poisson. Le bois des maisons était noirci par la fumée utilisée contre les champignons, et le châssis des fenêtres était peint en rouge. L'intérieur était chaleureux et solide. Les poutres du toit étaient visibles à l'intérieur, et l'odeur de bois ne quittait jamais les pièces, même dans les bâtiments anciens. Le hall d'entrée tenait aussi lieu de cuisine, animée par un immense poêle en terre cuite. Les bottes étaient déposées dans un coin derrière la porte, et les manteaux, accrochés aux patères fixées aux murs. Du côté droit, il y avait la pièce où l'on mangeait et dormait et, à gauche, une chambre d'amis ainsi qu'un dépôt, où l'on gardait les sacs de farine et les écheveaux de laine. Contrairement à ce qu'il connaissait, la dot, les couvertures et les tapisseries étaient gardées sur des étagères montant jusqu'au plafond, abritées des regards à l'aide de rideaux brodés. À l'extérieur, du côté ensoleillé, les bûches étaient mises à sécher contre le mur. Le foin était déposé dans le grenier, d'où il était descendu directement dans l'étable par une trappe actionnée par une corde.

Les gens parlaient sa langue mais avec un accent comique : au début, Kostine riait à chaque mot. Il avait toujours l'impression qu'ils disaient des blagues. Il s'efforçait d'apprendre les noms des objets, très différents de ceux de son village, et d'imiter leur prononciation. Les filles s'amusaient de ses tentatives et le corrigeaient chaque fois. Kostine ne se fâchait jamais, car leur enseignement était plus agréable que celui prodigué au monastère par le moine érudit.

Après le départ de Retep vers le sud, avec sa charrette chargée de denrées, les trois femmes se retirèrent dans la grande pièce pour filer et tisser. En plus des tinettes de fromage et des corbeilles de pommes, Retep avait mis dans ses bagages des tapis, des chandails tricotés ainsi que des écheveaux de laine. La laine des moutons de montagne était rêche et le tissu fabriqué, aussi résistant que le cuir.

Une autre chose qui amusait Kostine était leurs vêtements, jamais vus ailleurs. Les hommes s'habillaient de pantalons très larges et de chemises courtes aux manches bouffantes. Leur chapeau était comme un bol sur le sommet de leur crâne, fixé derrière la nuque par un mince fil de cuir. Kostine s'étonnait fortement de ce couvre-chef qui, de toute évidence, ne les protégeait ni du soleil, ni de la pluie, ni du vent. Les femmes portaient des jupes blanches protégées par deux tabliers aux rayures oranges et noires, l'un à l'avant et un autre à l'arrière. Les blouses avaient un col carré, brodé ou orné de dentelles. Leur tête était couverte de fichus colorés.

Mara et Léna habitaient ensemble dans une petite maison, non loin de celle d'Iza. Mara était veuve depuis son jeune âge et Léna était trop grosse pour se trouver un mari. Les deux femmes vivaient en paix et à l'aise, sauf les jours où elles couraient à la rescousse d'Iza. Leur plus grand désir était de voir Retep mort pour pouvoir la remarier à quelqu'un d'autre. Iza les traitait de folles chaque fois qu'elles lui parlaient de quitter son mari.

Les deux femmes sollicitaient souvent l'aide de Kostine pour réparer le toit ou la clôture, égorger une poule, monter ou descendre le foin, couper du bois. Elles le nourrissaient bien, le faisaient rire et l'interrogeaient sur sa vie. Il aimait leur joyeuse compagnie. Le travail qu'elles lui demandaient n'était pas dur et elles le récompensaient avec générosité. Mara préparait la pâte pour des galettes au fromage, que Léna cuisinait avec de la graisse de porc. Une fois les tâches finies, tous les trois s'assoyaient dehors, avec quelques galettes, sur un banc donnant sur les hauteurs de la montagne. L'air était si clair et la lumière du soleil si forte qu'ils apercevaient même les crevasses des crêtes. L'eau-de-vie servie par Mara était claire comme de l'eau, mais brûlait la gorge comme du feu. Léna lui apprit à tenir une tranche de pain noir contre son nez et à l'inhaler fortement, car son odeur réduisait l'effet de l'alcool. C'était une eau-de-vie de prunes, doublement distillée, que les femmes obtenaient en échange de leur récolte de fruits. Les jours où les femmes recevaient leur dû, Retep leur rendait visite et ne savait pas comment entrer dans leurs grâces. Il faisait des blagues, leur offrait de couper leur bois, de réparer les poignées qui ne fermaient plus, de fixer les lattes du plancher. Son excès d'amabilité ne trompait pas les deux femmes sur ses intentions, mais elles lui cédaient, toutefois, quelques bouteilles de leur réserve. Le soir, inévitablement, elles devaient courir sortir Iza de ses mains.

Kostine passa l'hiver chez Retep, en son absence; il dormait dans la cuisine sur un banc installé derrière le poêle. Mara et Léna venaient chaque matin aider Iza à soigner les animaux. Elles s'installaient ensuite dans la grande chambre pour filer et tisser. Parfois, elles finissaient la journée en buvant quelques verres d'eau-de-vie, ce qui les mettait de bonne humeur. Le soir, Iza préparait la couche de Kostine dans la cuisine et fermait à clé la porte qui les séparait.

Le retour de Retep chargé de sacs de blé fut une grande joie pour tout le monde. Mara et Léna étaient présentes et eurent leur part de cadeaux. Les filles reçurent des chaussures neuves et sa femme, un beau foulard. Le lendemain, Retep fut accompagné par toute la famille chez le prêtre pour faire la promesse solennelle de ne pas toucher à l'alcool pour un certain temps. Cette fois-ci, il promit trois mois, et il tint sa promesse. Trois mois durant, il ne prit pas une goutte, mais le soir d'après, le scandale fut énorme; les bleus d'Iza étaient plus grands que jamais et les jurons des deux femmes, plus effrayants.

L'été, Kostine aida Retep à faucher leur foin, à le sécher et à le monter dans une meule de forme bizarre. Ils fauchèrent ensuite les terrains de Mara et de Léna, après quoi ils acceptèrent de travailler pour ceux qui avaient plus de terre que de bras d'homme à la maison.

Un jour d'août, Iza et sa grande fille partirent dans la forêt cueillir des bleuets. Elles ne revinrent jamais. Une grosse ourse, surprise dans sa tanière, les avait traînées dans une vallée et les avait dévorées. On ramassa quelques os et des vêtements qu'on enterra dans le même cercueil. Trois semaines plus tard, Retep se remaria avec une voisine, une veuve avec trois enfants. Kostine fit ses adieux et passa la dernière nuit dans la maison de Mara, avant d'entamer sa descente vers le sud.

Un an et demi plus tard

Qui aurait été surpris du départ de Vergina et de Sarda après la mort de Satenik ? Les villageois étaient unanimes à croire que la perte d'une veuve et d'une femme basanée n'était pas bien grave. Même le décès de l'ivrogne ne les affectait pas. Le fait qu'il soit mort, tout comme Veres, gelé dans la neige, en plein mois de janvier, était assez prévisible et, peut-être même, désiré par ses voisins.

Tout le monde prenait en pitié les deux femmes qui dormaient souvent dehors, été comme hiver. Une voisine les avait logées, une nuit, mais les menaces de Satenik l'avaient dissuadée de se montrer généreuse une deuxième fois. Les cris, les jurons et la chasse de Vergina et de Sarda étaient trop fréquents pour qu'on lui prête attention. Se sentaient-ils coupables de la haine de cet homme, suscitée par la peau noire de sa femme, et entretenue depuis le soir de l'enlèvement ? Qui pouvait le dire et juger Satenik ? Il était inévitable que les choses finissent mal. Contrairement à ce que les villageois attendaient, ce fut lui qu'on ramassa dans la neige, une nuit de janvier, et non les deux femmes. Sarda courut alerter les voisins, car elles avaient peur de le toucher, craignant une ruse de l'ivrogne pour mieux les frapper. Les hommes qui vinrent déplacer le cadavre les rassurèrent d'une voix indifférente : elles n'avaient plus rien à craindre, sinon le fantôme de Satenik.

L'enterrement fut laissé à la charge des deux femmes. Personne ne voulut y contribuer, et peu y participèrent.

Prétextant le froid, les gens restèrent chez eux, même au moment où le son du clairon annonçait le passage du convoi mortuaire vers le cimetière. Pas question de dons aux participants et pas question de grand repas, bien que Nafina ait offert gratuitement son service et sa vaisselle. Après la mise en terre, cependant, les deux femmes organisèrent un petit rassemblement, destiné aux quelques femmes du village. Ce fut un repas d'adieu auquel tout le monde contribua d'un petit rien.

La maison de Vergina était un lieu de désolation. Les chambres puaient la pisse et la vomissure, les couvertures étaient toutes maculées de boue, car l'ivrogne dormait souvent chaussé de ses bottes. Les meubles et les tissus hérités de ses parents avaient été échangés contre de la boisson. Dans la cuisine, il n'y avait plus qu'un chaudron et quelques assiettes, les seuls à avoir échappé au massacre perpétré par Satenik. Même les cuillères en bois n'étaient pas indemnes, car leurs manches étaient soit cassés, soit entaillés au couteau. Les murs arboraient des marques de semelle et des taches de graisse, car les souliers crottés et les assiettes de soupe y aboutissaient souvent. Il n'y avait qu'une seule chaise aux pieds intacts : les autres étaient soutenues par des bâtons. Dans l'étable, il n'y avait plus de foin depuis la fin de décembre, et les moutons mouraient de faim, tout comme leur maîtresse. Une ancienne remise, utilisée par la mère de Satenik pour tisser en hiver et garder les poules au printemps, grouillait de rats.

Lorsque les femmes invitées commencèrent à arriver, chargées de besaces, elles ne tinrent aucunement compte de l'aspect de la maison. Vergina et Sarda les accueillirent à l'entrée pour nettoyer la neige de leurs bottes à l'aide d'un petit balai. Ensuite, elles les conduisirent dans la chambre à coucher et les invitèrent à s'asseoir au bord du lit, le seul meuble assez solide pour résister aux attaques de l'ivrogne.

Malgré son œil droit presque sorti de l'orbite par un coup assené par Satenik, deux soirs avant sa mort, Vergina les reçut avec le sourire. L'air tiède de la pièce, chauffée convenablement pour la première fois depuis longtemps, ravivait les mauvaises odeurs, mais tout le monde était d'accord pour dire que cela valait mieux que le froid. Les denrées apportées par les invitées furent étalées sur un bahut, transporté de la cuisine. Les femmes se placèrent de leur mieux autour de cette table improvisée. Certaines purent s'asseoir — sur le lit ou sur des chaises —, mais d'autres durent rester debout. De temps en temps, elles changeaient de place à tour de rôle pour que tout le monde repose ses pieds.

Elles trinquèrent d'abord à la santé de Vergina, puis à celle de Sarda. Les verres furent vidés d'un seul coup et placés sur la table, pour être remplis à nouveau. Les femmes commencèrent à regarder avidement les plats et à se questionner réciproquement sur leur provenance et la manière de les préparer. Elles se mirent ensuite à manger, goûtant d'abord ce qu'elles avaient apporté, afin d'encourager les convives à se servir. Il y avait du bon pain de blé et de seigle fraîchement sorti du four, du fromage gardé dans l'huile avec du basilic, des oignons marinés, des petits pois au fenouil, des haricots à la nuque de porc, du lard à l'ail, des saucissons frais, de la choucroute, des galettes au fromage doux assaisonné de raisins secs, des tranches de pommes, du sirop de sureau, de la citrouille cuite, des prunes en compote, le tout arrosé du meilleur vin, dérobé des réserves de leurs maris. Presque toutes avaient donné quelque chose : Zaza, l'argent pour la messe et le cercueil de Satenik ; Kira, deux rouleaux de cotonnade pour le linceul du misérable ; Efstratia et Théodora, le fromage et le lait ; Olimpia, un panier de radis ; Flora, l'onguent pour couvrir les engelures du fou ; Nafina, les petits pains pour le prêtre, les fossoyeurs et les porteurs du cercueil; Minodora, les cierges subtilisés à ses beaux-parents. Il y avait aussi la vieille femme d'à côté, qui avait hébergé les deux malheureuses pour une nuit, et la seule pleureuse ayant accepté d'aider au lavage du cadavre.

Les femmes burent jusque tard dans la nuit et firent leurs adieux. Le lendemain matin, Onou parut devant la porte, grimpé sur une charrette. Il avait d'abord pensé trouver quelqu'un d'autre pour cette mission déplaisante, mais il avait changé d'avis à la dernière minute. C'est la peur des ragots, plutôt que ses sentiments à l'égard des deux femmes, qui l'avait convaincu.

Quelques semaines plus tard, Kira se mit aussi en route, mais en direction de la ville. Depuis quelques mois, la peau de ses mains s'était couverte de taches rougeâtres. Au début, elle n'y avait pas porté attention, car Cosman l'avait avertie que les pigments apportés dernièrement étaient fortement irritants. Elle se rappela son avertissement au moment où ces taches commencèrent à lui occasionner des démangeaisons agaçantes.

Consultée en hâte, Flora déclara franchement son impuissance. La Nicoula ne lui avait pas appris de traitements pour les maladies causées par les teintures : à son époque, la laine et les tissus étaient colorés à l'aide de feuilles d'oignon, de noyer, de colza, de coquelicot et de pissenlit. Les gens n'exigeaient pas un résultat final précis : ils ne faisaient pas la moue si le jaune était plus pâle que demandé ou si le rouge cerise attendu n'était qu'un orange incertain. Grâce à ces poudres miraculeuses apportées par Cosman, et à son secret pour fixer la couleur à l'intensité désirée, Kira pouvait respecter les nuances. Il suffisait que quelqu'un lui apporte un fil ou un petit morceau comme modèle pour qu'elle en reproduise fidèlement la couleur. Avec les conséquences que voilà !

Les brûlures, qui s'intensifiaient au contact de l'eau et du froid, lui rendaient le travail impossible. Flora lui conseilla, sans hésiter, d'aller chercher un médecin, de ceux instruits dans des écoles et qui s'exerçaient longuement sur des cadavres avant de pratiquer leur art sur des patients bien en vie. Ce que Kira décida de faire sans plus tarder.

Elle alla trouver la famille de Cosman pour s'enquérir de son prochain départ. Minodora fut contente de la recevoir et de lui arranger le voyage, malgré la résistance de l'homme. Comment allait-il demander à Kazaban, c'était le nom de son partenaire, d'accepter Kira dans sa charrette, remplie de sacs de graines et de cages à poules ? La teinturière lui dit qu'il suffisait de la mettre en contact avec ce marchand au nom impossible et qu'elle trouverait bien un moyen de s'entendre avec lui. Ce qui fut le cas, car Kazaban lui fit une place enviable à l'avant de la charrette, alors que Cosman voyagea en arrière, balançant d'un côté et de l'autre comme une lanterne. Le dernier mois d'hiver, alors que la clientèle se faisait rare, Kira ferma ses alambics et mit l'atelier sous clé pour entamer son voyage.

Minodora ne s'inquiétait pas le moins du monde de ce voyage à trois. Sa vie suivait son cours agité qui ne lui donnait pas de répit pour des angoisses supplémentaires. Bien que son mari fût devenu un commerçant prospère, elle ne voulait rien changer à ses habitudes de cueilleur et chasseur, ni à son goût pour la conversation. Sa routine n'avait pas changé d'un iota, malgré l'aisance de la famille. Ils avaient de quoi se nourrir, l'intérieur était meublé de belles choses, et le commerce de denrées rares leur permettait même des gâteries. Malgré tout cela, Minodora ne renonça pas à son négoce de viande, de peaux et d'œufs de cailles. Elle avait multiplié les pièges à lapins, car le nombre d'acheteurs avait augmenté. Les femmes avaient commencé à apprécier le col et les manchettes en fourrure de lapin car, en plus d'être beaux, ils tenaient chaud. La viande de lapin était aussi en demande, car Nafina avait parfait une méthode de cuisson pour éviter son dessèchement. Pour les grillades, elle avait appris à les barder abondamment de gras et à maintenir les charbons sous la braise. Ses marinades, à base de vinaigre, blanchissaient la viande et en rehaussaient la saveur. Sinon, une immersion d'une heure dans de l'eau salée débarrassait les cuisses de leur rougeur, qui n'était toujours pas estimée des villageois. Pour les cailles, Nafina était aussi devenue une bonne cliente, car elle savait les préparer sur une couche de pâte, agrémentées de pommes cuites. Le grand secret pour ne pas laisser la chair sécher pendant la cuisson était de glisser des feuilles de vigne fraîches à l'intérieur de la caille pour préserver son humidité et sa tendreté.

La demande de Kira vint au moment où Minodora était en train d'étaler sa marchandise en vue des fêtes d'hiver. Préoccupée par ses négociations avec Nafina afin d'obtenir un bon prix pour ses peaux et ses râbles salés, elle ne se soucia pas du nouvel arrangement de Cosman.

Ce n'était pas le cas de Stratonic qui s'inquiétait pour la réputation de sa femme qui voyageait en compagnie de deux hommes. Mais la nécessité pour Kira de se débarrasser de ses taches désagréables, qui menaçaient non seulement sa santé mais aussi son commerce, le fit changer d'avis. Il tint toutefois à demander à Cosman de bien surveiller le marchand, car comment faire confiance à quelqu'un avec un nom pareil? Celui-ci le rassura et saisit le baluchon de la teinturière.

Lorsqu'ils rentrèrent, un mois plus tard, ils étaient chargés de marchandises qu'ils comptaient revendre aux villageois. Kira proposa à Cosman de réorienter son commerce, d'écourter ses trajets et de se limiter aux échanges entre la ville la plus proche et leur village. Pourquoi courir tout le pays pour arriver au même profit à la fin du mois? Il valait mieux se concentrer sur les besoins des habitants. Elle lui suggéra d'ouvrir avec lui un magasin et d'embaucher une vendeuse. Ce qu'ils firent, suscitant ainsi des ragots dont Minodora se fichait comme de l'an quarante et qui n'empêchèrent pas le nouveau négoce de prospérer. Heureux d'avoir accès à des marchandises diversifiées, jamais vues auparavant, les gens firent taire leurs soupçons.

Attirée par les rumeurs, Flora décida de suivre le conseil de son mari et d'aller faire un tour dans la boutique de la teinturière. La marchandise exposée, composée surtout de vêtements, d'ustensiles de cuisine, d'articles de quincaillerie, de poids et de mesures, ne l'intéressait pas mais, à partir de ce jour, elle commença à se détacher de sa pièce, imprégnée d'odeurs d'huile et de vinaigre, et à sortir davantage. Plus elle sortait, plus elle y prenait plaisir. Elle s'arrêtait souvent devant les portes des maisons pour s'enquérir de la santé des enfants, des grands-mères, des épouses accouchées. Flora connaissait tout le monde et gardait leurs secrets sous scellé. Elle s'arrêtait aussi pour interroger les passants, connus ou inconnus, sur les nouvelles d'ailleurs. Lors de ses errances, elle tombait souvent sur des couples qui se disputaient, sur des parents qui battaient leur progéniture, sur des grands-mères qui crevaient seules dans leur pièce, abandonnées de leurs enfants, après des partages sanglants d'héritages. Elle intervenait chaque fois pour calmer les belligérants en les menaçant de mauvais sorts. En peu de temps, les gens s'habituèrent à recourir à elle pour apaiser les querelles de famille et les disputes de territoires entre voisins ou pour faire la lumière dans les cas d'accusations de vol. Dès qu'un conflit se dessinait, on envoyait chercher Flora.

Pour la faire se déplacer rapidement, on lui procurait un moyen de transport. Ses bras, ses fesses, ses seins avaient doublé, et même triplé, de sorte que la sorcière était devenue une montagne de chair. Elle avait dépassé La Nicoula en savoir, mais aussi en volume. Un petit âne ou un cheval faisaient l'affaire, mais il fallait aussi prévoir quelqu'un pour l'y faire monter. Leur apparition dans la cour de la sorcière déclenchait un véritable vacarme dans les environs car, dès qu'il les sentait s'approcher, le cerbère se mettait à hurler comme devant une meute de loups. Ses jappements réveillaient tous les chiens du voisinage, de nuit comme de jour, et le village entier était ainsi averti des incidents sanglants et du déplacement tapageur de Flora.

Ses absences prolongées de la maison affectaient ses anciennes pratiques : il était de plus en plus difficile de la trouver chez elle pour un massage, une incantation, une remise en place d'os. Mais sa nouvelle carrière de médiatrice était plus profitable. Dehors, elle vit comme les maladies des gens étaient graves et combien le traitement de leur folie demandait de la patience.

Elle était souvent demandée pour calmer les conflits entre Miran et Nafina. Une certaine jalousie s'était progressivement installée entre les deux cuisiniers. D'abord, chacun voulut être celui qui allait donner la touche finale à un plat. Puis, les mésententes s'étendirent au rôle de chacun dans la cuisine. Qui était le plus important : lui, qui coupait et triait la viande, ou elle, qui hachait les légumes ? Qui avait le rôle décisif, celui qui versait les premières tasses d'eau dans le chaudron ou celui qui jetait le persil haché menu à la fin ? À qui les gens devaient-ils les éloges, à celui qui préparait les plats de viande ou de légumes ? Les disputes dans la cuisine commençaient le matin et finissaient le soir. Au milieu des bagarres, ils arrivaient à peine à entendre les appels des clients. Il leur arrivait même de changer intentionnellement les commandes pour nuire à l'autre ou pour lui faire honte.

Les clients commençaient à avoir peur des tours joués par Miran à Nafina et par Nafina à Miran. Et si, un jour, ils ajoutaient du poison dans le chaudron rien que pour se moquer de leur partenaire ?

Pendant qu'ils étaient occupés à se disputer, le plancher de la cuisine restait taché de sang, l'âtre, envahi de paille, les tables, enduites de gras comme le fond d'un chaudron. Plus personne n'était tenu de laver la vaisselle, ni de chauler les murs. Les plumes voltigeaient et se déposaient dans chaque coin, les cendres étaient ramassées à la cuillère à soupe, les louches et les marmites étaient noires de suie. Seule l'ancienne réputation de l'auberge poussait encore les villageois à demander une assiette de soupe ou un rôti bien braisé, qui restaient, malgré tout, aussi savoureux.

Flora devait intervenir pour les sermonner, se moquer de leur gros postérieur et de leur petite cervelle. Ils se calmaient tous les deux, amusés d'abord que quelqu'un d'aussi gros ridiculise leurs poids à eux. Pourquoi ne se regardait-elle pas d'abord dans un miroir ?

Au cours d'une de ses errances, Flora apprit, de la bouche de Rada, que son mari Bassarab avait été, finalement, retrouvé dans la forêt, dévoré par les loups. On le cherchait depuis trois jours mais, semble-t-il, au mauvais endroit. Les deux bergères, Efstratia et Théodora, ne savaient rien de l'endroit où il menait son troupeau au pâturage depuis qu'il avait refusé de se joindre à elles.

Le conflit avait commencé l'été précédent, lorsque les deux femmes avaient décidé de réunir plusieurs troupeaux et de les surveiller à tour de rôle. À quoi bon laisser chaque villageois aller au pâturage derrière quelques moutons alors qu'une ou deux personnes pouvaient en surveiller plusieurs en même temps, permettant ainsi aux autres de se consacrer à autre chose ? Efstratia et Théodora avaient commencé par racoler leurs proches voisins, vite séduits par cette proposition. Le matin, ils rassemblaient leurs moutons devant la maison de celui qui était de service et ils les reprenaient le soir au même endroit. D'autres voisins n'avaient pas tardé à se joindre à eux. Des centaines de moutons étaient depuis lors conduits par quelques bergers à cheval, secondés par leurs chiens. Le soir, leur retour du pâturage soulevait des nuages de poussière, prévenant les maîtres de sortir dans la rue pour les accueillir. Peu à peu, les deux femmes avaient pris la relève. Elles s'étaient offertes à rendre ce service quotidiennement en échange d'un paiement en nature : du lait, du fromage, de la laine et des peaux, ce que les villageois avaient accepté de bon cœur.

Ennoblies par cette nouvelle tâche, les deux femmes étaient d'abord allées chez Kira, puis chez Zaza, pour se faire tailler des vêtements adaptés à leur nouvel emploi. Elles avaient dû renoncer aux chemises blanches pour des noires, boutonnées jusqu'au cou. Les jupes plissées, doublées d'épais jupons pour tenir chaud, étaient d'une largeur qui leur permettait de chevaucher comme les hommes. Par-dessus leur fichu simple, sans aucun ornement, elles portaient des chapeaux à large bord, fournis par Kira. De loin, on avait du mal à croire que les deux chevaliers munis de fouets et de bâtons étaient des femmes. Elles s'étaient procuré deux chevaux agiles, qui parcouraient les collines à la vitesse du vent. Aussi puissants que vifs, leurs étalons pouvaient porter même un gros mouton. Efstratia et Théodora ne craignaient plus ni les voleurs, ni les loups, ni l'obscurité. Elles étaient plus résistantes au vent, au soleil et à la pluie que les guerriers.

Leurs maris les laissèrent agir à leur guise parce que cela leur rendait la vie facile. Vartan continuait à surveiller le débarras de Zaza, ce qui laissait, au moins, sa dignité intacte. Les dettes contractées par sa femme avaient été payées, mais il gardait son poste pour la paie. Zaza l'avait convaincu de l'utilité d'être rémunéré en argent comptant, un produit non périssable. Vartan avait pris l'habitude de ranger son argent en fonction de la dimension et de la valeur des billets. Il arrangeait les paquets sous les piles de draps de sa femme, ce qui laissait l'argent déplié et lui donnait une bonne odeur. À la manière de la commerçante, il tenait un compte de sa fortune en l'inscrivant sur un bout de papier, ce qui lui épargnait l'effort de le compter tout le temps. Efstratia le taquinait pour cette habitude en le comparant à son employeuse, qu'elle méprisait sans la haïr. Une vie consacrée à l'inventaire de l'argent était pour elle le comble du gaspillage. Toutefois, elle sentit bientôt l'avantage de pouvoir acheter tout ce qu'elle voulait dans le magasin de Kira, car la vie n'est pas faite uniquement de fromage.

Quant à Ermil, malgré sa taille, il se consacra à l'élevage des pigeons. C'était Kazaban, dont le nom commençait à être retenu dans le village, qui lui avait montré, un jour, une belle paire de pigeons dans une cage d'osier. Un acheteur du village voisin avait annulé sa commande, de sorte que les oiseaux étaient à vendre. Ermil fut séduit par leur regard tendre et leur plumage blanc comme neige. Les deux pigeons, enfermés dans la cage étroite, étaient l'image la plus triste qu'il ait jamais vue. Kazaban resta au village deux jours, pour l'aider à monter un pigeonnier à cinquante nichoirs au bout d'un pilier découpé dans le tronc d'un peuplier desséché, à installer le couple dans une cellule, à lui apprendre comment les appeler et les nourrir.

Théodora ne sut jamais combien avaient coûté ces deux pigeons, mais elle aurait dû s'en douter, connaissant la ruse du marchand et la naïveté de son mari. Ce qui lui déplaisait le plus était la fiente des pigeons qui salissait la cour, l'herbe, les branches des arbres, les bancs, le toit, les remises.

Exténuée par la garde des moutons, elle n'avait plus l'énergie de se disputer avec son mari. Tout ce qu'elle lui demandait était de tenir propre la véranda où elle déposait ses bottes avant d'entrer dans la maison. Bassarab fut parmi les seuls à refuser d'abandonner son troupeau. La perspective de rester à la maison toute la journée, à voir la figure maussade de sa femme, qui avait transmis son antipathie à son fils, lui déplaisait profondément. Ne plus mener les moutons au pâturage signifiait aller travailler au champ avec les femmes, sarcler en leur compagnie tapageuse, courir après une poule comme une grand-mère, peut-être même balayer la cour. Il aimait le rythme de sa vie qui commençait tôt le matin et finissait tard dans la nuit, cette vie solitaire qui le tenait loin des disputes de famille. Il aimait les prés à perte de vue, la présence des moutons, ces êtres fidèles et aimants. Il suffisait de nourrir et d'abreuver un animal pour qu'il donne inconditionnellement son amour, pour la vie, alors que les humains étaient rancuniers, ne se souvenant que des mauvaises choses. Il refusait même de rester à proximité des deux femmes qui menaient les moutons de la communauté, pour chercher des lieux plus reculés, espérant qu'ils soient aussi les plus verts, ce qui n'était jamais le cas. Malgré la quantité d'animaux à nourrir et à rassembler, Efstratia et Théodora avaient un don spécial pour flairer la bonne herbe, les rivières limpides et les loups les moins féroces.

Un jour, on découvrit les moutons de Bassarab éparpillés dans les collines, alors que le corps du berger restait introuvable. Les villageois l'appelèrent et cherchèrent pendant deux jours et deux nuits d'affilée, en vain. Finalement, ce fut une famille de bohémiens de passage qui trouva sa dépouille et prévint les villageois. Le cadavre n'avait conservé que ses hardes, juste assez pour que la famille reconnaisse les bottes et la ceinture de leur fils. Flora administra à Rada une potion, et lorsqu'elle retrouva ses esprits, ce fut pour courir après son garçon. Par la suite, elle garda une attitude indifférente pendant tout l'enterrement. La mort de Bassarab provoqua beaucoup d'amertume parmi les jeunes hommes du village. Il était toujours de bonne humeur, il n'avait pas de vices et il était impossible de le mettre en colère : toujours prêt à renoncer à ses avantages en faveur de ses amis, toujours disposé à aider et à soutenir, toujours prêt à croire uniquement de bonnes choses sur ses proches. Pourquoi cette tragédie lui arrivait-elle à lui, alors que les salauds proliféraient dans le monde comme les champignons ?

C'était la question que Bitar ne cessait de se poser à haute voix depuis que la nouvelle l'avait frappé comme un coup de foudre. À l'enterrement, près de la tombe, il se lamenta aussi fort que les pleureuses, sans tarir d'éloges à l'égard de son meilleur ami. Certains se moquèrent de son verbiage, considéré comme l'apanage des femmes. Olimpia essaya de le tirer de côté et de lui faire retrouver ses esprits, mais il la repoussa avec force pour revenir au bord de la fosse, où le cercueil avait déjà été déposé, et raconter des histoires qui remontaient à leur enfance. Ses cris continuèrent même pendant le repas qui suivit la mise en terre, ce qui devint intolérable. Les gens ne voulaient que manger et boire pour oublier leur tristesse, pour se consoler réciproquement et se donner l'espoir que la vie pouvait continuer, alors que Bitar ne cessait de leur rappeler le contraire.

Tout est sinistre dans notre existence, criait-il. Les gens viennent au monde pour rien, vivent pour rien et meurent pour enrichir la terre.

Mauvais moment pour leur débiter ce galimatias de prêcheur ! Olimpia était gênée par le pathétisme et les sinistres prédictions de son mari. Elle voulait l'emmener au plus vite à la maison, ce qu'elle réussit à faire avec l'aide de Flora. Bitar ne prêta l'oreille qu'aux paroles de la grosse femme, qui lui disait qu'il devait laisser l'âme du défunt se reposer après l'horreur d'avoir été avalé vivant par les loups. Ne croyait-il pas que le pauvre Bassarab en avait assez? Avait-il besoin d'entendre son meilleur ami parler de malheur?

Les deux femmes le conduisirent à la maison et le couchèrent de force. Flora lui administra une forte dose de la potion destinée aux somnambules, mais cela le fit vomir jusqu'au matin. Deux jours de suite, il ne put rien avaler à cause de l'amertume qui lui remontait dans la bouche dès qu'il touchait à la nourriture.

Kalinic, un autre bon ami de Bassarab, rata son enterrement. Zaza lui avait demandé d'accompagner Cosman lors d'un de ses voyages et de lui apporter une nouvelle machine à calculer, un boulier qui servirait à tenir ses comptes. Elle n'avait pas assez confiance en Cosman pour lui passer la commande; elle craignait qu'il lui rapporte la mauvaise machine ou qu'il la trompe sur le prix.

Au bout d'une semaine, Kalinic était revenu avec une machine qui ne ressemblait pas du tout à celle qu'elle lui avait pourtant minutieusement décrite. Réprimandé par Zaza, il n'avait pas eu d'autre choix que de remonter à cheval et de retourner en ville avec une autre description, plus exacte. Le maître constructeur avait refusé d'échanger la calculatrice contre une nouvelle. S'il voulait une autre machine, il fallait la payer.

Kalinic était revenu à la maison écumant de rage. Quel salaud! ne cessait-il de répéter à sa femme, devant le feu. Mais celle-ci était d'un tout autre avis. Le blâme revenait à son mari et non au commerçant. Tout bon vendeur essaie de faire du profit malgré le bon sens et les arguments de l'acheteur. Sa raison à lui était l'argent. Pourquoi Kalinic n'avait-il pas acheté un nouveau boulier ? Ils auraient pu recycler l'ancien, utiliser les billes pour faire des boutons et des décorations sur la veste d'un homme ou sur des bottes. Tout matériel pouvait être réutilisé dans l'atelier d'une couturière. Pourquoi tant d'énergie et tant de voyages pour une maudite calculatrice ?

Au moment de l'enterrement de Bassarab, Kalinic était donc parti pour la troisième fois chercher l'objet convoité par sa femme.

Kostine continua son chemin vers le sud, à travers l'ouest, un territoire aussi peu accueillant que les gens. Là, trois langues dominaient : celle des riches, celle des artisans et celle des pauvres. Kostine ne réussit à mémoriser que quelques mots des deux premières et il fut étonné de constater que même si la langue des pauvres ressemblait à la sienne, leur mode de vie était très différent. À travers les routes mieux entretenues et les villes mieux nanties, il comprit vite qu'être pauvre dans un pays riche est plus intolérable que dans un pays où tout le monde se nourrit de miches de pain. Côtoyer les riches ne rend pas plus riche, mais plus humble. Depuis qu'il voyageait, il avait appris, toutefois, à se débrouiller seul et à profiter de la liberté de s'arrêter chaque fois qu'il le voulait, là où il le voulait.

La première règle à suivre était de ne pas compter sur l'amitié et l'hospitalité des gens, barricadés derrière la clôture de leur cour comme derrière une muraille. Les gens des villages imitaient ceux des villes et vivaient serrés à l'intérieur de leur enceinte comme dans le ventre de leur mère. Même les habitants qui parlaient sa langue agissaient à la manière de ceux qui ne la parlaient pas. Ils étaient soupçonneux et peu bavards. Les étrangers étaient partout craints et méprisés, car ils étaient généralement perçus comme des porteurs de mauvaises nouvelles. Kostine essaya de susciter leur bienveillance en allant à la taverne, appelée ici l'église du diable, où les étrangers étaient d'habitude accueillis avec intérêt. Dans son village, les gens se seraient rués pour faire cercle autour de lui et lui demander des nouvelles du vaste monde. À l'ouest, l'église servait pour prier, la taverne, pour se soûler. Le moulin et la forge non plus ne lui apportèrent pas de nouvelles connaissances, car les gens s'affairaient, et les étrangers ne faisaient que les retarder dans leur travail. Ils se méfiaient de lui surtout parce qu'il parlait la même langue et ils le regardaient comme quelqu'un venu tuer le meunier ou le maréchal-ferrant.

Il apprit à se débrouiller en ville aussi, bien qu'au début il fût presque piétiné par des cavaliers, apostrophé par des marchands et traité de badaud par les femmes. Dans l'arrière-cour des auberges indigentes où il passait la nuit, il se mêlait à la masse informe des charlatans, sorciers, extorqueurs, mendiants, noctambules, garçons efféminés, flatteurs, pédérastes, filles perdues et magiciens. Les villes étaient protégées des espaces ouverts par des murailles épaisses comme celles des prisons. Malgré leurs airs de grands seigneurs, ses habitants n'étaient que des paysans enfermés dans des murs. Leur destin n'avait rien d'enviable; ils vivaient sous le regard soupçonneux des voisins de conditions et de métiers différents. Les citadins étaient tous repliés sur eux-mêmes, à l'affût de rumeurs, angoissés par les maladies qui se propageaient à la vitesse de la foudre. Les parents étaient obsédés par le mariage de leurs filles et, dans les marchés, les prix changeaient d'un jour à l'autre. Ils maîtrisaient à la perfection l'art de vivre dans la promiscuité et de se tenir loin des étrangers. Les nouveaux arrivants étaient accueillis comme une racaille dangereuse. Ce qui unissait tous les citadins était la haine du paysan, être sauvage et rustre de l'avis de tous.

Un soir, devant une auberge, il vit un homme qui s'adressait à un public de badauds, du haut de sa monture. Les gens l'écoutaient en se curant les dents après le repas miteux offert par l'aubergiste à prix d'or. Il parlait la langue des riches, et Kostine voulut s'éloigner, certain que cela ne le concernait pas. L'homme à cheval l'apostropha. Kostine lui fit signe qu'il ne comprenait pas, et l'autre lui parla dans la langue des artisans. Kostine lui fit signe qu'il ne comprenait pas davantage. Finalement, l'homme lui dit quelques mots tronqués et mal assemblés, mais qui avaient un certain sens à ses oreilles. Il lui proposait d'aller faire la guerre sous la bannière d'un pays de l'ouest qui guerroyait contre une autre nation. Il promettait une bonne solde en sus de la monture.

Kostine n'eut pas besoin de beaucoup de temps pour prendre sa décision. Les batailles pouvaient avoir lieu derrière les troupes d'assaut et pouvaient lui rapporter un certain gain, même si cela n'avait pas été le cas jusqu'ici. Somme toute, il avait plus de chances de sortir sain et sauf d'une guerre que des villes de l'ouest, de véritables coupe-gorges. Il fit un signe affirmatif de la tête et s'assit par terre, non loin de l'homme qui avait repris la langue des marchands.

Le départ du convoi se fit le lendemain à l'aube. Les trente hommes recrutés chevauchaient de beaux destriers, ce qu'ils prenaient déjà pour un grand exploit. On leur avait donné une couverture, un sac de vivres et un couvre-chef ridicule. Le voyage commença au trot vers les contrées de l'ouest, riches mais inhospitalières. Le fait de ne pouvoir communiquer avec ses compagnons qu'à travers des signes ne le dérangeait point. Il croyait même préférable de ne pas comprendre toutes les saletés que les gens se disent lorsqu'ils parlent trop bien une langue. Écouter des mots auxquels il ne réagissait d'aucune manière lui donnait même une aura de sagesse. À la différence des autres, qui n'avaient aucun intérêt à apprendre sa langue, celle des pauvres et des minables, Kostine commençait à comprendre leurs mots. Il préférait, toutefois, leur cacher l'étendue de ses connaissances. Savoir sans que les autres sachent qu'il savait pouvait lui sauver l'honneur et la peau. En sa présence, les gens parlaient aussi librement que devant une roche. Ainsi, il savait quand il était traité d'âne et quand les gens enviaient sa bourse; il la laissait alors en vue pour qu'ils se rendent compte de sa maigreur. Lorsqu'ils crachaient dans sa soupe derrière le comptoir, il faisait semblant de la renverser par mégarde. Seul un jeune homme manifesta un certain intérêt à son égard et essaya de lui expliquer sommairement les causes et les raisons de la guerre vers laquelle ils se dirigeaient.

Ils eurent besoin de tout l'été pour atteindre leur destination : aux premiers jours de septembre, ils arrivèrent au bord de la mer. Là, une petite armée formée de sept mille hommes et de deux mille chevaux était prête à se faire embarquer sur des barges qui allaient les conduire sur une île, qu'on pouvait même apercevoir à l'horizon. Sous le commandement d'un jeune roi guerrier surnommé l'Orphelin, ils allaient reconquérir cette île que ses habitants avaient enlevée à leur chef. En mer, Kostine comprit qu'en réalité l'île pour laquelle ils allaient guerroyer n'appartenait pas à l'Orphelin, qui n'avait été que son gouverneur temporaire. Celui-ci voulait se faire couronner roi de ce territoire qui passait, depuis des dizaines d'années, de la main d'un monarque à celle d'un autre. Une affaire de cousins, d'héritage historique, de progéniture contestée si compliquée qu'il valait mieux ne pas se casser la tête. Ce qu'il devait retenir était que les sept mille fidèles de l'Orphelin et les mercenaires ramassés dans plusieurs pays allaient livrer bataille pour couronner leur commandant et faire oublier son illégitimité.

Le moment pour attaquer le roi Haro était opportun. En automne, leur ennemi libérait ses soldats, engagés pour une période de deux mois par roulement, pour qu'ils fassent leurs récoltes. Le noyau dur de l'armée ennemie, recruté au rang des aristocrates, ainsi que le petit corps d'élite du roi troquaient la hache contre la faucille, et la monture contre les jambes de leurs femmes. Lorsque les troupes de l'Orphelin se mettaient en route, les soldats de Haro fauchaient leurs prés, moissonnaient leur seigle, préparaient leur cidre de pomme et semaient leur progéniture.

L'Orphelin n'avait dévoilé à ses effectifs que la moitié de son plan. En plus de profiter de la libération des soldats de Haro, son attaque correspondait à une autre, dans le nord, effectuée par l'un des frères du roi. Haro fut pris de rage en apprenant cette attaque ; il rassembla en hâte son armée et l'entraîna à la poursuite du traître. Bien que le frère ait eu recours aux services d'un roi barbare, loup des mers et des océans, les soldats de Haro eurent raison des alliés. La victoire fut célébrée pendant trois jours, sur les champs remplis de cadavres. Il buvait encore avec ses cavaliers lorsque la nouvelle du débarquement de l'Orphelin arriva à ses oreilles. Ses amis lui conseillèrent de laisser un peu de répit à ses troupes et de retarder l'attaque mais Haro, imbu de son succès, pensa que plus personne ne pouvait l'affronter sans mordre la poussière. Il traversa le pays lors d'une marche forcée qui vida ses soldats de leur énergie, épuisés qu'ils étaient après le dur combat livré aux pirates. L'Orphelin lui-même fut surpris par leur arrivée intempestive et il pensa un moment rebrous-. ser chemin. À son avis, le trajet du retour aurait dû retenir Haro jusqu'au mois de novembre, lui laissant le temps de consolider sa position. On n'était qu'à la mi-octobre, et le roi était en train de disposer sa terrible infanterie le long de la ligne de front, munie de haches si lourdes que les soldats renonçaient parfois au bouclier pour les manipuler. Même la disposition du terrain jouait en sa faveur : il plaça ses fantassins au sommet d'une colline, dont la pente escarpée était un obstacle difficile à franchir par l'envahisseur.

L'Orphelin partagea sa cavalerie en trois corps, ses vassaux et lui occupant la partie centrale, et les mercenaires, les flancs droit et gauche. La bataille fut ouverte par ses archers et son infanterie légère : le tir des archers créait une couverture qui permettait à l'infanterie de s'avancer et de créer des brèches dans les rangs ennemis. La cavalerie venait en dernier, et c'était à elle de porter le coup décisif. Toutefois, les flèches des archers eurent peu d'effet sur l'armée de Haro, car leur tir était bloqué par la pente de la colline. Lorsqu'elles n'échouaient pas dans le mur de terre, elles ne pouvaient pas non plus percer les boucliers ennemis. Par miracle, l'infanterie arriva à grimper jusqu'au sommet de la colline, où elle fut accueillie par une pluie de javelots et de pierres. L'Orphelin poussa sa chance et intervint avec la cavalerie, malgré la pente qui empêchait le galop des chevaux. En même temps, l'aile gauche céda sous les coups des fantassins de Haro. Cette contre-attaque fut annihilée par une nouvelle inattendue : les deux frères de Haro avaient été tués dans une embuscade. Les troupes décapitées de leurs chefs étaient désorientées, et les pertes, fort nombreuses. Haro déplaça la cavalerie de gauche à droite, afin d'affaiblir encore plus le front. L'Orphelin divisa la sienne en petits escadrons, qui feignirent de se retirer pour attirer les fantassins de Haro, ce qui ne tarda pas à arriver. Mais les cavaliers poursuivis firent vite volte-face et massacrèrent leurs poursuivants, détachés du gros de l'armée. De leur côté, les archers de l'Orphelin passèrent aux tirs paraboliques, visant par-dessus les boucliers adverses. Au milieu du combat, l'Orphelin reconnut

Haro aux insignes de sa monture et de son bouclier. Il envoya quatre cavaliers d'élite à sa poursuite : blessé au visage par une flèche, le roi fut attrapé et exécuté. Cela mit fin au conflit : l'Orphelin était maître de l'île.

Kostine fit la guerre en tant qu'écuyer. Son rôle était de préparer les montures, de renouveler les réserves de flèches et de ramasser les lances abandonnées par les soldats blessés. En ce qui concernait la mêlée du champ, on lui avait appris à distinguer les deux armées en fonction de la forme des boucliers : ceux de l'Orphelin étaient ovales et ceux de Haro, ronds. Autre détail important, l'ennemi se servait d'une hache, les siens, d'une lance et d'une épée. À partir de là, tout était devenu facile. S'appliquant bravement à sa tâche, il se fit même remarquer par un des commandants. Il ne craignait ni les flèches égarées ni l'attaque des soldats ennemis qui faisaient semblant d'être morts. Ce furent les chardons qui lui firent le plus de mal et il passa la soirée de la victoire à extraire les épines de ses mollets.

L'Orphelin prit quelques jours à guérir ses blessures. Les chefs d'escadrons payèrent la solde et se chargèrent de transporter les troupes mercenaires sur l'autre rive. Les mêmes bateaux allaient revenir chargés de la famille du nouveau roi, qui déménageait dans le château de Haro.

Le prix payé à Kostine fut un quart de celui offert aux écuyers en provenance des pays de l'ouest. Ceux qui venaient de l'est n'avaient pas droit à une solde entière en vertu de leur rusticité et de leur langue. Pour qu'ils ne gardent pas un mauvais souvenir, l'Orphelin proposa à chacun une cotte de mailles, ramassée sur les cadavres des soldats de Haro. Kostine déclina l'offre : sa monture, qui n'était pas un destrier de combat, comme promis, mais un maigre palefroi, ne pouvait porter cette charge supplémentaire. Et le sud lui semblait bien loin…

Deux ans et demi plus tard

Depuis que son pigeonnier avait atteint le nombre de cinquante couples, Ermil était méconnaissable. Il était heureux du matin au soir, malgré la fièvre, une toux sèche et des douleurs à la poitrine qui lui coupaient parfois le souffle. Ce qui l'inquiétait le plus était une légère perte de poids et des douleurs aux articulations qui le mettaient en conflit avec son corps pour la première fois de sa vie. Consultée à ce propos, Flora l'avertit que ses problèmes de santé pouvaient être reliés à ses chers volatiles, mais cela ne le convainquit pas de s'en départir ni de renoncer à la production de pigeonneaux : un par couple chaque mois. Il avait appris comment séparer les mâles des femelles, contrôler leurs accouplements et améliorer l'espèce. Et malgré les plaintes des voisins, il permettait aux colombes de voler librement, ce qui les gardait de bonne humeur. Kazaban lui proposa de l'aider à bâtir un vrai colombier en treilles, en forme de tour, qui logerait des milliers d'habitants. Il lui décrivit en détail la charpente formée d'un poteau central, l'échelle tournante permettant d'atteindre les nichoirs, ainsi que le plancher carrelé pour faciliter le nettoyage des déjections. Mais Théodora mit vite fin à leurs projets grandioses. Jamais elle n'accepterait un tel château fort dans sa cour. La fiente laissée par les cinquante couples lui suffisait amplement. Kazaban lui suggéra de l'utiliser comme engrais pour ses légumes, ajoutant que même les riches le faisaient. Mais elle n'avait pas le goût de manger des oignons engraissés de cette façon.

Malgré ses réticences, Théodora s'était habituée au roucoulement rythmé des pigeons. Les rares fois qu'Efstratia prenait en charge les moutons, elle donnait un coup de main à son mari pour remplir les mangeoires et elle montait l'échelle à sa place, car, malgré sa perte de poids, il était encore très gros. Réciproquement, les pigeons s'étaient habitués à elle qui n'était pas une mauvaise maîtresse malgré ses absences prolongées de la maison. Mais ce n'était qu'au sifflement d'Ermil qu'ils s'animaient, sortant ou entrant dans leurs cellules dans un fracas d'ailes. Les deux pigeons du début trônaient encore en roi et reine, mais Ermil avait formé par la suite d'autres couples aussi fidèles qu'eux et qui s'avéraient bons chefs de famille.

Kira avait vite compris le potentiel de ce commerce, car l'hiver était la période des noces, et les familles aimaient offrir aux jeunes couples deux oiseaux cuits, trônant sur un lit de blé bouilli, pour qu'ils restent aussi fidèles et pacifiques que les colombes. Elle s'était portée volontaire pour être l'intermédiaire entre Ermil et ceux qui voulaient acheter de la viande, fraîche ou confite dans du saindoux. Elle offrait même aux acheteurs des pigeons en cage, pour qu'ils puissent les garder vivants jusqu'au moment où il n'y aurait pas d'autre viande à mettre sur la table. Ermil avait accepté ses services, même si elle achetait ses oiseaux à bas prix et les revendait beaucoup plus cher. Depuis que la cantine du village était fermée, il avait perdu son meilleur acheteur, Nafina, qui lui avait toujours offert un bon prix, tout en demandant peu de morceaux, ce qui n'était pas le cas de Kira, qui exigeait au moins trente morceaux par transaction. Or tuer, plumer et éviscérer trente oiseaux d'un coup était un travail qui réclamait l'embauche de journaliers coûteux. La disparition de Miran avait anéanti toutes les bonnes habitudes établies dans le village depuis l'ouverture de la cantine.

La catastrophe était arrivée un jour d'hiver, la veille du Nouvel An. Les deux cuisiniers devaient préparer le grand repas communautaire pour fêter la bonne récolte et honorer l'âme des disparus. Le matin, très tôt, deux voisins étaient venus aider Miran à accrocher les trois chaudrons au-dessus du feu, alors que leurs femmes avaient fait plusieurs trajets au puits afin de les remplir d'eau. Les villageois, qui devaient contribuer au festin avec ce qu'ils pouvaient, avaient commencé à arriver et à déposer le long des murs des tresses d'oignons et d'ail, des sacs de farine, du sel, du miel, des pommes. La viande, apportée dans des paniers dégoulinant de sang, avait été empilée sur les tables placées à côté de l'âtre. Vers midi, la pièce débordait de pots de saindoux, de cruches d'huile, de têtes de choux, de jarres de vinaigre.

Une fois la matière première assurée, les gens s'étaient retirés, car Miran et Nafina ne voulaient personne dans leur cuisine. Au lieu de s'épuiser en expliquant aux autres quoi faire et comment, ils préféraient achever seuls tout le travail. Les gens connaissaient leurs habitudes et avaient quitté la cantine, mais pas avant de s'être informés du contenu des casseroles, des pâtes mises à lever, de la viande à mariner et des condiments à fermenter. Les intimes avaient même osé s'emparer d'une feuille de chou mariné, d'un peu de pomme râpée pour la tarte, de quelques graines de pavot mélangées à du miel cristallisé, destinées aux gâteaux de fin d'année.

À la tombée de la nuit, alors qu'ils sortaient des armoires leurs vêtements de fête, la nouvelle avait commencé à courir : Miran n'était plus qu'un tas de viande frite. Dans l'affairement des préparatifs, il avait renversé sur lui une casserole d'huile bouillante. Nafina avait essayé de lutter contre les flammes en l'enveloppant dans une couverture mais, fou de douleur, Miran s'était mis à tourner en rond dans la cuisine. Arrivés sur les lieux, les gens avaient eu une vision d'horreur :

les yeux du cuisinier n'étaient plus que deux ampoules pleines de liquide, ses mains et son visage, des lambeaux de chair carbonisée. Personne n'avait osé enlever ses vêtements sous lesquels l'huile continuait à frire sa chair.

L'enterrement de Miran avait été ce que les villageois avaient vu de plus triste. On ne trouvait à leur cuisinier que des qualités. Un tel homme et un tel talent! Quelqu'un avait osé dire que Nafina était aussi talentueuse, ce que personne ne niait, mais était-ce le temps de faire l'éloge d'une vivante?

Nafina avait été incapable de s'occuper du dernier repas de son propre mari, au grand dam de tout le monde. Miran, qui avait rassasié les âmes des vivants comme celles des disparus, allait quitter le monde nourri de bien pauvres victuailles. Au lieu de la bonne soupe, un bouillon clair; au lieu des ragoûts et des rôtis, une macédoine de légumes salés; au lieu des bons gâteaux, des miches enduites de miel, dures comme du bois. Les dons offerts aux participants avaient aussi été très humbles, comme si Miran ne s'était pas attendu à mourir un jour. Tout avait été fait à l'improviste, à la dernière minute, ce qui avait choqué les gens. Au moment de la mise en terre, on cherchait encore des choses sans lesquelles le cercueil ne pouvait pas être descendu dans le tombeau. Même le coq manquait car, autour de la cantine, il n'y avait plus de volailles vivantes. S'il y avait eu une poule ou un coq, ils étaient rendus dans les marmites.

Le septième jour cependant, celui où l'âme du défunt, ayant fini ses adieux, emprunte le chemin du ciel, Nafina avait servi un repas qui avait satisfait tout le monde. Cette fois-ci, on reconnaissait sa touche; on retrouvait la consistance de sa soupe, le goût de ses rôtis, la douceur de ses galettes. À la fin, elle leur avait même offert une boisson chaude, de couleur noire, sucrée et très aromatisée, que Miran n'aimait pas parce qu'il trouvait que cela troublait la digestion au lieu de favoriser un bon somme. Nafina disait, au contraire, que la boisson empêchait l'estomac de se coucher trop vite après le repas.

Tout le monde espérait que Nafina continue seule à faire fonctionner la cantine. Mais quelques mois plus tard, après le dernier repas offert aux villageois à la mémoire du défunt, elle leur annonça qu'elle quitterait prochainement le village. Tous, Onou en tête, essayèrent de l'en dissuader. S'il y avait une perte vraiment douloureuse dans la vie, c'était celle qui affectait l'estomac. Or les Comans s'étaient habitués à ses assaisonnements, à ses sucreries et, plus récemment, à son digestif parfumé.

Nafina remit d'un mois son départ à cause de l'incendie qui ravagea le dépôt de Zaza. Une nuit d'août, chaude comme un four, la bâtisse prit feu. Par une telle chaleur, l'herbe, les toits, le bois étaient secs comme de la paille. Une simple étincelle, et les maisons avaient été réduites en cendres.

Zaza raconta plus tard aux gens qu'elle était au lit lorsqu'elle avait aperçu les flammes et qu'elle avait couru réveiller le gardien, mais qu'il n'était pas dans les parages. Tout le monde lui en voulut de cette absence : où errait Vartan, alors qu'il aurait dû surveiller la remise où Zaza gardait les gages des emprunteurs ? C'était sa faute si les biens d'autant de personnes s'étaient envolés en fumée.

À la lumière du jour, après une nuit passée à éteindre les flammes avec de l'eau apportée de main en main depuis le puits, on constata l'ampleur du désastre. La remise était un tas de cendres fumantes, mais la maison, heureusement, n'avait brûlé qu'à moitié. Le toit était complètement carbonisé ainsi que le poulailler et l'étable. Les maisons voisines n'étaient pas touchées, à part quelques clôtures et meules de foin.

Le pire fut de constater que Kalinic manquait à l'appel. Personne, parmi les gens aux visages noircis par les flammes, n'avait vu le mari de Zaza, ni avant ni après la fin de l'incendie. S'était-il enfui ou gisait-il quelque part sous les décombres ?

Lorsque la braise diminua d'intensité, quelques hommes décidèrent que la meilleure façon de mettre un terme aux doutes était de fouiller les cendres fumantes. Une demi-heure plus tard, ils tombèrent sur ce qu'ils craignaient le plus : des ossements calcinés. Des agrafes et des petits clous noircis, provenant de ce qui avait été une paire de bottes à longues tiges, ne laissèrent à Zaza aucun doute sur l'identité du squelette. Le témoignage de Vartan, qui reprenait ses esprits après une nuit de lamentations, en fut la confirmation finale. La dépouille appartenait à Kalinic, car il avait dormi dans la remise. De temps en temps, Kalinic l'envoyait dormir à la maison, s'étendre dans son lit pour reposer ses jambes. Il lui disait, moqueur, d'aller rappeler son odeur d'homme à sa femme. Pour Vartan et Efstratia, la question de l'odeur se posait différemment, mais le patron négligeait cet aspect du mariage de son gardien. La veille, Kalinic avait donc fait comme d'habitude : il avait donné congé au gardien et il était allé se coucher dans la remise.

Le lendemain, les emprunteurs commencèrent à se présenter pour réclamer leurs gages ou de l'argent en échange. Heureusement pour Zaza, Vartan et quelques amis de la famille étaient dans les parages pour leur cracher au visage et les traiter de tous les noms. Comment réclamer quoi que ce soit à une veuve ruinée, à qui il ne restait que la chemise sur le dos ? Et l'enterrement ? Et son mari calciné ?

Le fait que Zaza ne puisse rendre leurs biens aux emprunteurs procurait aux autres villageois une maigre satisfaction, car ils méprisaient ces gloutons qui n'avaient pas hésité à se départir de leur héritage familial pour de l'argent. Comment avaient-ils eu le cœur de déposer dans une remise des costumes fabriqués par leur grand-mère, des bijoux en or légués par leurs aïeux, des meubles sculptés par les meilleurs menuisiers du monde? La perte de leurs biens n'était qu'un châtiment mérité.

L'enterrement de Kalinic manqua de faste : ce ne fut qu'une triste formalité, accomplie dans la hâte et par devoir. Les gens n'aimaient pas l'image d'un cercueil vide. Ils étaient habitués aux cadavres changeant de couleur et d'odeur. Comme elle n'avait plus d'argent, Zaza ne voulait pas en emprunter pour des funérailles grandioses. Elle n'accepta même pas l'aide offerte par quelques âmes généreuses, lui proposant qui un panier de fruits, qui un sac de blé ou quelques cruches de vin. La pitié ne lui allait pas. Elle préférait s'acquitter du cérémonial avec ce qui avait été sauvé des flammes et partir sans dettes, surtout de reconnaissance. Le prêtre accepta de chanter la messe contre les ustensiles de la cuisine, encore en assez bon état. Les fossoyeurs creusèrent la tombe en échange des meubles et, pour le prix de deux moutons réchappés des flammes, Zaza rassembla de quoi offrir un maigre repas. Les restes de son mari ne valurent même pas un cercueil : une grande boîte à légumes fit l'affaire. Que se passait-il avec l'âme de ceux qui n'étaient que des résidus humains, comme Kalinic et Bassarab? La tombe eut toutefois la grandeur réglementaire. Les fossoyeurs firent leur travail sans mot dire et sans tricher sur la largeur, la longueur et la profondeur de la tombe. Si elle avait été plus petite, elle aurait affecté l'ordre des rangées.

Les tisons de l'incendie une fois éteints, Nafina offrit à Zaza une place dans sa charrette. La cuisinière était la seule à rentrer chez elle avec une petite fortune, composée surtout de ses ustensiles de cuisine. Elle avait offert aux voisins les meubles et les trépieds, mais personne n'allait toucher à sa vaisselle et à ses marmites en airain. Des casseroles, petites et grandes, des pots, des cuillères, des goulots, elle apporta tout. Les gens les conduisirent jusqu'en bordure de leur village, puis ils revinrent, résignés, se plaindre de cette perte.

Et encore une fois le village dut écouter les lamentations de Bitar, qui ne cessait de pleurer sur la misère de la vie. Cette fois-ci, cependant, ses doléances n'étaient plus aussi sensées qu'à l'enterrement de Bassarab. Les villageois se rendirent compte, avec effroi, que le brave homme d'antan n'était plus qu'un fou. Après le départ de Zaza, il prit l'habitude de faire le tour de sa maison : parfois, il passait toute la journée sur les décombres calcinés. Maigre comme un clou, les cheveux au vent, les yeux hagards, il offrait un spectacle à donner la chair de poule. Les enfants le craignaient et, chaque fois qu'ils le voyaient, ils couraient en criant : Le fou ! Le fou !

Après avoir traversé la cour de Kalinic, envahie par les mauvaises herbes fertilisées par les cendres, Bitar s'arrêtait dans le cimetière. Parfois, il tirait la cloche, ce qui effrayait les gens, même s'ils en connaissaient la provenance. Ensuite il s'assoyait sur la tombe de Bassarab pour y passer l'après-midi. Au crépuscule, il déménageait sur celle de Kalinic. Le soir, il tardait à revenir à la maison, soit parce qu'il ne le voulait pas, soit parce qu'il en avait oublié le chemin. Olimpia était obligée de partir à sa recherche, souvent accompagnée de Flora, qui retrouvait sa forme d'antan. Lorsqu'il les apercevait de loin, il se sauvait en courant vers la rivière. Si des gens sarclaient dans les environs, ils les aidaient à l'attraper. Une fois ligoté, Bitar se calmait comme par miracle, souriait et donnait la main à sa femme pour se laisser conduire à la maison. En route, il saluait les passants. Flora restait avec eux un petit moment, question de reprendre son souffle, puis elle rentrait chez elle.

Ces derniers temps, la guérisseuse avait presque entièrement renoncé à son métier. Après avoir trouvé sa porte fermée à plusieurs reprises, les gens prirent l'habitude d'aller dans le village voisin consulter une autre sorcière. Ils savaient que les os n'étaient jamais aussi bien replacés que lorsque la grosse dame s'en chargeait, que ses talismans contre le mauvais œil restaient les plus efficaces et que ses massages étaient miraculeux pour les maux de dos, mais ils n'avaient pas le choix.

Ce qui les étonnait le plus était la disparition de Teotin. Depuis combien de temps ne l'avait-on pas vu? On pouvait compter sur les doigts d'une main les personnes qui se rappelaient la dernière fois qu'il leur avait dit bonjour. Certains se souvenaient vaguement de lui, toujours assis sur la véranda, saluant les patients par un bref signe de la tête. Mais quelle était la saison ou l'année où cela s'était passé? Était-il encore vivant? Si l'on se fiait à Flora, qui demandait parfois un fruit ou un morceau de galette pour son mari resté à la maison, il était encore de ce monde.

Quant à la sorcière, elle se nourrissait aussi de ce qu'on lui offrait, là où elle rendait le service de réconcilier des gens, ce qui lui prenait parfois des jours et des jours. Ce régime, ainsi que ses nombreuses randonnées d'une maison à l'autre, revigorèrent ses jambes. La graisse de ses mollets et de ses hanches fondit, laissant les muscles agiles comme ceux d'une chèvre. Pas besoin de charrette ni de gens pour la manipuler comme un sac de farine. Elle déclara même avoir honte du tas de gras qu'elle avait été et réprimandait fortement les grosses femmes. Personne n'osait attirer son attention sur le fait que, bien qu'elle ait perdu du poids, elle n'était pas à plaindre pour sa maigreur.

Certains soirs, Flora devait être logée afin de venir à bout des conflits, ce que les gens acceptaient de faire avec plaisir, car sa présence était rassurante comme celle d'un bon esprit. La sorcière connaissait des incantations et elle chassait tout ce qui attirait le mauvais œil, tels les chauves-souris, les hiboux, les rats et les serpents, et elle apprenait aux gens de quoi avoir peur et quoi éviter. Tant qu'elle était dans les parages, ils restaient convaincus que rien de mal ne pouvait leur arriver.

Vu le nombre d'enterrements et le manque de prévoyance des gens, Kira changea encore une fois la nature de son commerce. Elle renonça d'abord à sa teinturerie à cause des irritations qui revenaient régulièrement et avec plus d'intensité. Le médecin qui l'avait traitée lui avait interdit d'approcher les récipients en ébullition et les vapeurs toxiques. Il n'y avait rien à faire, à part un soulagement temporaire, car le poison qui se trouvait dans certains pigments détruisait sa peau. Si elle ne voulait pas revenir aux bains de plantes organiques, elle devait renoncer à ce métier. Ce qu'elle fit avec regret. Elle aimait la chaleur de son atelier, le bruit des alambics, l'image des écheveaux mis au séchage sur des cordes à linge. Son jardin se transformait en un mirifique paradis, peint des plus belles couleurs du monde : rouge cerise, jaune pissenlit, orange pêche, bleu ciel, vert sapin, noir charbon. À l'intérieur, les tissus, étalés sur des rangées de piliers, métamorphosaient sa maison en un océan aux vagues multicolores. Elle devait renoncer aussi à la carrière de modiste. Après le départ de Zaza, ses catalogues étaient inutiles, car personne n'aurait pu réaliser les coupes compliquées qu'elle avait imaginées. Elle les jeta au feu sans regret.

Pendant un temps, elle se concentra sur son magasin, où Cosman déposait pêle-mêle des vêtements, de la nourriture et des outils. La course à la nouveauté était devenue fatigante pour eux deux. Et Kira eut alors l'idée de se spécialiser dans un seul domaine, ce qui leur permettrait de se perfectionner et de fidéliser sa clientèle. Après la mort de Miran, un homme riche mais qui n'avait même pas prévu un mouchoir pour sa dot dans l'au-delà, elle décida de se consacrer aux enterrements. Elle fit bâtir une remise pour des cercueils de toutes formes et dimensions, capitonnés de coton, de lin et même de mousseline pour les riches, au couvercle aplati ou bombé. Les noms y étaient sculptés, ajoutés en lettres façonnées séparément ou tout simplement écrits avec de la peinture blanche. Dans la grande pièce, sur des rayonnages fixés sur les murs jusqu'au plafond, elle avait exposé des modèles de mouchoirs d'homme, des serviettes brodées, des fichus. Tout le nécessaire pouvait être acheté d'un coup, ce qui en épargnait la confection aux femmes. Elle avait même commencé un commerce de coqs devant être passés par-dessus le tombeau. Il y avait des coqs blancs comme neige ou noirs à crête rouge comme le feu. Il y avait des volailles pacifiques et d'autres enragées, qui picoraient la main de ceux qui voulaient les toucher.

Ce négoce n'était pas aussi prospère que les deux précédents, mais plus sûr et plus divertissant. Les gens venaient de temps en temps voir ses nouveautés : un autre modèle de broderie ou de festons pour les petits mouchoirs d'enfant, un linceul chic, bordé d'une dentelle aussi fine qu'une robe de mariée. Kira plaisantait avec les femmes qui s'imaginaient déjà enveloppées et embellies pour la dernière fois, dans de si beaux atours. Elles pensaient avec fierté au bonheur de ceux qui participeraient à leur enterrement, un petit bout de tissu accroché à leur bras. Les gens sortaient apaisés de sa boutique. Le contact avec la mort leur redonnait le goût et le bonheur de vivre aussi longtemps que possible.

Cette nouvelle vocation du magasin laissait à Cosman la liberté de travailler à son propre compte, parce que Kira n'avait pas souvent besoin de s'approvisionner et que les nouveautés étaient rares dans ce domaine. Il pouvait partir avec Kazaban pour l'aider dans ses transactions. Personne n'aurait reconnu en lui le garçon timide et naïf d'autrefois. Il avait appris à négocier, à mentir avec conviction, à vendre ce qui était invendable, comme des chevaux malades des poumons ou des bottes trouées. Minodora était contente du nouvel emploi de son mari. Les cadeaux qu'il lui apportait, de temps en temps, ne l'enthousiasmaient pas outre mesure, mais elle n'essayait plus de le dissuader de lui en faire. Le départ de Nafina affecta ses habitudes. Le plus dur fut la première fois où elle perdit ses réserves, lorsque la viande de lapin et les œufs de caille pourrirent dans sa cave, faute d'acheteurs. Malgré le surplus de sel et de vinaigre destiné à masquer l'odeur, personne ne fut dupe. Minodora décida de faire une pause. Au lieu de courir les champs et de se blesser dans les ronces, pourquoi ne pas rester sur la véranda et regarder tranquillement les flaques de la cour? Sa belle-mère lui offrit un gâteau au fromage, qu'elle trouva délicieux. La blouse et le maigre chignon de la vieille femme dégageaient, tour à tour, des odeurs d'oignon cuit et de viande ébouillantée, et l'odeur de pain se répandait par la porte largement ouverte. Minodora dit à sa belle-mère qu'elle allait la remplacer dans l'âtre pour préparer le souper, ce que la vieille accepta sans la réprimande habituelle. Pour la première fois, elle trouvait la décision de sa bru pleine de bon sens.

Vartan offrit ses services à Kira. Désormais sans employeur, il ne pouvait plus retourner à une vie diurne. Il était devenu un oiseau de nuit. Le gardien aimait se réveiller après le coucher du soleil, prendre sa touloupe, sa canne aux anneaux de métal, réalisée sur le modèle de celle de Théodora, sa gourde remplie d'eau et sa besace de vivres. Il aimait avoir un métier qui ne soit tributaire ni des saisons ni des caprices de la nature. Beau temps, mauvais temps, il voulait quitter la maison avec la conscience qu'il y avait une destination pour lui à l'autre bout du chemin. Il n'aimait plus la lumière du soleil, qui démystifiait les secrets du monde, qui rendait les gens et les lieux blêmes, sans énigme, sans intérêt. Il aimait la nuit, avec ses bruits inconnus, ses odeurs amplifiées par la fraîcheur et la limpidité de l'air, dépourvu de la poussière causée par le passage des moutons. Le vol des chauves-souris et le hululement des hiboux, les jappements des chiens dans le lointain, les humains sortis de leur couche pour voler ou dormir dans un autre lit augmentaient le mystère du monde connu. Il passait des heures à déchiffrer les bruits : le pas des renards venus à la chasse aux poules, les oiseaux avalant une souris attrapée en vol, le glissement des serpents changeant de gîte. Installé à son poste d'observation, Vartan pensait plus qu'il ne regardait le monde.

Kira le récompensait avec la même générosité que Zaza. À cette occasion, Vartan comprenait que les commerçants pouvaient gagner la fidélité de leurs employés non pas avec de l'argent, mais avec de la gentillesse, même simulée. Il suffisait que Kira l'interroge sur son rhume ou qu'elle lui donne un morceau de viande froide pour qu'il soit à ses pieds, prêt à se sacrifier pour elle, à laisser sa peau pour l'amas de cercueils, tenus sous clé dans la remise.

Cet arrangement convenait à Efstratia. Aux côtés de Théodora, elle avait commencé à conduire leur gros troupeau loin de la maison, ce qui prenait parfois des semaines. Ce mouvement de transhumance conduisait les deux bergères au sommet des montagnes, vers le nord. Elles avaient construit une bergerie sur la crête, loin des crocs des loups et de l'envie des voleurs. Leur hutte était bâtie sur des piliers de bois et couverte de branches de sapin, alors qu'à l'intérieur il n'y avait que deux lits et un four. Les outils pendaient, accrochés aux parois. Elles avaient suivi l'exemple des hommes qui renonçaient au confort et vivaient une vie d'ermite. Le jour, elles menaient les animaux sur les pentes à l'herbe fraîche, et la nuit, les enfermaient dans un enclos gardé par trois chiens-loups. Tant qu'ils étaient libres, personne ne pouvait approcher le troupeau et la hutte des femmes. Après la traite, elles passaient à la fabrication du fromage, car elles devaient aux propriétaires une bobine de fromage pour chaque mouton pris en charge. À côté de la maison, il y avait une petite remise remplie d'outres en écorce de sapin et de tinettes de lait caillé. Pour la tonte des moutons, elles descendaient avec le troupeau au village, et chaque famille prenait en charge ses propres bêtes.

Les gens s'étaient habitués à leur retour héroïque : vêtues de noir, coiffées de larges chapeaux, chevauchant des étalons impressionnants, elles étaient devenues de véritables apparitions de légende. La peau de leurs mains et de leur visage était cuite par le vent et le soleil de montagne, leurs lèvres étaient gercées et leurs sourcils, décolorés par le soleil. Malgré ce durcissement de leurs traits, elles restaient de belles femmes, aux seins laissés libres sous leurs chemises épaisses, aux hanches fortes, à la taille mince. Toutefois, leurs regards et leur manière de couper la parole à ceux qui bavardaient trop décourageaient les avances. Les deux femmes étaient des commerçantes qui ne négociaient ni le prix ni la quantité de leur marchandise. À la différence de Kira, négociatrice perfide et menteuse, les deux femmes ne remettaient jamais en question l'honnêteté des autres et n'aimaient pas qu'on doute de la leur. Les prix ainsi que la date d'arrivée et de départ, tout était trop connu pour qu'elles reviennent là-dessus. Pourquoi perdre du temps avec des marchandages inutiles ?

❖

L'aubergiste avait conduit Kostine derrière la cuisine et l'avait installé dans un dépôt d'aliments qui sentait les pommes pourries. Fatigué, Kostine déposa son sac, changea sa chemise mouillée après une journée de pluie dense et s'étendit pieds nus sous la couverture rêche.

Vers minuit, il fut réveillé par des ronflements. Il crut d'abord qu'ils avaient traversé les murs de la bâtisse, mais il comprit vite que quelqu'un dormait dans la pièce, sans doute caché par deux gros tonneaux. Kostine fut étonné que ce client n'ait dit mot à son arrivée. Il se leva pour enquêter sur ce voisinage suspect et se dirigea vers le ronfleur. Ce qu'il constata le rassura car, d'après la dimension de la bosse faite par la couverture, il s'agissait soit d'un enfant, soit de quelqu'un de très petite taille.

À l'aube, Kostine perçut du mouvement derrière les tonneaux et il comprit que l'autre préparait son baluchon. Quelques instants plus tard, l'étranger sortit de sa cachette et, à la lumière des premiers rayons de soleil qui pénétraient par une petite fenêtre, il aperçut Kostine qui le regardait avec suspicion.

Après avoir tenté de lui parler dans différents dialectes, l'étranger lui adressa finalement la parole dans sa langue et Kostine répondit :

— Oui, je pars ce matin.

— Tu peux venir avec moi. On pourrait se tenir compagnie.

Kostine accepta sans hésiter. Voyager avec quelqu'un qui connaissait toutes les langues de la Terre lui sembla de bon augure.

Ils sortirent en douceur de l'auberge et empruntèrent le grand chemin. En peu de temps, ils croisèrent un convoi de voitures chargées de marchandises. C'étaient des paysans qui transportaient de gros baluchons à côté de cochons, de cages de poules et d'agneaux. Un cheval ou une chèvre attachés derrière la charrette suivaient contre leur gré le convoi. L'étranger lui dit que tout ce beau monde allait au marché du samedi, qui se tenait dans la grande ville de Koloch.

Kostine eut finalement le courage de mieux regarder son nouveau compagnon. Au début, il avait cru que c'était un jeune homme, mais dans la lumière cruelle du soleil, il vit que son visage était aussi sillonné de rides qu'une montagne de crevasses. Son allure était inaccoutumée : sa taille était celle d'un enfant, sa marche saccadée trahissait un pied bot et son épaule droite était légèrement plus basse que l'autre. Ses vêtements ne trahissaient rien de son origine ou de sa profession. Il portait une chemise blanche serrée avec une grande ceinture, des pantalons en cuir et des bottes à hautes tiges. Une petite bourse en bandoulière et un gros baluchon dans son dos complétaient sa tenue. Habillé en partie comme un chevalier et en partie comme un paysan, il n'était ni l'un ni l'autre. Il dit à Kostine qu'il était jongleur et qu'il gagnait sa vie en amusant les gens. Kostine le regarda avec méfiance, doutant que quelqu'un de si laid et de si incongru puisse faire rire les gens. À sa grande surprise, le nabot réussit à convaincre un paysan de les laisser voyager dans sa voiture, grimpés sur ses baluchons, ce que Kostine n'avait jamais osé demander.

Le convoi les amena à la lisière de la grande ville, déjà animée par une foule bruyante. Le marché battait son plein, rempli des appels infatigables des paysans devant leur tas de légumes et des cris des animaux, irrités par les tapes infligées par tant d'inconnus. Kostine aurait voulu s'attarder au marché, car il aimait ce spectacle qui réveillait en lui des sensations oubliées, mais le jongleur insista pour qu'ils s'en aillent. L'odeur du bétail et des touloupes l'incommodait. De plus, il devait se préparer pour son spectacle de l'après-midi.

Arrivé sur la grande place de la ville, le jongleur se dirigea sans hésitation vers l'une des tavernes. Le patron le reçut amicalement, lui serrant la main et l'aidant à déposer son baluchon par terre. Apparemment, c'étaient d'anciennes connaissances. Kostine devina qu'ils se parlaient dans la langue des riches et qu'ils se disaient des choses amusantes, mais comme il ne comprenait pas quoi, il prit le temps d'examiner tout autour les rangées de maisons à étages, collées les unes contre les autres, à la façade colorée et aux fenêtres hautes et étroites. Il ne comprenait toujours pas comment les gens pouvaient vivre dans ces cages à la verticale, sans jardin ni arrière-cour, mais il reconnaissait qu'ils avaient l'air propre et que leurs vêtements semblaient toujours neufs. Depuis qu'il voyageait, il s'était convaincu que la vie en ville avait des côtés enviables.

Le jongleur s'installa à une table, dans un coin discret du restaurant, en attendant son repas, et il invita Kostine à s'asseoir avec lui. Pour leur bref séjour dans cette ville, il lui proposa d'être son assistant. Il porterait ses accessoires, les sortirait de son sac et, au moment voulu, passerait le chapeau dans l'assistance. En échange, il lui payerait d'avance la nourriture et les deux nuits. Si le public était généreux, il allait même recevoir quelques pièces de monnaie. Kostine accepta tout en s'étonnant que quelqu'un qui dort derrière des tonneaux, dans une auberge de campagne, gagne autant de prestance en ville.

Le tavernier leur apporta deux assiettes d'un mélange bizarre mais qui avait bon goût, un gros pain et une bouteille de vin. Kostine mangeait sans se soucier du contenu puisque c'était payé d'avance. Il était surtout content de ne pas devoir se préoccuper d'un endroit où dormir, un exploit plus difficile à réaliser que de rassasier sa faim. Kostine n'avait jamais été un gros mangeur mais, pour la nuit, il tenait à avoir un bon coin où s'étendre. Rien ne pouvait mieux réparer la fatigue accumulée en route qu'un lit dans une pièce fermée, à l'abri de la pluie et du vent. Cela lui permettait de se sentir plus important qu'un cheval.

Après le repas, Kostine commença à s'inquiéter, car le jongleur ne semblait pas vouloir préparer son spectacle. Il avait étendu ses pieds sous la table et regardait d'un œil endormi les passants qui circulaient dans toutes les directions. Il se curait les dents à l'aide d'une paille et, ayant renoncé au vin, il sirotait de l'eau fraîche. Il dit à Kostine de finir seul la bouteille car, dans son travail, le vin pouvait causer de très graves accidents, comme cela avait été le cas dans sa jeunesse. Aux questions de Kostine concernant le spectacle, il répondit qu'ils devaient d'abord attendre que la chaleur diminue un peu.

Vers quatre heures de l'après-midi, la place commença à s'animer : des femmes derrière leur poussette, des couples bras dessus bras dessous, des nourrices courant après des enfants espiègles, des hommes seuls, des jeunes filles accompagnées, tout un défilé de monde et de beaux costumes. Le jongleur étala le contenu de son sac et indiqua à Kostine les noms des objets dont il se servait. En tant qu'assistant, il avait la tâche de les lui donner chaque fois qu'il les réclamait, puis de les ramasser et de les remettre dans le baluchon. Il lui montra aussi la petite corbeille qu'il devait utiliser pour ramasser l'argent. Ensuite, il s'éclipsa derrière la taverne pour changer de costume. Lorsqu'il sortit, Kostine eut du mal à le reconnaître : le bonhomme portait une tunique à damiers de couleurs voyantes, des chausses en laine moulées aux jambes et un chaperon à trois cornes qui finissaient par de petites clochettes.

Le jongleur ne lui laissa pas le temps de s'émerveiller. Il lui demanda de prendre le gros baluchon et de le suivre. Une fois installé au milieu de la place, il commença à crier pour rassembler la foule. Il répétait ses appels dans la langue des riches et des artisans, mais pas dans la sienne. Ce furent d'abord les enfants qui commencèrent à tirer la main de leur mère pour se rapprocher.

Le jongleur commença par jouer avec trois balles, les lançant dans les airs et les rattrapant tour à tour avec une dextérité qui ahurissait Kostine. Ensuite, il se mit à marcher sur les mains, à se contorsionner, à faire des gestes obscènes pour attirer l'attention des hommes et des femmes qui l'évitaient en s'esclaffant. Bientôt, le cercle des spectateurs commença à grossir, ce qui l'encouragea à exagérer encore ses gestes obscènes. Les jeunes filles se cachaient le visage derrière leur mouchoir, sans s'éloigner pour autant.

Ses tours finis, le jongleur fit signe à Kostine de circuler dans l'audience avec la corbeille, alors qu'il le suivait en marchant sur les mains et en faisant semblant de regarder sous les jupes des femmes. Cela amusa encore plus le public, les hommes surtout, qui sortirent leurs bourses.

Kostine s'étonna de la quantité de pièces résonnant dans sa corbeille, mais le jongleur, lui, s'en désola en disant que ce n'était que de la petite monnaie et qu'auparavant les gens étaient plus généreux. Kostine ramassa les accessoires et porta le baluchon chez le tavernier, qui les attendait sur le seuil avec un broc d'eau. Il les installa à la même table et leur apporta un gâteau au goût à la fois sucré et un peu aigre. Kostine déclara qu'il en mangeait pour la première fois et le jongleur lui répondit qu'il ne doutait pas qu'il y ait plein de choses qu'il faisait pour la première fois et que la quantité de celles qu'il ne ferait jamais était encore plus grande.

Le tavernier les laissa se reposer à leur table. Kostine demanda pourquoi les clients leur jetaient des coups d'œil, et le jongleur lui répondit qu'ils attendaient la deuxième partie du spectacle, qui n'aurait lieu qu'une fois les lampes allumées. Les histoires ne se racontent pas à la lumière du jour, conclut-il. Il ajouta que la nouvelle tâche de Kostine serait de l'accompagner en frappant doucement sur un tambourin et, évidemment, de ramasser l'argent à la fin.

La nuit tombée, le jongleur reprit sa place mais, cette fois-ci, les gens ne tardèrent pas à faire cercle autour de lui et à s'asseoir par terre. Il sortit de son sac une harpe à trois cordes et l'accorda délicatement. Le silence se fit, et Kostine s'assit à côté de lui avec son tambourin.

Le jongleur commença son histoire après un bref prélude musical que Kostine trouva déplaisant. Les sons étaient trop aigus et le rythme, trop lent. L'histoire était racontée dans la langue des riches, ce qui fit penser à Kostine que l'audience appartenait à cette classe. Kostine ne comprit rien à l'histoire mais, à en juger par les yeux écarquillés et les bouches entrouvertes, il estima qu'elle devait être intéressante. Elle dura une demi-heure, accompagnée de la musique ennuyeuse de la harpe. Kostine avait compris qu'il était question d'une femme. Les inflexions de la voix et les grimaces du conteur lui permirent de deviner qu'elle était gentille d'abord, effrayée ensuite, fâchée enfin. Bientôt, le jongleur reprit, dans la langue des artisans, ce que Kostine crut d'abord être une autre histoire. Mais, à cause des gestes qui se répétaient, il devina qu'il s'agissait plutôt de la même histoire, ce qui ne fit pourtant s'éloigner personne. Il se demanda pourquoi les artisans, qui n'avaient pas compris l'histoire pendant la première demi-heure, étaient restés silencieux, et pourquoi ceux qui avaient tout compris la première fois demeuraient encore sur place. En quoi les gestes du jongleur les subjuguaient-ils au point de leur faire suivre la même histoire deux fois, une fois par la parole et une deuxième par les gestes ? La seule explication était que le jongleur avait, peut-être, des dons d'hypnose, ce qui n'était pas rare avec ces gens sans pays ni langue propre. Suivant la consigne, aux accords de la mélodie finale, Kostine abandonna le tambourin et, muni de sa corbeille, passa parmi l'audience. Cette fois, la récolte fut meilleure et le jongleur le confirma bientôt. Il compta même des pièces d'or, ce qui lui fit dire qu'il avait bien fait de modifier la fin de son histoire, qui se terminait auparavant par un crime.

Kostine ramassa encore une fois le petit tapis, la harpe et le sac du jongleur, et les porta à la taverne. Le tavernier leur avait préparé une chambre derrière la boutique. Le jongleur lui demanda encore un casse-croûte, ce qui lui donna l'occasion d'accompagner Kostine jusqu'au fond de la bouteille. Il tint aussi à faire goûter à son assistant une liqueur douce et forte qui mit vite fin à leur conversation. Après deux gorgées, Kostine sentit sa langue pâteuse et ses paupières se firent de plomb.

Une fois installé dans leur chambre, Kostine ne trouva pas le sommeil. Malgré la fatigue et la tête qui lui tournait, il demanda au jongleur de lui raconter à lui aussi l'histoire qui avait captivé l'audience. Le jongleur lui dit qu'il s'agissait d'une femme-fée appelée Mélusine, et que ses aventures ne sauraient l'intéresser. En plus, il avait très sommeil, mais l'insistance de Kostine le convainquit.

Ces événements, dit le jongleur, se passèrent dans la nuit des temps, lorsque la vie ressemblait, par certains côtés, à ce qu'ils vivaient au moment présent. Les gens naissaient, grandissaient, luttaient, faisaient l'amour, se mariaient, mouraient. S'il y avait des choses qu'ils faisaient d'une autre manière, il ne le savait pas. Mais ce qu'on en savait justifiait la conviction qu'on pouvait comprendre leurs sentiments. Et cela était le début de toute histoire crédible. À cette époque, donc, un homme en détresse traversait par un beau jour d'été le sentier d'une forêt. Il n'était pas riche, ce qui peut signifier qu'il était à la recherche de sa pitance, mais son voyage pouvait aussi être une pénitence imposée. Arrivé dans une clairière ensoleillée, il vit au bord de la rivière une dame merveilleusement habillée, pleurant à fendre le cœur le plus endurci. Elle était jeune et belle, ce qui incita l'homme à faire de son mieux pour la réconforter. Aux questions insistantes, la belle de la forêt répondit qu'elle était très riche mais qu'elle ne trouvait pas de mari. « Si tu m'épouses, lui dit-elle, je vais t'apporter richesse et bonheur, mais il y a toutefois une condition que tu dois respecter jusqu'à la fin de tes jours. Tu ne dois jamais essayer de me voir nue. » L'homme le lui promit, heureux que sa condition soit si simple. Imagine-toi qu'elle aurait pu lui demander de tuer un dragon, comme saint Georges! Celui-là, sur son cheval blanc, s'était fait brûler le poil des narines pour sauver sa belle, alors que notre bonhomme n'avait qu'à se contenter de tâter par-ci par-là, sous la couverture. Il l'amena donc à la maison, l'épousa et ils eurent ensemble trois enfants. Sauf que la curiosité, cher ami, commença à le ronger : pourquoi ne pas regarder sa femme nue? Incapable de résister à ce mystère, il regarda un soir par le trou de la serrure alors que sa femme prenait son bain. Et qu'est-ce qu'il vit alors? Dans la baignoire, ce n'était pas sa femme qui s'aspergeait le dos mais un gros serpent! Il se rua dans la pièce pour tuer l'animal qui avait dévoré sa femme. À l'intérieur, quel ne fut pas son effroi de constater que le gros serpent était, en fait, la queue de sa femme, qui ne gardait que la moitié de sa forme humaine. L'apparition monstrueuse le regarda, effrayée, cria de désespoir voyant que son secret avait été dévoilé et disparut· dans l'eau du bain. Comme tu le sais probablement, transgresser l'interdit imposé par une femme n'amène que des malheurs au mari. Dès le lendemain, les fléaux commencèrent à s'abattre sur notre pauvre bougre : sa maison prit feu, ses troupeaux furent mangés par les loups, ses récoltes, dévastées par les sauterelles. Au bout de quelques mois, il fut l'un des plus pauvres au pays, incapable même de nourrir ses enfants. Étrangement, ceux-ci ne semblaient ni souffrir de la faim ni se languir de l'absence de leur mère. Il commença donc à guetter derrière leur porte. Une nuit, malgré l'expérience malheureuse qui lui avait fait perdre sa femme, il pénétra encore une fois dans la pièce où il n'aurait pas dû. Et que vit-il encore ? Sa femme était en train de dorloter ses enfants. Ce fut la dernière fois qu'il la vit car, furieuse, celle-ci prit sa progéniture dans ses bras et s'envola par la fenêtre.

Le jongleur demanda à Kostine s'il était marié. Celui-ci répondit qu'il envisageait de le faire un jour, et le jongleur lui dit de ne jamais oublier l'histoire de Mélusine. Au risque d'être déçu, il ne doit jamais oublier que si une femme est une bonne mère, elle peut aussi être un serpent. Et si le mariage lui apporte richesse et bonheur, il faut s'en méfier : cela dure en autant que l'époux maîtrise sa curiosité.

Kostine lui demanda si la ruse ne peut être déjouée avant le mariage, pour éviter les tracas, ce qui fit rire le jongleur : Mélusine ne dévoile pas son identité avant le mariage, car c'est le mariage qui fait sortir son côté démoniaque. La vraie nature d'une femme se manifeste dans le couple. C'est le mari qui réveille en elle le serpent, pas l'amant. Le meilleur conseil à donner à son nouvel ami était que, s'il voulait laisser le serpent lové dans sa petite amie, il devait se contenter de rester son amant.

Kostine accompagna le jongleur encore deux jours. Le dimanche leur apporta une belle récolte de pièces, mais le lundi fut presque nul. Kostine s'acquittait bien de ses tâches, mais cela ne contribuait pas à la réussite de leur spectacle. Leur succès dépendait du beau temps et de l'humeur du public. Bref, Kostine se convainquit qu'être amuseur public n'avait rien d'enviable.

Et comme si le jongleur avait lu dans ses pensées, il lui dit qu'il ne fallait pas se fier à ceux qui le traitaient de tous les noms. Il n'était ni pécheur ni damné, pas plus que les autres. Comme preuve, il lui raconta qu'un jour, alors qu'il faisait ses tours devant une église, la statue de la Vierge était descendue de son socle pour le remercier. Avant de remonter sur ses hauteurs de pierre, elle avait même essuyé la sueur sur son front. Elle seule comprenait que les faits héroïques n'étaient rien sans les jongleurs qui les répandent. Le vrai héros, c'est le chantre de ces faits héroïques, celui qui porte la parole partout.

Le lundi soir, le jongleur raconta, dans la langue des riches et des marchands, la fable de la licorne. Au moment de leur séparation, le jongleur en donna à Kostine une variante abrégée, car le temps pressait : il avait obtenu une place dans la voiture de quelqu'un qui voyageait vers le nord, alors que Kostine continuait sa descente vers le sud.

La licorne, disait son ami, est un animal divin, mais sauvage et cruel. Capable de voler et de courir à la vitesse du vent, elle reste impossible à capturer par les chasseurs qui convoitent sa corne aux pouvoirs magiques. Seule une vierge peut aider à la piéger car, dès qu'elle la voit, la licorne vient s'asseoir dans son giron. Les chasseurs utilisent des pucelles pour l'attraper, ce qui est une méchante ruse.

— Alors ? dit le jongleur en s'adressant à Kostine. Que comptes-tu faire à l'avenir ?

Kostine dit qu'il n'avait pas l'intention de chasser les licornes, car elles ne sont ni chevaux ni ânes, elles ne donnent ni lait ni viande. À quoi bon leur courir après?

— Néanmoins, dit le jongleur en endossant son baluchon, si tu veux épouser une vierge, seule une licorne pourra te l'indiquer.

Un an plus tard

Quelques gens avaient prévu que Vartan aurait une mort violente. Les noctambules, comme les animaux de nuit, inspirent la crainte et incitent aux mauvaises pensées. La plupart avaient toutefois imaginé qu'il mourrait gelé ou endormi dans la neige ; personne n'aurait pensé qu'on le tuerait. Quel pouvait être le mobile de ce crime ? À l'époque où il travaillait pour Zaza, sa mort aurait eu du sens puisque des cambrioleurs auraient pu vouloir s'emparer des objets enfermés dans la remise de la prêteuse. Mais les sinistres effets de Kira ne pouvaient pas exciter leur convoitise.

Les gens furent aussi déroutés par la vue du sang car, au village, ils n'en voyaient que lors du sacrifice des animaux et lors des accouchements. Vartan fut trouvé égorgé à son poste de surveillance, une sorte de guérite haute de la taille d'un homme, qui lui permettait de rester assis. Bien qu'elle fût étroite, Vartan s'était arrangé pour y fixer une étagère où il déposait sa cruche de vin et son sac de vivres. Vers minuit, il prenait une petite collation de pain et de fromage, alors que le vin, il le buvait avant l'aube, la période la plus difficile et la plus froide, hiver comme été. Sa chaise était recouverte d'une vieille couverture de laine : avec une autre, tout aussi épaisse, il enveloppait ses jambes.

Si le mobile du crime restait un mystère, il était évident que le criminel était un proche ou, à tout le moins, quelqu'un de connu. S'il s'était agi d'un voleur, Vartan ne serait pas resté assis dans sa guérite. Il y aurait eu une altercation et il

211

aurait été trouvé dehors, étendu par terre, les vêtements en désordre. Mais Vartan ne s'était pas méfié du criminel qui lui avait probablement parlé et lui avait porté le coup final en lui tranchant la veine jugulaire.

Le matin, lors de son premier tour de la propriété, Stratonic le trouva vidé de son sang, tel un cadavre sucé par un vampire. Son visage était bleu et ses yeux, largement ouverts, alors que ses vêtements, jusqu'aux souliers, trempaient dans le sang.

Il alerta Kira, qui courut trouver Onou. Tous deux savaient qu'Efstratia serait encore absente un mois, alors quel autre membre de la famille avertir?

Onou arriva, à bout de souffle, accompagné de trois gaillards pour enlever le cadavre. Mais où le déposer? Kira eut l'idée d'appeler Flora pour lui demander conseil. La sorcière se dépêcha de répondre à l'appel mais, une fois arrivée, au lieu de calmer les villageois peureux, elle poussa des cris qui les effrayèrent encore plus. Elle disait que ce n'était pas pour le mort mais pour les esprits maléfiques qui s'emparaient, visiblement, de ces lieux. Les trois hommes amenés par Onou lui demandèrent de les chasser rapidement au fond des ténèbres et de leur dire quoi faire avec Vartan qui pesait lourd, quand même. La vie d'oisiveté lui convenait bien, car il leur cassait les bras malgré la perte de sang. Flora leur dit de le transporter chez lui.

Stratonic attela un cheval à sa voiture, enveloppa le cadavre dans une couverture, que Kira sacrifia sans regret afin d'empêcher le sang de s'égoutter sur les routes. Dès qu'ils arrivèrent, Flora demanda aux hommes de laisser le cadavre dans la charrette, le temps que les femmes trouvent une place convenable pour l'exposer. Flora fit bouillir de l'eau, installa la baignoire sous un abri, lava la dépouille et lui enveloppa le cou dans un écheveau de laine pour cacher la plaie béante.

Elle fit ensuite placer le cercueil, apporté en hâte par Kira et Stratonic, dans le hall d'entrée, ce qui étonna les femmes, car une seule personne à la fois pouvait ainsi en faire le tour, regarder le mort et lui faire ses adieux. Flora ne voulait pas que les gens s'installent dans la maison d'Efstratia comme s'ils étaient chez eux et qu'ils fourrent leur nez partout. Comme les deux petites cuisines ne permettaient pas l'installation de grands chaudrons, on décida de monter une cantine de fortune dehors, là où tout le monde pouvait participer d'un rien. Au fond, personne n'était tenu de prendre en charge, à lui seul, le lourd travail de l'enterrement. En tant qu'orphelin, Vartan n'avait pas d'autres parents dans le village : on ne connaissait même pas son origine, car ceux qui l'avaient adopté et élevé jusqu'à quinze ans étaient morts sans le lui dire. Vartan était donc devenu leur mort à tous.

Momentanément, Kira prit en charge les dépenses de l'enterrement, dont elle négocierait le remboursement avec Efstratia dès son retour. Les gens se moquaient discrètement des négociations à venir entre les deux femmes. Ils imaginaient Efstratia devant la liste des prix gonflés par Kira et l'acharnement de cette dernière à convaincre la bergère de ses bonnes intentions et de la ruine causée par l'argent gaspillé pour son mari. Connaissant toutefois l'esprit vaillant de la bergère, ils ne doutaient pas qu'en guise d'argument elle allait tout simplement prendre son fouet et s'exercer un peu sur les maigres fesses de la commerçante. Avec Kira, c'était toujours la seule façon de mettre un terme aux négociations. S'il y avait, toutefois, une chose dont on pouvait douter, c'était qu'Efstratia aurait consenti à un enterrement aussi somptueux pour son mari.

Vartan pouvait être content de cette solidarité autour de sa dépouille. Dans ses derniers moments, il avait joui de plus de sympathie, de compassion et d'amour que pendant toute sa vie. S'il est vrai que l'âme du défunt vole au-dessus des lieux pendant sept jours, qu'elle flotte ensuite plus haut dans le ciel pendant un autre mois encore, celle de Vartan avait de quoi se réjouir. Tout était à sa place et en son temps. Le repas était bon, les petits cadeaux, exquis et adaptés à chacun. Le prêtre avait conçu une messe spéciale pour le pauvre malheureux qui était mort seul, tel qu'il avait vécu. Il ne manqua pas d'adresser des critiques à Efstratia qui n'était pas aux côtés de son mari, même au dernier moment. À sa place, c'était Kira qui pleurait son employé à chaudes larmes. Ce qu'elle déplorait à haute voix, ce n'était pas la perte d'un gardien, mais celle d'un ami gentil et généreux. Cela étonna les villageois, car aucun ne se rappelait de ses bonnes actions, mais il est vrai qu'aucun ne se souvenait des mauvaises non plus.

Le plus touché par cette mort fut Ermil, le mari de l'autre bergère. Il avait perdu le sommeil depuis qu'il s'imaginait qu'une telle chose pourrait lui arriver à lui aussi, en l'absence de sa femme. Et quel spectacle désagréable que de voir des étrangers fouiller sa maison à la recherche d'assiettes, de serviettes, de marmites pour bouillir la viande et de poêles pour frire les oignons ! Malgré les exhortations de Flora, la maison de Vartan et d'Efstratia était violée par tant de monde, qui foulait les tapis, ouvrait les tiroirs, furetait dans les armoires, sans aucun égard pour l'intimité de la famille. Cependant, les gens n'avaient que de bons mots pour Efstratia, car tout était en ordre. Les serviettes étaient soigneusement pliées et rangées selon leur couleur, leur dimension et leur fonction. Les draps et les couvertures étaient déposés dans des malles, avec des bourses de lavande pour empêcher les mites d'y pondre leurs œufs. Dans la cuisine, la vaisselle était propre et les cuillères, rassemblées dans une armoire à trois tiroirs. Le plancher était balayé, les pièces, aérées. Aucune mauvaise odeur, à part celle d'une petite pièce, que Flora avait fermée à clé avant que les autres n'y entrent.

S'il lui arrivait la même chose qu'au pauvre Vartan, Ermil n'était pas sûr que sa maison fasse la même impression sur les villageois. Théodora ne souffrait de la manie ni de la propreté ni de l'ordre. Une belle femme n'est pas forcément une bonne ménagère. Chez eux, les gens auraient eu du mal à trouver un drap ou une marmite propres, alors que le plancher était parsemé de brindilles et de paille. Avec les pigeons, la famille avait du mal à maintenir les lieux propres, mais même à l'intérieur le manque d'intérêt de Théodora pour son ménage sautait aux yeux.

Garder les moutons avait inculqué à sa femme des habitudes de berger. Elle vivait dans sa maison comme dans sa hutte de montagne. Ses vêtements puaient la suie, ses cheveux étaient gras et pleins de pellicules, et ses jupons, autrefois blancs, tournaient au beurre. Parfois, elle se couchait même habillée de ses vêtements de la journée. Laver et cuisiner était devenu une dure épreuve par manque de pratique. Théodora préférait se nourrir de fromage et de lait caillé, qu'elle conseillait fortement à son mari. La maison était toujours sens dessus dessous, car Ermil ne savait pas remplacer sa femme. Seules les rares visites de Kira incitaient le couple à mettre un peu d'ordre dans les hardes qui traînaient partout. Depuis un certain temps, Ermil préférait même faire ses transactions sur la véranda. Le départ de Théodora le soulageait, car le passage de sa femme alourdissait les pièces d'une odeur de fumée, de terre humide, de pluie froide, de résine de sapin. C'était la forêt entière qui prenait racine dans la plaine, habituée aux odeurs de miel, de seigle, de jonquilles et de marguerites sauvages. Derrière elle, la maison dégageait la férocité des montagnes. Dernièrement, même les pigeons roucoulaient autrement en sa présence.

Tout le monde attendait avec curiosité le retour des deux bergères, pour voir la réaction d'Efstratia devant la tragédie dont l'horreur était amplifiée par son absence. On n'avait jamais assisté à l'enterrement d'un homme en l'absence de sa femme. Cependant, en attendant son retour, les gens n'eurent pas le temps de s'ennuyer, car Olimpia leur annonça le suicide de son mari. Deux jours après l'enterrement de Vartan, qui n'était pas un ami proche toutefois, le fou se pendit dans le grenier. Flora n'avait plus de répit, car les problèmes des morts étaient aussi impérieux que ceux des vivants. Encore une fois, on alla la chercher et on lui demanda conseil. Que faire avec un fou pendu?

Pas facile de mettre en terre un esprit égaré. Flora demanda aux gens de faire descendre le cadavre, de le laver et de le déposer dehors, au milieu de la cour, sur quelques planches de bois trouvées dans la remise. Pas question de l'amener dans la maison ni de le placer dans un cercueil. Les pièces de la veuve devaient être épargnées par les mauvais esprits. Flora demanda qu'on aille consulter les sorcières des deux autres villages pour qu'elles lui prêtent leur peau de bébé vampire. Leurs forces réunies allaient annihiler le charme qui avait aveuglé Bitar. Lorsque le messager fut de retour, on constata qu'ailleurs on chassait les mauvais esprits avec de la cervelle de chauve-souris, ou avec les ongles des orteils d'un mort électrocuté par la foudre. «Pas mal...», décréta Flora. Malgré sa longue période d'inactivité, l'ancienne sorcière n'avait rien perdu de sa dextérité: elle s'installa en tailleur à côté du cadavre, commença à marmonner et à fumer le cadavre. Elle suait et peinait, car il n'était pas facile de chasser les mauvais esprits de la tête d'un fou par une telle chaleur.

En attendant, Olimpia aurait voulu commencer à organiser les choses: ouvrir les malles, remonter de la cave les jarres de gras de porc et les pots de marinades, puiser dans ses réserves de viande salée, récolter des légumes du jardin, descendre du grenier les cordes d'ail et d'oignons, tamiser la farine. Flora, même si elle était occupée par ses incantations, lui fit un signe autoritaire d'attendre calmement qu'elle ait terminé. Ce que la femme fit sans riposter.

Flora prenait ses aises avec sa tâche. Les gens avaient chaud et mal aux pieds, mais personne n'osait protester. Vers midi, la sorcière décréta qu'elle avait fait de son mieux, mais que la mission n'était pas finie. Ils devaient mettre le cadavre directement dans la terre, sans cercueil. Ce qui était encore mauvais en lui ne devait pas être empêché de couler directement dans le sol. Le bois aurait pu retarder le processus, ce qui n'était à l'avantage de personne. La chose à faire était de creuser un trou plus profond que d'habitude et de bien l'arroser pour produire une couche de boue au fond. Après le séchage, les mauvais esprits seraient, décidément, cimentés dans la terre. Sa dernière requête fut que le prêtre utilise de l'eau bénite et qu'il rebaptise le trépassé pour sa nouvelle existence céleste, en l'espérant meilleure que celle, malheureuse, menée sur la terre. Le prêtre refusa avec hargne. Il respectait Flora et son savoir, surtout qu'il allait souvent chez elle se faire masser le dos, mais il ne fallait pas mélanger les choses. Les vivants avec les vivants, et les morts avec les morts. Bitar, qu'il s'en aille de son mieux là où il le désirait depuis longtemps, mais l'eau bénite n'était pas destinée à des gens comme lui. Il vint dire une messe noire, celle destinée aux vampires, puisqu'il n'en connaissait pas d'autres. Que les gens se contentent de celle-ci ! Il y avait eu des fous et des pendus dans le village, mais jamais des pendus fous.

À quoi bon se soucier du reste ? En bonne commerçante, Kira offrit ses services. Elle tenait en réserve des choses hors normes, qui pouvaient servir pour un pendu fou. Elle s'adaptait vite, même lorsque rien n'était comme d'habitude. Voulaient-ils des serviettes noires ou d'autres choses qui conviendraient mieux à l'événement ? Flora lui ferma le clapet en disant que Bitar n'avait besoin de rien, car qui aurait voulu ramener à la maison quoi que ce soit de l'enterrement d'un fou ? Les gens ne voulurent même pas manger, tant ils avaient la nausée. Ils acceptèrent de faire une veille sommaire et, le lendemain, la dépouille fut déposée dans un trou plus profond et plus étroit que celui ordonné par Flora. Les fossoyeurs s'étaient imaginé que si le fou était à court d'espace dans sa tombe, il n'aurait pas d'autre choix que de s'en aller vers le bas.

Après l'enterrement, le problème le plus difficile à résoudre fut le destin d'Olimpia. Comment laisser la pauvre femme vivre seule dans un lieu maudit ? Tous compatissaient mais, au premier essai de Flora pour désigner quelqu'un pour la loger, ils se dérobèrent sans vergogne. La sorcière s'indigna de leurs fausses larmes et de leur hypocrisie et elle décida de s'installer chez la veuve le temps nécessaire. Teotin serait nourri à distance par les deux femmes, qui iraient lui porter des vivres. Et pas besoin de s'inquiéter, il était habitué aux longues absences de Flora.

Ce déménagement fut de courte durée, car Olimpia ne tarda pas à annoncer à Onou qu'elle quitterait le village sous peu. À quoi bon rester et porter la réputation de veuve de fou après avoir été la femme rejetée par tous le soir de l'enlèvement ?

Le départ d'Olimpia provoqua un changement visible dans les habitudes de Minodora. Le premier constat fut que son bavardage s'était tari. Pas question qu'elle s'arrête encore au puits pour raconter des histoires et inventer des balivernes. Dernièrement, elle avait décrété que la chasse aux lapins et la cueillette d'œufs de caille étaient des métiers dégoûtants. Elle ne mangeait plus de ces denrées depuis qu'elle était riche, pourquoi alors gaspiller inutilement son énergie ?

La crainte de sa belle-mère s'avéra juste. La lubie de Minodora de s'adonner à la cuisine après l'avoir fuie toute sa vie n'était que temporaire. Et au grand soulagement de la famille, car personne ne pouvait avaler ce qui sortait de ses mains.

Elle commença à se promener dans le village sans but, et on pensa qu'elle avait remplacé Bitar dans le rôle du fou. Cependant, chaque fois que les gens l'arrêtaient dans la rue pour lui parler, ils n'observaient aucun égarement de son esprit, seulement une terrible tristesse dans ses yeux.

Cosman confessa à Kira ses inquiétudes concernant le nouveau passe-temps de sa femme. Le ménage n'avait jamais exercé une grande attraction sur elle : le lavage, le nettoyage étaient toujours remis aux calendes grecques. Seul le retour de Cosman lui faisait mettre la main sur le balai. Kazaban, interrogé lui aussi sur le comportement de sa femme, disait que le ménage était le seul médicament valable contre le désespoir des épouses. Mais Minodora ne voulait pas de cette pilule.

Stratonic se mêla lui aussi de l'affaire. Il dit à Kira qu'elle devrait se préoccuper de la santé de leur associé, sinon cela affecterait l'approvisionnement du magasin. Il plaçait de grands espoirs dans les nouveautés apportées dernièrement par Cosman, sur les conseils de Kazaban, qui ne perdait pas ses bons instincts. Sans tenir compte de la nature de leur commerce, il avait fixé à l'entrée une étagère pour de petits colifichets destinés à embellir les maisons des villageois : des miroirs aux cadres peints, des boîtes à bijoux gravées, des chandeliers, des coqs en argile, des cochons en bois, des moutons en coton, des cuillères à manche orné, des poupées gigognes. Depuis que Minodora laissait les lapins et les cailles proliférer dans leurs champs, au désespoir des villageois, Cosman non plus n'excellait plus dans son travail. Il y avait des mois où il n'apportait rien de neuf, au désarroi de Stratonic qui aimait plus que tout ces nouvelles marchandises : avant de les exposer dans le magasin, il les gardait quelque temps dans leur propre maison.

Kira alla rencontrer Minodora et lui dit qu'elle ferait mieux de venir l'aider dans sa boutique. Minodora lui rit au nez, car elle n'enviait pas la réputation de croque-mort. C'était assez sinistre qu'il faille loger un jour dans un tel abri, pas besoin de l'avoir perpétuellement sous les yeux. Kira lui proposa de réorienter son commerce si elle avait une meilleure idée. Si la chasseuse avait des talents cachés et des dons particuliers, qu'elle les laisse donc faire surface, Kira pouvait les exploiter et les mettre en valeur comme personne d'autre. Minodora lui dit que s'il y avait quelque chose qu'elle aurait aimé faire, c'était un commerce lié au mariage. Kira avait pensé faciliter la tâche de ceux qui s'affairaient avec un enterrement, mais les gens étaient aussi mal pris pour des événements plus heureux. Pourquoi ne pas mettre à la disposition des jeunes couples tout ce dont ils avaient besoin et, surtout, des robes en prêt-à-porter, car souvent le choix d'une robe était la tâche la plus difficile pour une jeune fille. Avec son talent de modiste, Kira n'avait qu'à aller en ville, commander plusieurs robes chez une couturière de luxe et les exposer dans son magasin. Si on voulait en acheter, tant mieux, sinon elles pourraient les louer à bon prix. Il y avait mille choses et mille détails qui donnaient aussi des maux de tête à la famille : les fleurs destinées aux revers des invités, découpées en tissu blanc, apprêtées à l'eau sucrée pour qu'elles restent rigides ; les gourdes en bois au bouchon de liège pour donner à boire aux passants lors du passage du cortège nuptial ; les parures pour les cheveux ; les chapeaux des chevaliers d'honneur, les ornements des pièces, les lanternes en verre multicolore. Pourquoi ne pas égayer ce commerce, si on y passait le plus clair de la journée ? Kira trouva l'idée merveilleuse et s'y consacra avec enthousiasme.

Dès le lendemain, elle dressa une liste de marchandises que Cosman devrait se procurer lors de son prochain voyage. Elle tassa tous les articles funéraires dans la dernière pièce, là où il y avait les cercueils, et mura la porte. L'entrée se faisait par une petite ouverture pratiquée dans le mur qui donnait derrière la boutique. Les deux autres pièces furent nettoyées et repeintes en blanc : l'une fut destinée aux robes et aux voiles, exposés sur des mannequins, l'autre, aux articles à louer pour la cérémonie du mariage. Chaque matin, les deux femmes dépoussiéraient les robes pour qu'elles restent attirantes. Minodora avait même plus de talent que Kira pour mousser les ventes et pousser les mères à s'enticher de tel ou tel modèle de robe.

Le village retrouva la paix après cet été tourmenté. Les vendanges et la fermentation du vin aidèrent les gens à se résigner devant ces dures épreuves qui affectaient certains d'entre eux, mais pas tous. Dans leur village, il y avait encore des gens heureux. Les premières gelées les firent se retirer dans leurs maisons et allumer les premiers feux. La fumée des cheminées et la perspective d'une hivernation paisible les rendirent encore plus joyeux.

L'entrée dans la ville se faisait à travers une grande porte, protégée par deux tours. À la différence d'autres villes, toutefois, aucun soldat n'y montait la garde.

Kostine resta sur place, hésitant, se demandant si avancer ne constituerait pas une infraction. Il était habitué aux brefs interrogatoires : son nom, son lieu de naissance, sa résidence permanente et sa destination. Cette curiosité de la part des gardiens ne le surprenait plus. Il avait compris que, dans ces contrées, les gens voulaient connaître les étrangers non pas pour devenir leur ami, mais pour les inscrire dans un registre. Ses données personnelles s'ajoutaient, impersonnelles, à une longue liste inscrite dans un gros cahier installé sur le bureau des douaniers. À quoi servait ce dossier ? Ce n'était pas son problème. Il se contentait de répondre aux questions, dont les fonctionnaires transcrivaient avec soin les réponses. En échange, ceux-ci ne lui donnaient aucune information. Leur demander où il pouvait passer la nuit ou prendre son premier repas pouvait lui attirer des ennuis, car cela entraînait d'autres questions, telles que : « Est-ce la première fois que tu es dans les parages ? » « Combien de temps comptes-tu rester ? » Parfois même une rapide fouille des bagages, ce qui n'était pas souhaitable. Ce n'était pas au douanier de découvrir son linge sale, les miettes de son dernier repas et le peu d'argent qu'il avait dans les poches. Kostine appliquait dorénavant une règle qui portait ses fruits : attendre que le douanier ait fini son interrogatoire, ne pas hésiter avant de lui donner la réponse, afficher un visage souriant et ne pas le défier.

Où étaient donc passés les douaniers de cette ville, dont le bureau était pourtant sur place ? À travers la fenêtre, on voyait même le registre ouvert et la plume dans l'encrier. Malgré le soleil de plomb de midi, Kostine décida d'attendre le retour des employés. Ils étaient sans doute aux toilettes ou allés prendre leur repas. Rien ne se passa pendant une demi-heure, avant l'arrivée de trois voyageurs qui traversèrent la porte comme si de rien n'était. Kostine crut que c'étaient des habitants de la ville et qu'ils ne devaient pas être soumis aux mêmes interrogatoires. Cependant, d'autres voyageurs ne tardèrent pas à arriver et à entrer dans la ville sans se préoccuper de laisser leurs noms dans le registre. Kostine prit son courage à deux mains et suivit de près les deux derniers : si quelqu'un le questionnait, il invoquerait le mauvais exemple des deux routards.

La ville avait l'air propre et paisible. Les rues étaient exemptes d'ordures, les arbres n'étaient pas encore couverts de poussière et l'herbe n'encombrait pas les dalles du trottoir. La grande route, qui semblait traverser la cité, était quasi déserte ; par-ci, par-là, un chien lézardait au soleil ou regardait d'un œil mi-clos les mouches et leur vol agaçant. Un peu plus loin, il vit que les chiens n'étaient pas seuls à sommeiller : les gens aussi. Depuis son entrée dans la ville, il avait remarqué deux gros lourdauds, l'un étendu sur l'herbe, à côté de son repas entamé, l'autre assoupi sur un immense tonneau. Kostine pensa que le premier homme était si exténué qu'il avait préféré retrouver son souffle avant de manger, mais la position du deuxième lui donna à croire qu'il était peut-être mort. Le premier habitant à le regarder dans les yeux fut une femme, portant dans une main un pot de lait et, dans l'autre, un sac de légumes. Elle le dévisagea longuement et lui sourit de toutes ses dents. Elle continua à le faire, même lorsque Kostine fut très loin.

Vers le centre-ville, les rues commencèrent à se peupler. Devant certaines maisons, il y avait des éventaires bondés de denrées : Kostine n'osa même pas les regarder, car la faim le tenaillait et ses poches étaient vides. Il n'avait pas de quoi se payer une miche de pain. Quelques bâtisses plus loin, un gros barbu lui fit signe d'approcher. Kostine hésita, car il ne savait pas s'il parlait sa langue, ce qui n'arrivait pas souvent. Il s'éloigna, sans rien dire. La seule différence fut qu'il osa sourire au barbu, sans avoir l'air de manquer de pudeur, comme cela avait été le cas pour la femme.

À un carrefour, un autre homme quitta sa chaise pour l'accueillir et attirer son attention sur sa marchandise. Kostine constata que ce qu'il avait pris pour des denrées à vendre était un repas en règle. Il s'étonna fortement que l'homme ait mis la table de la famille devant la porte d'entrée. Tout ce qui était nécessaire pour un bon repas était sur la table, comme si l'on était en attente d'hôtes de marque : il y avait un immense bol de soupe fumante qui sentait la livèche, des saucisses de porc, des côtes d'agneau, un grand poisson couvert de pois verts. Deux gros pains sortis du four reposaient sous des serviettes cousues au fil rouge. Dans un pot à couvercle, du lait caillé et, dans un autre, des prunes broyées. Sur des plateaux en bois, des gâteaux aux raisins, des pommes farcies de noix, des marrons cuits. Il ne voyait pas de fromage, ce qui le réjouit, car il en avait assez, bien que l'odeur fût partout présente.

Kostine n'eut pas le pouvoir de s'éloigner, car la vue de ces mets aiguisa son appétit. Il pensa même appliquer l'une des ruses du jongleur : raconter une histoire à dormir debout, mentir sur une bourse volée ou perdue, faire semblant d'offrir sa veste, puis s'enfuir dès que possible après le repas. Sans tenir compte de son hésitation, l'homme agrippa son coude et le poussa vers la table. Plus merveilleux encore, il lui adressa quelques mots dans sa langue. Malgré son projet de manger et de se sauver sans payer, Kostine fut pris au dépourvu par tant de générosité. Il avoua, humblement, qu'il n'avait aucun sou, ce qui fit éclater l'homme de rire. En lui tapant amicalement sur le dos, il lui dit que tout était gratuit.

— Gratuit ? demanda Kostine incrédule. Mais qui va payer à la fin ?

— Personne, lui répondit le bonhomme. Tu es dans le pays de Kokane.

Kostine s'assit à la table, et le bonhomme se pressa de remplir son assiette sans le questionner sur ses préférences. Kostine demanda si le service aussi était gratuit car, parfois, il était plus cher que la marchandise. L'homme le gratifia d'un plus large sourire encore.

Kostine se rassasia en tâchant de ne pas se montrer glouton. Il ne put par la suite obtenir d'autres informations, telles que où se loger ou comment trouver son chemin vers le sud. Les gens lui offraient volontairement leur nourriture mais restaient avares d'autres commentaires. Tout ce qu'ils répétaient à l'unisson était que c'était le pays de Kokane, la seule chose qui paraissait compter pour eux.

Kostine dut honorer encore trois repas, offerts avec autant de générosité par des hommes et des femmes assis devant leurs portes. Il goûta des mets qu'il n'avait jamais vus ni dans son village ni lors de son voyage. Au bout de la rue, son estomac était plein à craquer, convulsé par des hoquets de nausée. Tout ce qu'il voulait était vomir : il le fit dans un fossé, à la vue d'un chien qui vomissait des morceaux entiers de saucisses. L'image des tables garnies et le souvenir de l'animal penché sur sa vomissure amplifièrent son écœurement.

Accablé par la chaleur, Kostine s'allongea à l'ombre d'un arbre. Il s'endormit et, à son réveil, il faisait déjà noir. La ville était éclairée à l'aide de torches, illuminant les visages joyeux des habitants, qui faisaient la fête sans se soucier du lendemain. La faim revenue, Kostine se dirigea sans hésitation vers la première maison en vue. Le miracle ne s'était pas évanoui pendant son sommeil ; sur le seuil de la porte, un jeune couple lui fit une place à côté de ses trois enfants. Kostine mangea avec beaucoup de précaution, cette fois-là, évitant la viande et le vin. Il se régala de sucreries et de fruits, doux comme du miel. Il quitta la table, remerciant poliment, sans avoir rassasié sa faim. C'était mieux comme ça, car il apercevait déjà la longue file de gens qui le guettaient depuis leur porte pour l'inviter chez eux.

Kostine eut du mal à trouver l'auberge. Avant d'adresser la parole à l'aubergiste, il hésita un peu, se demandant si le logement aussi était gratuit au pays de Kokane. Le sourire de l'aubergiste le convainquit de poser la question, et sa réponse le rassura :

— Bien sûr que c'est gratuit. Viens choisir ta chambre.

L'auberge n'était pas encombrée de clients. Dans le petit hall d'entrée, rares étaient les voyageurs qui se ruaient sur les tables garnies de choses exquises. Tous picoraient : un peu de raisin par-ci, une cuillère de purée de prunes par-là.

L'aubergiste le conduisit par un escalier en colimaçon et le quitta devant la porte de sa chambre. Il lui souhaita ce qui était, probablement, l'équivalent de la bonne nuit :

— Plus on dort, plus on gagne.

Kostine ne sut que répondre et se contenta de fermer la porte derrière l'aubergiste philosophe.

La chambre avait l'air propre malgré une légère odeur de nourriture qui montait de tous les coins. Kostine se déshabilla, mais il fut vite déçu. Tous les meubles étaient faits de nourriture. Les tables et les chaises étaient confectionnées de poireaux, l'oreiller était fabriqué en pain dur, la couverture, en feuilles de choux et les rideaux, en petits pois enfilés. Il ne pouvait ni dormir ni s'asseoir nulle part. Mort de fatigue, il se garda de descendre et d'interroger l'aubergiste sur la nature bizarre de ce mobilier. Il s'étendit directement sur le plancher, après avoir enlevé le tapis tissé en queues d'échalotes.

Le lendemain, il descendit très tôt pour parler à l'aubergiste, mais il n'était nulle part. Kostine se demanda si, dans le pays de Kokane, il était permis de quitter une auberge sans dire au revoir. Après un quart d'heure d'attente, il décida que cela devait être la coutume.

Il emprunta un chemin moins peuplé, ce qui signifiait moins de gens, moins de tables et moins d'odeurs de friture. Son estomac, habitué aux repas frugaux, digérait mal cette abondante nourriture. Il eut raison de prendre cette direction, car les invitations à manger se firent plus rares. La ruelle qu'il emprunta à un carrefour grouillait de gens chargés de baluchons, poussant des brouettes ou tirant des voitures à deux roues. Devant les boutiques étaient exposés des vêtements, des souliers, des fourrures, des bijoux, des parfums, des chapeaux, des sacs.

Kostine n'avait jamais vu de si beaux vêtements et il s'arrêta au premier éventaire pour les regarder de près. Un petit homme l'attira au fond de la boutique et lui dit d'essayer le pantalon qui avait attiré son attention. Kostine lui dit qu'il n'avait pas l'intention de l'acheter, car le sien était presque neuf, ne datant que de deux ans. En plus, il n'avait pas d'argent, et le pantalon avait l'air coûteux. Le tailleur lui dit en souriant que c'était gratuit. Kostine trouva nécessaire de bien avoir la confirmation de cette nouvelle :

— Les vêtements sont-ils aussi gratuits dans le pays de Kokane ?

— Tout est gratuit, confirma l'homme, le pressant de plus en plus d'essayer le pantalon, auquel il avait ajouté une chemise et une veste, de la meilleure qualité.

Kostine eut un autre doute : peut-être que cette habitude de loger, nourrir et vêtir les gens était liée à un jour spécial, une fête ou autre célébration. C'est pourquoi il demanda au couturier :

— Quel jour on est aujourd'hui ?

— Dimanche, répondit le tailleur, sans autres commentaires, affairé à lui montrer toutes les raretés de sa boutique.

Kostine revêtit les nouveaux vêtements et se regarda dans le grand miroir, secondé par le tailleur qui ne cessait de vanter sa belle allure. Il ne tarissait pas d'éloges sur les plis, les épaules, les boutons, le col qui moulait parfaitement son cou. Kostine dut se plier à sa volonté d'examiner attentivement l'ourlet des pantalons, doublé de cuir, les poches coupées en biais, la braguette facile à déboutonner.

À peine sorti de la boutique, chargé du sac où le tailleur avait fourré ses anciens vêtements, un cordonnier se rua pour l'attirer dans sa boutique. À travers la fenêtre, il l'avait vu nouvellement accoutré et il s'offrit de compléter sa tenue d'une paire de souliers taillés en cuir de porc et teints en brun.

Kostine essaya les souliers et il les trouva trop petits. Le cordonnier eut une bonne occasion de sortir dix autres paires et de les lui faire essayer toutes, en lui vantant les qualités de chacune.

Vêtu et chaussé de neuf, Kostine se dirigea vers la boutique de bijoux. Il n'avait pas le choix, d'ailleurs, car le bijoutier s'était posté au milieu du chemin, les deux mains chargées de bracelets et de chaînes en or. Kostine eut besoin de s'asseoir pour regarder à l'aise cette richesse. Il n'avait jamais eu l'occasion de toucher de l'or, des saphirs, des perles, des lapis-lazulis.

Kostine dit au commerçant, qui l'encourageait à tourner les colliers sous toutes les facettes, qu'il ne portait pas de bijoux. Le bijoutier lui dit que rien n'est plus beau qu'une bague discrète au petit doigt d'un homme. C'était même plus beau que sur la main d'une femme. Et Kostine en fut vite convaincu. Le bijoutier étala une grosse boîte d'anneaux en or, que Kostine prit une demi-journée à essayer. Finalement, il se décida pour une tête de renard, gravée sur un carré en or, doublé en dessous par un autre en argent.

Le bijoutier le félicita pour son choix. Kostine lui demanda s'il pouvait prendre un petit quelque chose pour sa bien-aimée et le bijoutier en fut ravi. Il lui offrit deux colliers d'améthyste et un autre de grenat. Kostine mit les bijoux dans son sac et quitta la rue, malgré la cohorte de marchands qui le poursuivait. Il n'avait jamais imaginé qu'un acheteur puisse être traqué ainsi.

L'acquisition des vêtements l'avait exténué, mais l'appétit n'était pas revenu. Son estomac luttait encore contre les morceaux de saucisse, dont le goût d'ail lui empestait la racine du nez. Les hoquets, qu'il arrêtait avec des brocs d'eau, lui rappelaient incessamment sa gourmandise de la veille. Il décida donc de se reposer à l'ombre d'un arbre, utilisant son sac en guise de coussin. Le sommeil fut reposant, car la terre et l'herbe, du moins, étaient ce qu'elles devaient être.

Au réveil, il décida d'enquêter plus sérieusement sur la nature de cette ville dont les habitants ne vivaient que pour se gaver. Il erra un peu partout, évitant aussi courtoisement que possible les appels des gens. Il en avait assez, de leurs sourires et de leurs mets fumants. Devant une maison, il vit un enfant déchirer le cadre d'une fenêtre pour le manger. Il s'approcha pour voir l'exploit de plus près et constata que ce qu'il avait pris pour des écorces étaient des morceaux de saucisse. Tâtant les murs, incrédule, il constata qu'ils n'étaient pas chaulés de blanc mais tout simplement construits en fromage. Les portes étaient en pain et les tuiles des maisons, en galettes.

Il suivit les rangées de maisons, touchant chaque brique et chaque poutre pour se convaincre qu'il ne rêvait pas: toute bâtisse était en nourriture, tenant debout à l'aide d'une charpente en pâte cuite.

Le soir approchait, et Kostine décida de s'épargner d'autres surprises. Mieux valait attendre le lendemain, un lundi, que la ville reprenne ses activités habituelles. Revenir à l'auberge ne l'attirait pas. Pourquoi se donner la peine de la retrouver dans le labyrinthe des ruelles, alors que ce qu'on lui offrait était un coussin en pain et une couverture en feuilles de choux?

Kostine attendit que les lumières s'éteignent pour se faufiler dans une étable. Deux chevaux mangeaient, insouciants, dans un tas de foin. Il marcha doucement pour ne pas les effrayer, mais quelque chose craqua bruyamment sous ses pas. Lorsqu'il regarda, il vit que c'étaient des nouilles sèches, aussi fines que des cheveux. Il soupçonna une nouvelle ruse et regarda plus attentivement le foin des mangeoires. Les chevaux aussi étaient corrompus à la folie alimentaire des maîtres, car ce qu'ils mangeaient étaient les pâtes les plus fines qu'il ait jamais vues, de celles faites avec dix œufs pour un bol de farine.

Pas besoin de s'inquiéter, se dit Kostine. Demain sera lundi et tout reviendra à la normale. Il chercha le sommeil, en se souvenant du sage conseil de l'aubergiste:

— Plus on dort, plus on gagne.

Deux ans plus tard

Efstratia et Théodora ne rentrèrent pas un mois plus tard mais deux. Cette année-là, la pluie et le mauvais temps avaient retardé le réveil de la nature. L'hiver s'était prolongé jusqu'au mois de mai. Les pentes étaient encore couvertes de neige lorsque les deux bergères avaient conduit leurs troupeaux sur la crête de la montagne : l'herbe était rare, les vents soufflaient fort, les fauves étaient affamés. La compétition entre bergers pour occuper le meilleur pré était féroce. Les moutons étaient tenus des jours entiers dans leur enclos, et les chiens luttaient férocement contre les loups qui s'attaquaient aux agneaux récemment mis bas. La production de fromage était maigre, tout comme celle de lait caillé. Il fallut quatre mois aux bergères pour réaliser la quote-part due aux gens du village.

Une fois de retour, Efstratia s'occupa du deuil de son mari, et Théodora de l'enterrement du sien, qui s'était cassé le cou en tombant d'une échelle. Les villageois avaient conseillé à Ermil de déménager le pigeonnier sous le toit, ce qui lui aurait permis d'y accéder par le grenier. Mais il l'avait laissé en haut du peuplier, tel que Kazaban l'avait construit au début de l'élevage, de peur que les oiseaux, une fois déplacés, quittent leurs nichoirs pour toujours.

Un jour, alors qu'il était monté pour nettoyer les cellules et remplir les mangeoires, le malheur frappa. Ermil tomba du haut de l'échelle et, vu son poids, il s'écrasa et explosa comme un sac de farine. Théodora était dans les parages, occupée à faire le partage des tinettes et des bobines de fromage. Elle entendit le bruit, se précipita et découvrit Ermil étendu par terre, le visage tourné vers le ciel. Sans hésiter, elle demanda à l'enfant du voisin d'aller chercher Flora. Très vite, les villageois s'assemblèrent autour du cadavre et, quand la sorcière les rejoignit, elle ne put que dire à Théodora qu'Ermil était mort sur le coup, qu'aucune potion ne pouvait le ranimer et qu'elle pouvait se consoler à la pensée que son mari n'avait pas souffert. Les villageois trouvèrent que la sorcière y allait fort avec la sagesse.

Ermil n'aurait pas dû s'inquiéter pour son enterrement, car ce fut sa femme qui s'en chargea, et non des étrangers. Personne ne fouilla dans ses armoires ni n'ouvrit les coffres ; personne ne cria qu'on ne trouvait ni cuillère ni sel, ce qui lui arrivait souvent à lui. Malgré les longues absences de sa femme, il n'avait pas encore l'habitude de gérer la maison.

Après l'enterrement, Théodora décida de détruire le pigeonnier. Assez de ces maudits chieurs de fiente qui faisaient rouiller le fer de la charrette et pourrir les tuiles du toit! De leur côté, les pigeons semblaient ne pas avoir de regrets à quitter les lieux. Le vieux couple donna le ton du départ après que Théodora, aidée d'Efstratia, eut démonté le pigeonnier, l'eut découpé en morceaux et mis au feu. Elle balaya l'allée, lava chaque morceau de bois, nettoya le jardin. La maison avait l'air dévastée: dans la cour, on ne voyait nulle part aucun brin d'herbe, aucune fleur, aucun légume. Tout ce qui rappelait la passion d'Ermil avait été arraché et jeté aux ordures.

Le printemps suivant, les gens attendaient avec impatience le départ de Théodora et d'Efstratia, car les moutons maigrissaient et les travaux des champs commençaient. Ils guettaient le signal bien connu pour rassembler leurs troupeaux et les mener vers la sortie du village, où ils étaient regroupés et conduits par les femmes-chevaliers. Après une semaine d'attente, ils en appelèrent aux services de Flora pour enquêter sur ce retard. La nouvelle apportée par la médiatrice n'était pas pour les réjouir. Efstratia et Théodora renonçaient au métier de berger : la transhumance dans les montagnes était chose du passé. Elles en avaient assez du froid, de la solitude et de la rudesse de ce travail. Les hurlements des loups et la peur des voleurs troublaient encore leur sommeil. Efstratia tint un deuil rigoureux après la mort de Vartan. Elle n'avait rien déplacé de sa pièce à lui, gardée dans le même état depuis que Flora l'avait fermée pour empêcher les autres de comprendre l'état de ce ménage. Deux chambres à coucher, deux cuisines : Vartan était mal aimé et Efstratia, malheureuse. Son odorat lui rendait la vie difficile, même après la disparation de son mari. Le monde puait.

Théodora s'occupa du repas des sept jours, puis de celui d'un mois, le temps mis par l'âme du disparu pour faire ses adieux et s'envoler au ciel. Si Ermil avait attendu que sa femme soit de retour pour des funérailles en règle, alors qu'il s'en réjouisse. Elle se joignit à Efstratia pour confirmer qu'elle non plus ne partirait ni dans les jours ni dans les mois à venir. Que les villageois s'occupent à nouveau de leurs moutons et les mènent eux-mêmes au pâturage.

Pour le déroulement du rituel, elle en appela aux services de Kira, devenue moins active dans ce domaine depuis que son commerce était consacré aux cérémonies de mariage. En fait, elle était moins alerte en toute chose depuis l'arrivée de Minodora, aussi perspicace et attentive au moindre détail que, jadis, l'ancienne couturière à chaque bouton. La femme de Cosman ne trouvait pas seulement de l'intérêt à ce négoce de robes, mais aussi du plaisir, et elle mettait tout son cœur dans l'étalage des cintres et des colifichets. Depuis son embauche, elle avait même conçu une sorte de dot de secours pour les filles moins éduquées. Celles qui ne savaient pas conduire un ménage, selon l'exemple de leur mère, n'avaient qu'à demander conseil à une spécialiste. Minodora leur montrait des dessins avec des récipients pour une cuisine plus propre, une chambre à coucher aux couleurs plus gaies, une cour mieux organisée, un jardin de fleurs plus diversifié. Être une bonne épouse, cela s'apprend avec du temps et de la pratique. Minodora était devenue leur pédagogue, bien que sa relation avec Cosman ne fût pas vraiment un modèle. Commencer un mariage avec des balivernes, le continuer par une carrière de chasseuse de lapins et de ramasseuse d'œufs de caille n'était pas le meilleur exemple à suivre pour les jeunes aspirantes au statut d'épouses idéales.

Si les villageois mirent du temps à faire confiance aux services de Minodora, Kira fut la première à y faire appel. Elle voulait devenir une épouse parfaite. Ses divers métiers l'avaient tenue loin de sa famille et Stratonic aurait, sûrement, un tas de choses à lui reprocher. Elle avait même tardé à enfanter, ce que sa belle-famille ne prenait pas si mal, en fin de compte. Couturière, teinturière et vendeuse de cercueils, Kira aurait mieux fait d'être mère. Les enfants n'étaient pas toujours la garantie d'un couple heureux, mais être malheureux à deux était souvent lié à leur absence.

Était-elle trop vieille pour devenir mère ? Flora dit que non ; Minodora, que oui. Après avoir été entraînée dans ce commerce, elle n'avait pas envie de le gérer toute seule, pour que la patronne se consacre au lavage des couches, mais ce n'était pas à elle de décider.

Kira était habituée aux visites chez les médecins de la ville, et elle décida de les consulter aussi à ce propos. Sa belle-mère lui dit que c'était à Flora de régler le problème, mais Kira jugeait les médecins plus compétents. Personne ne sut quels furent les conseils prodigués, mais Stratonic en fut désappointé. Il traita les médecins de charlatans, blâma Kira de ne pas avoir fait appel à Flora et demanda à Cosman de le laisser l'accompagner dans ses voyages d'affaires. Kazaban eut le dernier mot, lui disant que les villageois n'étaient pas des marchands nés. Le temps qu'il avait consacré à l'éducation de Cosman le dissuadait de recommencer avec un autre.

Peu de temps après, Flora annonça aux gens une autre nouvelle : Efstratia et Théodora avaient décidé de liquider leurs affaires et de rentrer dans leur village. Leur carrière de bergères ne leur avait pas apporté grand-chose, puisque les échanges se faisaient en nature. Elles n'avaient pas eu le talent de Kira pour changer leurs denrées contre de l'argent. Ce n'était peut-être que le désir de liberté qui les avait transformées en chevaliers des montagnes, habillées de chemises noires, coiffées de chapeaux et chaussées de hautes bottes. Cependant, dans le village, la réputation d'une femme était faite par l'homme. Seule, elle était vulnérable, sujette à tous les ragots. Ermil et Vartan leur avaient assuré la respectabilité nécessaire pour tenir les assaillants à distance. Sans hommes, il leur était difficile de rester des femmes honorables. Mieux valait laisser aux villageois le soin de leurs animaux qui devaient, eux aussi, renoncer à la liberté des montagnes, là où même les prédateurs ont de la bravoure. Ceux qui chassent dans les crêtes des montagnes n'ont rien des petits voleurs à la tire. Efstratia et Théodora avaient été heureuses de braver le danger, de faire face à des agresseurs tout aussi puissants et dignes qu'elles.

Avant de partir, elles décidèrent de léguer tous leurs biens à Minodora. Efstratia possédait de belles choses qui pouvaient constituer une véritable dot, destinée à la fille qu'elle n'avait jamais engendrée. Mieux valait l'exposer que de la laisser à la merci de la rouille et des mites. Minodora étala à part les objets d'Efstratia, aussi propres que ses chemises.

Ses marmites, malgré leur longue exposition au feu, avaient le fond blanc, car elle les frottait au sable après chaque utilisation. Pour les tissus, la veuve avait appelé Flora pour l'aider à les laver et à les repasser encore une fois. Le terme du départ, établi d'un commun accord avec Théodora, approchait, mais elle s'affairait encore à l'arrangement des paniers pour le magasin de Minodora.

Au moment où tout semblait être prêt, les deux femmes durent remettre encore une fois leur départ pour l'enterrement de Teotin, qui se noya sous les yeux de quelques villageois. Le plus triste fut que cette noyade était couverte de honte.

Ce jour-là, quelqu'un répandit la rumeur que la maison de Flora était en feu. Les gens coururent éteindre les flammes, même si à bonne distance ils virent qu'il n'y avait aucune trace de fumée. Ils pénétrèrent toutefois dans la maison pour voir, étendu dans le lit, un homme au visage mangé de pustules. Celui-ci fut si surpris par l'avalanche de gens dans sa chambre qu'il se précipita dans la rue. Après une brève hésitation, les villageois se mirent à sa poursuite, ne sachant pas si l'apparition était le mari de la sorcière ou un monstre issu des profondeurs de la terre. Certains l'appelèrent de son nom, mais cela ne fit que l'effrayer encore plus. Sans plus hésiter, il se dirigea vers le lac du village, lieu sinistre évité par tout le monde. Là, la rivière faisait une boucle stagnante, où les eaux arrêtaient leur course vers le sud pour former une tourbière profonde que les gens avaient transformée, petit à petit, en dépotoir. Malgré la quantité de fumier, de feuilles pourries et d'autres résidus qu'on y jetait chaque jour, le fond du marais restait toujours insondable. Les gens virent l'apparition se jeter dans les eaux noires et puantes et ils comprirent que c'était sa fin. Personne ne savait nager dans le village et, de plus, qui aurait osé s'aventurer dans un tel bourbier? L'homme coula au fond comme une pierre, sans se débattre.

Ils eurent du mal à trouver Flora, logée par une famille où elle essayait de calmer une querelle. Mais avec les sorcières, le résultat est toujours inattendu : avec tant de connaissances maléfiques, elle savait sûrement que quelque chose se tramait. Elle disait depuis plusieurs jours que sa paupière gauche palpitait et qu'un malheur allait arriver dans le village.

Pour l'enterrement de son mari, elle procéda de sang-froid, mais quoi d'inattendu pour une guérisseuse ? Si Teotin était mort sans laisser de cadavre, c'était à son avantage. Mieux valait ne pas revoir le visage qui avait effrayé les gens du village, mieux valait laisser les eaux le laver de tous ses péchés. Les gens se consolèrent de veiller un cercueil vide, contenant uniquement les vêtements d'enterrement prévus par Flora. Pour rassurer l'âme de son mari, elle plaça à côté ses propres habits, car il n'y aurait pas une deuxième mort pour elle.

Efstratia et Théodora aidèrent Flora à passer ses premières nuits de solitude. La sorcière ouvrit même le cadenas de son ancien atelier. Les trois femmes nettoyèrent ensemble la pièce, arrachèrent les toiles d'araignée, bouchèrent les trous de rats et chassèrent les fourmis. Flora vérifia le contenu de ses pots qui lâchèrent des odeurs dangereuses dans la pièce. Elle leur offrit une boisson fortifiante et leur prodigua un bon massage.

Le jour venu, Efstratia et Théodora quittèrent le village dans leur accoutrement de bergères, le fouet à la main, chevauchant à la manière des hommes. Onou leur proposa de les escorter jusqu'à la lisière de leur village. Elles lui répondirent que c'était plutôt lui qui avait besoin d'une escorte.

❖

Kostine ne savait pas depuis quand il n'était plus dans l'Ouest. Le sentiment d'être chez lui, il l'eut un soir, dans un petit bourg miteux, tout à fait différent de ce qu'il avait vu ailleurs. Les rues étaient défoncées et boueuses, les drains, couverts de mauvaises herbes, les clôtures des maisons, délabrées ou simplement inexistantes. Des pâtés de maisons surpeuplées finissaient brusquement dans des terrains en friche, envahis par des chardons et des bardanes. Les femmes jetaient les seaux d'eaux usées et les balayures directement dans la rue. Les chiens s'y ruaient pour ramasser tout ce qui pouvait être mangé, os de poulet, miches de pain durci, œufs pourris. Les maisons étaient en ruine, les fenêtres, aveugles, et les portes sans poignées étaient fermées à l'aide d'un fil de chanvre.

Kostine s'arrêta pour la nuit dans ce qui lui sembla être une auberge, pas plus grande que les masures alentour. La cour donnait directement dans une rue qu'on gagnait en traversant un pont enjambant un caniveau plein d'ordures. L'endroit était occupé de voitures dételées chargées de tonneaux, de boîtes, de cochonnets, de cages d'où sortaient des têtes de poule, de canard ou d'oie. Attachés aux piliers, des chevaux, des vaches et des ânes attendaient de reprendre leur chemin en ruminant tranquillement. Leurs maîtres étaient assis à table, de longues planches de bois sur des piliers fixés directement dans la terre, en attente de leurs plats. Sous la chaleur torride, ils buvaient un vin trouble. Ceux qui voulaient y passer la nuit étaient logés à plusieurs dans la même pièce, dormant sur leurs manteaux à même le sol pour éviter les morsures des puces ou, pire encore, pour ne pas être infestés de poux.

Kostine s'assit à table à côté d'un paysan dont la moustache lui entrait dans la bouche. Cela n'avait pas l'air de déranger son repas, un bout de viande brûlée. Il mastiquait tranquillement, lorgnant le va-et-vient des clients et des serveurs. Le vieux remarqua, finalement, le jeune assis à côté de lui et l'interrogea sur sa destination. Kostine ne lui dit pas la vérité, mais il s'embourba dans son mensonge, car le vieux connaissait bien les environs. Il dit à Kostine que, s'il était pèlerin, il tombait au meilleur moment, car lui aussi attendait la Sainte-Filota. À l'aube, le convoi qui rapatriait les reliques de la sainte serait devant l'auberge, en route vers l'église où un grand synode officierait la messe d'accueil. S'il avait des péchés ou quelque maladie, même honteuse, il pouvait se fier à son aide. En ce qui le concernait, il comptait bien lui demander de retrouver l'acuité de ses yeux qui diminuait d'année en année. Kostine l'interrogea sur cette histoire de reliques, et le vieux la lui raconta sans qu'on le lui dise deux fois.

Sainte Filota était née sur la rive sud du grand fleuve qui séparait leurs terres du pays voisin. Toutefois, la famille de la fillette était originaire du nord du fleuve, et c'est pourquoi les gens d'ici considéraient la sainte comme une des leurs. Sa mère lui avait appris à respecter les saints sacrements et à se vouer aux actes de charité. La jeune fille avait passé toute son enfance à se consacrer aux soins des pauvres. Malheureusement, sa mère était morte jeune, et son père s'était remarié à une voisine qui ne voyait pas d'un bon œil la générosité de la fillette. Elle avait commencé à la battre et à en dire du mal à son père. Un jour, celui-ci frappa le pied de Filota avec une hache. La nuit, elle expira, le corps vidé de son sang. Peu après sa mise en terre, les gens remarquèrent que son tombeau restait couvert de fleurs blanches, même pendant la sécheresse. Les gens qui allaient prier et lui demander des faveurs voyaient leurs vœux exaucés. La rumeur des miracles accomplis par la fillette se répandit vite.

Des villageois arrivaient de partout par centaines, pour faire la queue devant sa tombe. Le prêtre du village décida alors d'exhumer les ossements et de les exposer dans l'église. À travers le couvercle en verre du petit cercueil, on voyait la main noircie de la sainte, enveloppée dans un linceul brodé d'or. Un jour, le pays du sud fut envahi par les infidèles enturbannés qui volèrent les reliques. Les malheurs ne tardèrent pas à les frapper. Les païens tombaient malade un à un, la peau couverte de furoncles de pestiférés. Les gens portèrent la nouvelle à leur souverain, qui jeta le blâme sur le maudit cercueil. Que faire avec une main séchée comme l'écorce ? La jeter pouvait continuer à porter malheur. L'enterrer, la brûler ? Un de leurs sages suggéra une meilleure solution : vendre les reliques à ceux qui les convoitaient désespérément. Si le peuple du nord du fleuve se fiait aux pouvoirs magiques de la fillette, leur monarque devait être aussi désireux de miracles, d'autant qu'il en avait grand besoin pour sauver son pays. Le roi, nommé Sénex, répondit aux barbares qu'il n'avait pas de quoi payer ces reliques, car le trésor était vide. Pouvait-il compter sur les merveilles de Filota pour apaiser la faim de la foule avec deux poissons et deux pains ? Le chef barbare était déçu des négociations, mais il hésitait à détruire les reliques. Les chancres, la diarrhée et les maux de tête frappaient son armée de plus belle, ce qui le décida à envoyer une estafette à Sénex avec la nouvelle qu'on lui offrait gratuitement les reliques. Reconnaissant, le roi se montra aussi généreux : il lui offrit en cadeau une chaîne en or, des tissus en brocart, des cols de zibeline et des bagues en pierres précieuses, ce que le barbare trouva fort niais : il aurait vendu la main maléfique pour beaucoup moins.

Voici donc le moment longuement attendu : la sainte traversait le fleuve pour s'installer sur la terre de ses ancêtres. Le convoi de Filota se dirigeait vers la grande cathédrale, bâtie par Sénex pour abriter sa tombe et celle de sa femme. On avait choisi cette route pour inclure les faubourgs les plus démunis, puisque seule une sainte pouvait leur procurer un peu de fortune.

Kostine eut la mauvaise idée de passer la nuit en la compagnie du vieux, sous la bâche de sa petite voiture. Il craignait les poux de l'auberge, mais la nuit ne fut pas meilleure, car le vieux ronflait comme une meute de sangliers. Au matin, Kostine se leva le premier, se lava au puits et prit son baluchon. La fatigue lui avait enlevé l'envie de se faire piétiner par tous les pouilleux, les éclopés, les veuves désespérées, les amoureux trahis, les femmes jalouses, les ivrognes et même les riches. Il ne souhaitait que rentrer chez lui, et son désir n'était pas de la juridiction de sainte Filota. Au moment où le vieux donna des signes de réveil, Kostine s'éclipsa sans faire ses adieux.

Un mois plus tard, il entrait dans la cour d'une auberge aussi miteuse que toutes les autres à travers le pays. La cour grouillait de la même faune de commerçants, de paysans et de voyageurs. Kostine vit une chaise libre à une table derrière laquelle un paysan regardait impatiemment vers la porte de la cuisine. Celui-ci lui fit signe de s'asseoir à côté de lui. Surpris par cette invitation, Kostine se fraya un chemin à travers la foule bruyante et s'installa devant l'inconnu. Il eut le temps de voir que, sous la table, son hôte n'avait étendu qu'un seul pied. L'homme cria au serveur de doubler sa commande. Ensuite, il dit à Kostine qu'il allait manger à ses frais, car tout bon croyant devait multiplier ses actes de charité comme les saints hommes et femmes de l'Église l'avaient fait pour eux tous. Kostine lui demanda si sainte Filota continuait encore son chemin de retour. L'homme lui dit qu'il n'en savait rien, car il attendait sainte Parasseva, obligée de quitter le pays pour retourner au sud du fleuve. Les reliques avaient été cédées aux barbares par Sénex afin de ne pas entraîner son peuple dans une autre guerre. En attendant la viande, le pain et le vin, l'homme raconta à l'étranger l'histoire de cette sainte femme.

Sainte Parasseva était née dans un village sur la rive sud du fleuve, dans une famille riche et très croyante. Très jeune, elle avait suivi l'exemple de ses parents qui aidaient les pauvres, abritaient les voyageurs égarés, habillaient les orphelins et consolaient les veuves. Sauf que la miséricorde exercée dans le nid confortable de ses géniteurs ne la satisfaisait pas. Elle aspirait à la vie d'ermite et à la paix des cellules dépourvues de tout confort, bâties sur les crêtes des montagnes, dans les forêts humides ou dans les sables du désert. Ses parents s'y opposèrent farouchement, en lui disant que le Créateur appréciait davantage l'aide accordée aux pauvres que les prières des ermites. Mais la fille ne se laissa pas dissuader : une nuit sans lune, elle quitta la maison à la dérobée.

Après de brefs séjours dans des villes célèbres pour leurs reliques, la beauté de leurs églises et les exploits de quelques grands hommes, Parasseva arriva devant la muraille de la Ville sainte. Malgré la réputation du lieu, tout consolida son désir d'une vie solitaire : la chaleur, les murs aveugles des bâtiments, les cours sans verdure, le mélange des races, la jalousie qui régnait à l'intérieur de sectes se disputant farouchement la priorité de la grâce du Créateur. Personne ne connaissait la durée de son ascèse, ni l'endroit où elle l'avait vécue. Vers l'âge mûr, elle était revenue au pays pour se consacrer aux œuvres de charité jusqu'à sa mort. L'emplacement de sa tombe resta inconnu jusqu'à ce que ses reliques fussent miraculeusement retrouvées et transportées aux côtés de celles de sainte Filota, mais les mêmes barbares avides s'en emparèrent aussi.

Encouragés par l'échange de sainte Filota, le chef païen offrit à Sénex les reliques de sainte Parasseva, espérant des cadeaux aussi généreux. Cette fois-ci, le vieux roi ne lui offrit rien en échange. Le barbare ne sut pas réprimer sa colère. À peine les reliques arrivées au nord du fleuve et installées dans un monastère, il les redemanda. Sénex dut se soumettre à sa demande, car son armée était en haillons et Filota n'avait pas encore accompli les miracles attendus.

Kostine remercia pour le repas, mais n'accepta pas de dormir sous la bâche du riche. Il craignait une autre nuit blanche et, en plus, il n'avait rien de particulier à demander à la sainte.

Une semaine plus tard, il se trouva encore une fois dans une auberge miteuse, à la périphérie d'une ville. Dans un coin éloigné, le dos tourné, un chevalier finissait calmement son repas. Kostine s'était débarrassé du sentiment d'être minable devant les inconnus. Petit à petit, il avait acquis la conviction qu'on pouvait trouver une langue commune, même avec les riches. Ce fut le cas avec cet étranger dont l'âge, le costume et l'attitude lui rappelaient fortement le chevalier Kross. Et il avait bien deviné que ce vieux guerrier appartenait à la même gent de mercenaires de la croix, car il se dirigeait vers le sud, où une armée d'alliés se préparait à affronter les barbares. Ceux-ci avaient poussé leur armée jusqu'au bord du grand fleuve et menaçaient de conquérir le pays de Kostine. Les croisés n'étaient pas affectés par cette perspective, mais par le fait que, une fois anéanti ce petit royaume aux grandes étendues sauvages, le passage deviendrait libre vers leurs pays à eux. S'il y avait un endroit où les barbares devaient être arrêtés, c'était bien au pays de Sénex.

Le chevalier Mézire était parti pour cette guerre, devant se dérouler sur un terrain vallonné, non loin de la rive sud du fleuve. Là-bas, il devait joindre les détachements de son pays, alliés à deux autres empires de l'ouest et aux effectifs de Sénex. Le chevalier prenait son dernier repas en temps de paix, car il savait se diriger vers le désastre de leur armée et la ruine de leur avenir. Kostine crut ne pas comprendre, car le chevalier parlait assez mal sa langue. Mézire répéta donc qu'il se dirigeait vers une bataille perdue d'avance. Mais perdue de quel côté ? Du leur, évidemment.

Le chevalier regarda plus attentivement Kostine, dont les vêtements et le comportement trahissaient d'autres histoires que celles vécues par la clientèle de l'auberge se soûlant au vin sur. Il lui proposa de le suivre à la guerre. Kostine lui dit qu'il avait besoin d'une toute petite chance de gagner la bataille pour pouvoir rentrer, ensuite, sain et sauf chez lui. Son village n'était pas loin et il voulait demander en mariage la fille qu'il cherchait depuis plus de seize ans. Le chevalier lui répliqua, revigoré, qu'il y avait toujours une chance de gagner une bataille perdue d'avance.

Tous deux passèrent la nuit à la belle étoile et partirent au matin, à la fraîcheur de l'aube. Le chevalier lui demanda des détails sur son périple et Kostine, toujours piètre conteur, le simplifia autant que possible. La meilleure surprise fut que Mézire connaissait Kross, avec qui il avait lutté dans le même camp au cours d'une bataille pour la foi, perdue elle aussi. Cela avait marqué le début de ses doutes car, de toute évidence, quelque chose clochait avec cette foi qui ne voulait plus être sauvée. Mézire fut content d'apprendre que Kross avait fini ses errances dans un monastère, quoique le nom de Cesse lui semblât un peu simplet. Il souhaita à son ami de brûler en enfer, le seul endroit où ils pourraient se retrouver. Revigoré par ces souvenirs, le chevalier raconta à Kostine ce qui était arrivé à une croyante qui voulait aller au paradis.

— Un jour, une vieille femme expire et arrive aux portes du Paradis. Elle y frappe avec audace, et un ange gardien hisse la tête par-dessus la porte pour lui demander des comptes. Il exige qu'elle lui raconte ses péchés ainsi que ses bonnes actions, question de faire un peu la balance. À peine commence-t-elle à enchaîner ses histoires que des cris épouvantables fusent du derrière la grande porte. Effrayée, la pauvre vieille demande à l'ange: «Mais que se passe-t-il, Votre Sainteté?» L'ange lui répond, rassurant: «Ne t'inquiète pas, ma brebis, ceux que tu entends sont les gens qui, pour leurs bonnes actions, sont transformés en anges. Comme tu l'imagines, il faut leur faire des trous aux épaules pour fixer les ailes.» La vieille commençait déjà à perdre le fil. Mais elle se reprend vite et enchaîne l'histoire de sa vie. Le moment d'après, elle entend des cris encore plus perçants. Avec une voix glacée de peur, elle questionne de nouveau l'ange, qui reste insouciant: «Votre Sainteté, c'est affreux, que se passe-t-il avec les pauvres fidèles, qu'est-ce qu'ils ont fait?» «Mais rien, dit l'ange, quelle question bête. Maintenant, c'est l'apothéose de l'expérience céleste. Tous ceux qui ont mené une vie exemplaire sont sanctifiés et, naturellement, pour fixer l'auréole sur leur tête, il faut leur creuser des trous dans le crâne. C'est un peu plus douloureux, mais ça vaut vraiment la peine», conclut l'ange gardien. La vieille lui dit alors sans ciller: «Savez-vous quoi, Votre Sainteté, j'ai changé d'avis, je préfère aller en enfer.» L'ange la regarde avec pitié: «Pauvre innocente, dit-il, tu ne t'imagines même pas quelles horreurs se passent là-bas, quelles sodomies, quels viols épouvantables.» «Oui, Votre Sainteté, répond la vieille, mais au moins les trous sont déjà faits.»

Le lendemain, ils levèrent le camp et se mirent en route très tôt. Le chevalier avait procuré un cheval à Kostine, qui ne valait pas plus qu'un âne, mais tout ce qu'on en attendait était que le canasson tienne le coup jusqu'au camp.

En route, Mézire lui raconta un peu ses exploits qui s'achevaient presque toujours en défaites. Depuis cinquante ans, il essayait d'organiser une croisade contre les barbares, malgré son admiration pour leurs qualités guerrières et leur courage sur le champ de bataille. Il avait milité pour cette coalition, finalement accomplie, connaissant d'avance l'échec. « Pourquoi l'échec ? » l'interrogea Kostine. Parce que si les chefs alliés voulaient gagner contre une armée aussi bien organisée que celle des infidèles, ils devaient recruter des soldats qui ne soient pas uniquement intéressés par le pillage ou, dans le meilleur des cas, par une gloire éphémère, comme cela avait été le cas pour Kross et lui-même. L'offensive devait être mieux préparée, et les chefs croisés devaient renoncer à leur orgueil.

Au fond, disait-il, pensif, pourquoi le peuple de Kostine s'opposait-il à la conquête des barbares ? Pourquoi voulait-il rester dans le carcan de ses traditions rustres, de sa mauvaise cuisine, de ses vêtements simples, de ses logements délabrés ? Les barbares pourraient leur apporter leur musique, leur cuisine sucrée, épicée, goûteuse, leurs costumes hauts en couleur, leurs habitudes dolentes. Les chances que la culture des barbares soit un jour estimée étaient grandes, au contraire de celle du peuple de Kostine. Au lieu de cette liberté coûteuse, entretenue par de lourds tributs qui appauvrissaient ce peuple de bergers et d'agriculteurs, les grands du pays auraient mieux fait de se coiffer du turban.

Mézire s'arrêta, attendant l'approbation de Kostine. Son compagnon ne trouva rien de particulier à ajouter, sinon qu'un turban est plus difficile à enfiler qu'un simple bonnet.

Arrivé dans le campement où les alliés avaient déjà monté les tentes et commencé les soûleries, Mézire salua les chevaliers de son pays. On comptait opposer seize mille soldats à une armée de dix mille barbares. Tout le monde s'attendait à une victoire rapide, nul ne prêtait l'oreille aux prophéties de Mézire qui leur montrait ce qui allait les conduire à une défaite sanglante. Pour les cavaliers fanfarons, l'art militaire tenait lieu de préparation, de discipline et d'organisation. De leur côté, les nobles refusaient l'idée d'un plan d'ensemble qui aurait permis de contrôler le mouvement de tous les détachements et de leurs bannières. Ce genre de plan supposait que toutes les unités soient subordonnées à un seul commandant, mais personne n'aurait pu convaincre les aristocrates de ne pas conduire eux-mêmes leurs propres soldats dans la bataille.

Au sein des alliés se trouvait aussi un détachement commandé par Sénex. Cela anima Kostine qui voulait finalement se mettre au service de son roi. Cependant, le chevalier lui déconseilla de lutter aux côtés des siens, parce qu'ils allaient se faire massacrer en premier. Cette armée de paysans et de soldats aux méthodes et aux armes vieillottes allait être sacrifiée après qu'on lui aurait fait croire à un grand honneur, celui de commencer la bataille. S'il tenait à sa vie, il ne fallait pas joindre les siens à l'heure du carnage. Et Mézire eut raison : les nobles leur cédèrent le privilège d'ouvrir l'affrontement. La raison de ce choix était que Sénex avait mené plusieurs batailles contre les infidèles et en avait même gagné certaines.

Cette nouvelle provoqua la cohue dans les effectifs, ce qui laissa Mézire bouche bée : le peuple de Kostine avait plus de chance que d'art militaire. Un des chefs venant de l'ouest n'acceptait pas de rester en arrière au moment des premiers coups. Son argument était que ses soldats venaient de loin et avec de grandes dépenses : il était donc naturel de leur accorder cette faveur. Sénex accepta sans regret : ses éclaireurs avaient déjà fait un bon travail et avaient compté dix étendards, alignant chacun cinq mille soldats, ce qui donnait une armée de cinquante mille soldats et non pas dix. Cela sema la panique et diminua de beaucoup l'enthousiasme des alliés. Les choses étaient, cependant, trop avancées pour les arrêter.

Dès les premières confrontations, les alliés comprirent que les barbares étaient mieux préparés qu'eux. La cavalerie de l'ouest, alourdie par la ferraille, se heurtait à la mobilité de celle des barbares, qui se mouvait rapidement de côté pour se refermer derrière les rangs ennemis, enserrés comme dans un étau. Le prochain obstacle pour les alliés fut le corps de fer des fantassins, qui jaillit de derrière un talus. La cavalerie alliée, poursuivie par les barbares, se rua contre ce mur de boucliers, qui commença à s'éparpiller, à leur grande surprise. La raison était qu'au delà du talus il y avait une forêt de piliers, plantés à l'intention des montures harnachés et peu flexibles. Les alliés devinrent une cible facile pour les fantassins ennemis qui les massacrèrent jusqu'au dernier. La plupart furent décapités sur place, sous les yeux de leur souverain. Les plus agiles coururent se cacher dans les collines. Comme le chemin vers l'ouest était bloqué par les barbares, les fuyards se sauvèrent dans le pays de Kostine.

Le chevalier échappa de peu aux sabres et donna un coup de main à Kostine, aussi maladroit à la guerre qu'il l'avait prévu. Son canasson était perdu depuis longtemps, alors que Mézire, même s'il était légèrement blessé, montait toujours son cheval. Les deux fuyards suivirent le chemin jusqu'au bord du fleuve et payèrent un passeur qui les fit traverser dans sa barge au milieu de la nuit.

Sur l'autre rive, ils passèrent encore une nuit ensemble. À la lueur du feu, Kostine aida le chevalier à panser ses plaies, à laver ses cheveux tachés de sang et à changer sa chemise. Mézire lui dit, moqueur :

— Tu es aussi chanceux que ton peuple, peu importe la conflagration, tu t'en tires toujours sain et sauf.

Avant de se coucher, le chevalier sortit de son sac de cuir un morceau de papier, une plume et un petit encrier. Il dit à

Kostine qu'il lui donnerait un diplôme d'adoubement pour ses faits héroïques.

— Tu n'auras jamais assez de mots pour raconter tout ce que tu as vécu ces jours-ci. Alors, ce morceau de papier pourra te servir à quelque chose, à la rédemption de ton âme ou à la conquête de ta bien-aimée.

Et le chevalier passa une bonne heure à coucher sur papier l'histoire de Kostine, d'une écriture qui mélangeait les deux langues. Il lui récita à haute voix seulement les dernières lignes, les plus claires.

« Les javelots se rompaient comme des pailles, le ciel était noir de la multitude des flèches, le sang rougissait les eaux du fleuve. »

Kostine ne se rappelait pas avoir vu tellement de flèches dans la bataille ; si le soleil manquait, c'était à cause des nuages qui annonçaient la pluie. Et le fleuve ! Il leur avait fallu quelques heures pour arriver à sa rive ; comment le tacher de sang à une telle distance ?

« Cet homme, continua le chroniqueur imperturbable, ne s'est pas tordu comme le serpent, n'a pas reculé comme le crabe, mais a toujours avancé comme un tigre. Il a aiguisé ses griffes comme un aigle pour les jeter sur son ennemi. Le ciel a résonné de ses cris de guerre. Les ennemis tués par son bras ont rempli des champs entiers. Il est capable de manger du chanvre, d'avaler une épée au lieu du pain et de boire du vin dans le crâne de son ennemi. »

Kostine le remercia pour cette belle description, prit le parchemin et le mit dans sa besace. Le lendemain, les deux hommes se firent leurs adieux et prirent des chemins opposés.

Six mois plus tard

Rien dans l'histoire du village n'avait aussi gravement troublé les gens que l'assassinat de Stratonic. Kira l'avait découvert devant les cabinets; il avait été attaqué en pleine nuit par son agresseur. Pour la première fois, Onou déclencha une enquête afin de calmer les esprits et de rassurer Kira, qui disait craindre pour sa vie.

Par où commencer? Qui interroger en premier? Trouver un suspect dans le village n'était pas facile. Qui parmi les agriculteurs et les éleveurs aurait envié le statut de commerçant de Stratonic? L'argent était une tentation pour ceux qui savaient en faire, mais pas pour ceux qui mesuraient leur fortune au contenu de leur grenier. Le bonheur s'évaluait en sacs de blé, en tinettes de fromage, en moutons dans l'enclos et en tonneaux de vin dans la cave. Le fait que Stratonic avait de l'argent ne lui permettait pas de dormir dans plusieurs lits ou de manger au delà de sa faim. Il avait les mêmes besoins et les mêmes envies que tous les autres, alors pourquoi le tuer?

Qui interroger, donc? Sur qui laisser planer les soupçons?

Cosman, le seul à pouvoir résoudre l'énigme, était parti depuis deux jours avec Kazaban. Kira n'avait rien entendu de suspect: elle était fatiguée et avait le sommeil lourd. Elle ne s'était même pas rendu compte que Stratonic était allé aux toilettes. Il y allait souvent, parce qu'il avait la vessie faible, et elle ne s'en préoccupait pas. Minodora n'était pas en cause, car elle dormait chez elle. Suspecter une femme d'avoir tué son employeur ? Les vêtements en désordre prouvaient que l'homme s'était débattu ; son agresseur ne pouvait donc être qu'un homme.

Onou interrogea le voisin du côté gauche, connu pour l'agressivité de son chien. Il aurait dû être réveillé par ses jappements, mais ce n'avait pas été le cas : le chien avait été empoisonné par un morceau de viande. Le voisin de droite non plus n'avait rien entendu. Cela aurait été difficile, d'ailleurs, car ce n'était qu'un vieux, sourd des deux oreilles.

On questionna les gens sur tous les voyageurs de passage, incluant celui qui leur avait apporté des nouvelles de Kostine. Le fait que cela datait d'un mois n'excluait pas qu'il puisse être le coupable, mais où le trouver pour l'interroger ? Il fallait attendre patiemment son retour, et s'il ne revenait pas, ce serait peut-être le signe que c'était vraiment lui le coupable.

Onou s'intéressa à tous les passants occasionnels, mais personne ne se souvenait ni de leur visage, ni de leur nom, ni du mobile de leur visite. Pourquoi pécher par des soupçons sans fondement réel ? Quel était le lien de ces gens avec Stratonic, qui n'était ni bavard ni accueillant ? Seule la réputation de Kira avait donné un peu d'éclat à sa vie terne et à ses chemises, autrefois déchirées et mal rapiécées. Stratonic n'avait jamais été quelqu'un de remarquable ni susceptible de susciter la colère ou l'envie. Sa richesse ne l'avait pas rendu plus séduisant, d'autant qu'il n'en avait pas le mérite.

Onou décida de mettre un terme à son enquête. Dans ce village, les gens préféraient oublier vite leurs craintes. Ils n'avaient pas l'habitude de s'interroger ou de s'inquiéter pour autre chose que pour les récoltes et les maladies des animaux. Ils avaient besoin d'être tranquilles pour être heureux.

Lors de l'enterrement de Stratonic, les gens se montrèrent extrêmement compatissants envers Kira. Ils voulaient tous l'assurer de leur sympathie et de leur soutien. Tout ce dont elle avait besoin, elle pouvait le leur demander. Ils n'étaient pas tristes de la mort de Stratonic, mais effrayés que Kira parte, elle aussi, comme toutes les autres femmes enlevées un soir d'automne.

La commerçante aurait pu commander un enterrement de roi pour son mari, mais la décence lui dicta de rester mesurée. Elle considéra qu'un étalage de sa fortune devait être évité justement dans un tel moment, alors que les gens réalisent qu'un pauvre et un riche aboutissent tous dans le même trou. Stratonic eut droit à un cercueil modeste, revêtu d'une simple cotonnade : le repas aussi fut modeste, et les dons furent élégants mais simples. Minodora dut prendre en charge le gros du travail, car sa patronne semblait anéantie par une fatigue cosmique. Elle, leur croque-mort à tous, avait perdu son habituelle énergie. Elle n'exprimait pas une souffrance déchirante, mais plutôt la tristesse de quelqu'un qui vient d'apprendre une mauvaise nouvelle. Veuve, elle ne souhaitait que s'asseoir et regarder, absente, les gens qui défilaient dans sa cour.

Flora était à ses côtés pour lui presser les tempes, lui masser les poignets avec du vinaigre et lui frotter les bras, pour faire remonter le sang et réduire la nausée. Ses incantations tranquillisantes avaient tari les larmes de Kira, qui n'excellait pas en lamentations. Il y avait des femmes, au village, qui savaient rendre déchirante même la mort d'un mouton, alors que Kira ne trouvait pas de mots pour pleurer la disparition de son mari. Les gens attribuaient cette indifférence aux pouvoirs de Flora.

Après la mort de leur mari, les veuves devaient s'habiller de noir, mais le noir de Flora rappelait la mort elle-même. Son corps, redevenu énorme, vêtu d'une jupe ample, d'une chemise aux manches bouffantes et d'un fichu lui pendant jusqu'aux reins, la rendait terrible à voir. Ainsi vêtue, elle était devenue le messager de la mort, et les gens hésitaient avant de la faire venir régler leurs conflits. Quelque chose dans son attitude augmentait leur méfiance quant à la justesse de son arbitrage. Les charmes de Flora, la femme aux yeux bleus et aux paroles sages, étaient devenus de funestes sorts. Les gens craignaient son approche, ses conseils, sa présence. Depuis qu'elle avait rouvert son atelier, Flora ne se rendait même pas compte de cette antipathie grandissante. Elle avait repris ses anciennes fonctions de sorcière guérisseuse, mais qui avait le courage de s'y fier? Plus personne n'osait pénétrer dans la cour qui avait logé un homme rongé par la peste, gardée par un chien noir comme les gardiens de l'Enfer. On ne savait pas pour qui elle préparait ses remèdes, pour qui elle tenait au chaud les marmites et la baignoire destinée aux massages. Certaines rumeurs disaient qu'elle était devenue une stryge, une habituée des sabbats lors desquels le cœur des mortels était remplacé par de la paille. Consultée à cet égard, une sorcière du village voisin leur conseilla de renifler ses vêtements. Si elle sentait le laurier, l'absinthe et le fenouil, c'est qu'elle s'en enduisait le corps pour gagner le pouvoir ténébreux de la nuit. Ils n'avaient qu'à l'épier en cachette pour voir si sa peau se couvrait de plumes et si ses ongles devenaient des griffes. Elle avertit les femmes que lorsque leur mari dormait la tête sur leur sein, Flora pouvait se mettre à leur place, ce qui rendrait le mari infidèle. On chuchotait qu'elle devenait cannibale la nuit, dévorant surtout les enfants. Chevauchant un loup, elle se glissait dans toutes les chaumières à la recherche de nouveau-nés pour les manger avant le baptême, ce pourquoi tous les berceaux des bébés étaient dorénavant protégés avec le couvercle de la marmite, pour qu'elle s'y casse les dents.

Pendant que les femmes débattaient de plus belle des virées nocturnes de Flora, le village fut encore une fois secoué. Cosman, parti en compagnie de Kazaban en voyage d'affaires, fut porté disparu. Trois semaines après l'enterrement de Stratonic, le marchand revint pour leur dire que son associé avait disparu, une nuit, sans dire mot et sans laisser de trace. Quoique mauvaise, cette nouvelle rasséréna les gens, contents de connaître le mobile du méfait. Ils ne se réjouissaient pas de la disparition de Cosman, mais du fait qu'à présent ils pouvaient mettre un terme à leurs interrogations. Cosman et Stratonic avaient sans doute été tués par la même main : c'était une récidive causée par l'envie, pure et simple. Et le fait qu'ils connaissaient le mobile du crime rendait inutile la découverte du criminel lui-même. Tout un chacun se demanda si sa fortune pouvait lui porter malheur un jour, si quiconque pouvait l'envier pour ses moutons ou même uniquement pour sa bonne humeur. Ils se mirent à douter de leurs amis et à se méfier de tout étranger de passage.

Dans ce climat de suspicion générale, les villageois s'étonnaient du calme de Minodora qui avait entièrement repris le commerce de Kira. La couturière, convertie en teinturière, puis en croque-mort, avait finalement épuisé ses ressources. Sans devenir nécessairement une ermite, elle vivait la vie paisible de n'importe quelle femme du village, préoccupée uniquement de l'intérieur de sa maison et des légumes de sa cour. Pour être heureux, on n'avait pas besoin de tout le remue-ménage nécessaire pour se procurer de l'argent et le garder. Kira puisait elle-même l'eau, ce qui ne lui était presque jamais arrivé auparavant, elle cuisinait de petites choses pour elle et Minodora, qui se considérait encore comme son employée, elle sarclait les légumes et arrosait les fleurs. Le reste de la journée, elle lézardait au soleil, sur le banc, à l'ombre d'un pommier aux fruits rares. Minodora la cherchait le matin et le soir, pour lui rendre les comptes. À midi, Kira portait leur repas dans la boutique, et elles mangeaient sur le comptoir recouvert d'une nappe. Parfois Flora se joignait à elles, le seul endroit où sa présence n'éveillait pas de pressentiments funestes.

Minodora refusa de faire des funérailles à un disparu. Elle disait que tant que Cosman ne laisserait pas derrière lui au moins une paire de bottes, il ne pourrait pas être mis en terre et laisser aux autres la conscience tranquille. L'homme pouvait vivre dans une autre maison, dormir dans un autre lit, faire l'amour avec une autre femme. Si c'était le cas, pourquoi mettre une croix sur une tombe? Il était enterré dans le cœur de son épouse pour sa trahison, mais les gens ne devaient pas être appelés à un spectacle de mauvaise qualité.

Un mois après la disparation de Cosman, Minodora proposa à Kira de liquider les articles funéraires et de se concentrer uniquement sur les noces. Kira accepta, car elle n'avait aucunement l'intention de s'impliquer : il était sous-entendu que Minodora avait la tâche de liquider le stock. Celle-ci demanda aux quelques vieux couples démunis de venir choisir un cercueil et de le déposer dans leur grenier, si cela leur convenait. S'ils espéraient vivre éternellement, qu'ils l'utilisent en guise de coffre pour leur blé ou qu'ils le jettent au feu. Les mêmes vieux reçurent en cadeau les mouchoirs et les serviettes brodés.

Quelques mois plus tard, Minodora et Kira décidèrent de quitter le village. Avant de partir, Minodora voulut réduire l'inventaire à quelques accessoires et à une seule robe, celle des noces idéales. Elle choisit la plus belle des robes, l'entoura des plus exquis colifichets et la plaça dans l'entrée pour que les gens la voient dès le seuil. Les deux femmes laissaient derrière elles ce legs de bonheur à la femme d'entre les femmes, celle dont la vie serait bâtie sur l'amour et la confiance voués à son mari. L'homme de sa vie aurait traversé le monde pour elle, fait la guerre, fréquenté la racaille dangereuse des villes et des villages, songé à des choses étranges, craint les barbares et accompagné les chevaliers. Malgré toutes ses épreuves, cet homme n'aurait jamais fléchi, jamais abandonné l'idée de retrouver un jour la femme de ses rêves.

Ce fut le dernier exploit de Minodora, avant qu'elle annonce son départ du village. La liquidation de sa maison lui prit moins de temps que l'arrangement de la boutique. Elle donna tout, même les collets des lapins, oubliés au fond du grenier. Les seules choses qu'elle emportait étaient quelques babioles datant du dernier voyage de Cosman. Le reste fut cédé à la famille de son mari. Elle partit en laissant la porte grande ouverte.

Kira annonça qu'elle allait l'accompagner. Elle liquida ses biens aussi vite, mais sa charrette était bondée des restes de ses trois carrières : de couturière, de teinturière et de croque-mort. Il y avait des coussins à aiguilles et des boîtes à papillotes sauvés du déluge, des fioles de pigments, hermétiquement fermées par des bouchons cirés, des mouchoirs cousus par elle-même et destinés, peut-être, à son propre enterrement. Sa vaisselle, dotée de tasses émaillées et de couverts en métal, se retrouva aussi dans la charrette. Les meubles, cependant, furent abandonnés dans une pièce. Elle ne les donna à personne, et les gens ne lui en tinrent pas rigueur. Ce geste alimentait leurs espoirs qu'un jour elle reviendrait reprendre sa boutique et son atelier.

Flora se joignit à elles après avoir tout brûlé. Que les charmes et la peau de bébé vampire s'envolent en fumée ! L'héritage de La Nicoula ne pouvait être donné à personne, et elle ne voulait rien apporter. Depuis la mort de Teotin, elle n'était plus entrée dans l'ancienne maison, qui fut brûlée, elle aussi. Minodora lui fit une place dans sa charrette vide.

Un jour d'automne, les trois femmes quittèrent le village, accompagnées par Onou jusqu'à la frontière.

❖

Kostine se réveilla en sursaut. À côté de son lit, il y avait ses deux parents, entourés d'un tas d'inconnus. Ce qui l'étonna fut que tout le monde était accoutré d'habits qui n'avaient rien à voir avec ceux des gens du village. En plus des robes à manches bouffantes, recouvertes de longs manteaux bordés de zibeline, ses père et mère portaient des couronnes ornées de pierres précieuses. Tous semblaient rassurés par son réveil. Sa mère se pencha pour lui caresser le front, et son père fit signe aux autres de se disperser.

Ils s'assirent ensuite des deux côtés du lit :

— Tu nous as vraiment effrayés, dit le père. Pas besoin d'agir ainsi si tu tiens si fortement à l'objet que tu convoites. Nous avons décidé de te laisser partir quand tu voudras.

Kostine oublia sur-le-champ son étonnement et demanda à son père :

— Mais qu'est-ce que je cherche, au fait ?

— Oh, mon fils, dit la mère, si on le savait au moins ! On est assez éprouvés comme ça, pas besoin de te moquer de nous, en plus. Si quelqu'un avait vu la chose dont tu parles ! Mais si cela est si important pour toi, alors qu'il en soit ainsi.

La cour fut donc informée que Kostine, le fils de l'empereur, partirait à la découverte de ce que son rêve lui avait imposé, *Jeunesse sans vieillesse et vie sans mort*. Sans lui, il ne pouvait et ne voulait pas vivre. Le palais dut obéir à ses ordres et lui accorder ce dont il avait besoin pour ce voyage, qu'on supposait plein de dangers.

Kostine répondit, de sa chaise placée à côté du trône, qu'il avait besoin de la vieille armure de son père et d'un cheval. Les dignitaires furent soulagés d'apprendre ce choix, et les jeunes chevaliers contents de ne pas avoir à accompagner le prince fou à travers le vaste monde.

Le père envoya des serviteurs chercher dans le grenier l'ancienne malle où ses armes rouillaient depuis l'époque où il s'était porté à la défense des dames enfermées dans les tours et où il avait fait la chasse aux dragons qui brûlaient les champs des paysans. Les écuyers passèrent ensuite des heures à les astiquer et à leur redonner tout leur lustre.

Le soir même, Kostine demanda la permission de choisir lui-même le cheval capable de l'assister dans son entreprise. À l'intérieur de l'étable, toutefois, les animaux se dérobaient à son toucher, comme s'ils connaissaient l'incongruité de la tâche à accomplir. Dès qu'il les approchait, ils couraient, effrayés, dans tous les sens. Seul un canasson famélique se laissa tâter, secouant de plaisir sa vieille carcasse. En outre, il sut lui adresser la parole :

— Quel bonheur, messire Kostine ! Cela fait si long-temps que je vous attends pour que nous nous mettions en route à la recherche de *Jeunesse sans vieillesse et vie sans mort*.

Le lendemain, tout le monde assista au travail du jeune prince, nourrissant et nettoyant la misérable créature. D'abord, il lui présenta un plateau de tisons brûlants, que l'animal avala d'un coup. Ensuite, ce fut une marmite de blé bouilli qu'il mangea aussi goulûment. À la fin, Kostine le submergea tout entier dans une baignoire remplie du lait tiré de cent juments. Le canasson passa beaucoup de temps dans le liquide tiède, hennissant de plaisir. Quand il sortit, les gens virent un magnifique cheval blanc, beau et fort comme une licorne, secouant de coups de reins son ancienne peau. Il balança sa crinière au vent, fit deux tours et s'arrêta aux pieds de Kostine pour lui parler :

— Maître, nous voilà prêts pour notre grand voyage.

La cour retint difficilement ses larmes en voyant l'héri-tier abandonner ses vieux parents. Mais rien ne pouvait faire fléchir le jeune homme, qui fit vite ses adieux, monta sur son cheval et s'en alla au galop.

Une fois le château disparu à l'horizon, le cheval monta au ciel et se mit à avaler l'espace. Kostine était en transe à la vue des châteaux, des champs et des forêts qui défilaient sous ses pieds à la vitesse du vent. Des jours et des nuits, ils ne sentirent ni faim ni froid : ils ne ressentirent nul besoin de s'arrêter, pressés d'atteindre au plus vite leur but. À un certain moment, Kostine fut réveillé par les paroles du cheval :

— Maître, prépare-toi, car bientôt nous allons pénétrer le domaine de la Méchante Couturière, une affreuse créature qui tourne la roue d'une gigantesque machine à coudre. Tous les voyageurs qui arrivent ici se font coudre la peau par le terrible instrument. La seule chose à faire pour échapper à ce supplice est d'en casser l'aiguille.

Kostine n'eut pas le temps de réfléchir à ses paroles qu'il entendait déjà le cliquetis de la machine et voyait la Méchante Couturière s'envoler dans le ciel pour l'attraper. Bizarrement, il crut vaguement reconnaître Kira. À sa gauche, il aperçut Zaza, l'une des quatre laideronnes dont personne n'avait voulu au moment de leur enlèvement. Mais quand et comment ces choses s'étaient passées, il ne se le rappelait guère. Sans plus perdre de temps en réflexions stériles, il fondit sur la machine et brisa l'aiguille maléfique d'un coup de sabre.

Les deux femmes poussèrent un cri d'épouvante et tombèrent par terre, leurs forces annihilées. Elles supplièrent Kostine d'épargner leur vie, en échange d'un bouton en or ayant le don de soulager les maux de tête et les ulcères aux pieds. Kostine n'avait aucune intention de faire de mal aux deux femmes, redevenues de pauvres tailleuses gagnant leur pain à la sueur de leur front. Son cheval lui conseilla l'indulgence, surtout qu'il se vit récompensé de quelques beaux clous fixés à son harnachement.

Cheval et chevalier déclinèrent, toutefois, l'offre de rester et de passer la nuit dans leur maison. Ils reprirent leur vol infatigable au-dessus des forêts de plus en plus épaisses. Et encore une fois, le cheval parla :

— Maître, l'épreuve qui suit est plus dure encore, car personne ne se tire vivant de la rencontre avec la Méchante Cuisinière, qui a la réputation de bouillir tout passant dans son chaudron. Pour nous sauver la peau, tu n'as qu'à jeter un grain de sel dans la marmite pour que l'eau gèle comme la glace.

Pris au dépourvu, il n'eut pas le temps de répliquer, car la grosse marmite apparaissait déjà à l'horizon. Autour du feu, trois femmes attisaient le charbon à l'aide d'arbres entiers, coupés avec leurs feuilles et leurs fruits. Étonnamment, il crut reconnaître Nafina, à côté de laquelle se tenaient Vergina et Vava. Sans crier gare, elles abandonnèrent leur tâche pour se lancer à sa poursuite. Aidé par son cheval, Kostine esquiva leurs coups et descendit à terre pour jeter dans le liquide bouillonnant un grain du sel qu'il gardait bien au sec. Les borborygmes de la soupe vaseuse cessèrent instantanément, et la marmite se couvrit d'une fine couche de glace. Devant ce miracle, les femmes commencèrent à se lamenter et à demander pitié. Elles disaient même que les gens qui comptaient sur leur soupe allaient mourir, affamés et déçus. Kostine ne sut pas comment réagir, et il s'enfuit lâchement pour échapper aux reproches des plaignantes.

Leur cavalcade continua à la lumière des étoiles. La pleine lune brillait comme une lampe magique, dirigeant leurs pas à travers les nuages, aussi mous que des écheveaux de laine et aussi légers que des plumes. Kostine et son cheval semblaient apprécier leur tendre caresse, mais ces mots vinrent briser la magie :

— Maître, prépare-toi pour une autre épreuve, car on va bientôt affronter la Vendeuse de cercueils et de robes de mariage, qui a l'habitude d'enterrer vivants les passants. Quoi qu'elle te promette, ne l'écoute pas et, surtout, ne touche pas le voile qu'elle tentera de te vendre pour ta fiancée.

Le ciel s'éclaircit pour laisser paraître, à travers les nuages, l'énorme boutique surmontée de l'enseigne *Mariages et Enterrements*. Sur le seuil de la porte, Kostine reconnut Minodora, qui s'affairait à lui montrer ses robes placées sur des mannequins si bien faits qu'ils avaient l'air d'être vivants. Dans ces figures en bois, il crut même reconnaître Pantana et Olimpia, devenues de véritables beautés. Comment ces laiderons avaient-elles changé à ce point? Le cheval le secoua pour le tirer du charme. Dès que Minodora lui tendit le voile, l'invitant à le toucher et à admirer sa finesse, Kostine le déchira d'un coup de sabre. Les deux mannequins commencèrent à pousser des cris, comme si on leur avait poignardé le ventre. Minodora tomba à genoux pour demander à Kostine d'épargner leur boutique et de les laisser vivre honnêtement de leur commerce. À quoi bon un tel dégât? lui demandaient-elles, en larmes. Le cheval ricana avec mépris, car il ne croyait pas aux commerçants, honnêtes, mais Kostine, moins savant en ce domaine, décida de les épargner. Elles le remercièrent en lui offrant une broche ornée de diamants destinée à sa fiancée, le jour de son mariage. Le cheval, malgré ses yeux irrités par la poussière et le vent fort, admira lui aussi le bijou, un papillon dont les ailes étaient formées de deux grosses pierres taillées.

La prochaine étape de leur voyage ne fut pas longue. Le cheval parla de nouveau au moment où ils parcouraient les pentes d'une montagne aux cimes couvertes de glaciers. Il dit à Kostine que le danger était plus grand encore, puisqu'ils allaient bientôt affronter deux bergères ayant l'habitude de lancer leurs chiens contre les voyageurs égarés. Les deux faiseuses de fromage gardaient jalousement leurs moutons à la laine d'or. La seule chance d'échapper à leurs chiens était de leur jeter les restes du poulet de leur dernier repas. Les bêtes allaient à coup sûr se ruer dessus car, au sommet de la montagne, elles étaient nourries uniquement du lait et de la viande des moutons. Or tout le monde sait combien on se lasse des denrées consommées à longueur d'année.

Kostine aurait tellement voulu regarder les moutons à la laine d'or, mais les deux bergères, le fouet à la main, ameutaient déjà leurs chiens enragés. Kostine eut à peine le temps de fouiller dans son sac et de sortir le poulet de son dernier repas. Les chiens se jetèrent sur les restes et, dès qu'ils avalèrent les dernières miettes, ils se blottirent à terre pour être flattés. Les deux femmes — était-ce une hallucination ou étaient-ce Efstratia et Théodora? — commencèrent à implorer son pardon. Kostine ne devait pas tuer les chiens, car ils les aidaient à garder les moutons, souvent déchirés par les loups et convoités par les voleurs envieux de leur laine dorée. Mieux valait qu'il accepte leur cadeau, une meule de fromage qui ne finirait jamais: qu'il en mange tous les jours et à chaque repas, le morceau resterait intact et le fromage, frais. Le cheval conseilla la sagesse à son maître, car le fromage, quoi qu'on dise, n'était pas une denrée à dédaigner, ni par les humains ni par les souris, bien qu'il n'en vît jamais une s'en goinfrer. Kostine prit la meule et, après avoir bu un broc de lait caillé, continua son chemin.

Ils survolèrent des plaines brûlées par la sécheresse, franchirent des fleuves comme s'ils étaient des sources insignifiantes et s'arrêtèrent au bord de l'eau pour nettoyer leurs vêtements et se baigner. Quelle fraîcheur, quel plaisir! Mais les paroles du cheval vinrent de nouveau assombrir le bonheur de Kostine.

— Maître, dit le maudit cheval qui ne cessait de voir des dangers partout, prépare-toi, car on va affronter la Sorcière, qui n'attend que l'arrivée d'un pauvre voyageur pour lui arracher les dents et les utiliser pour ses charmes. Dès que tu l'apercevras, tu sauras qu'elle est malfaisante, quoiqu'elle ressemble à un honnête médecin, vêtue d'un tablier blanc et coiffée d'un bonnet. Ne lui fais pas confiance, car si elle t'attire dans sa boutique, tu t'endormiras et elle t'arrachera toutes les dents. Si elle s'offre de soigner ton mal de dents, tu n'as qu'à lui cracher au visage. Tu n'as pas mal aux dents, n'est-ce pas ?

Kostine tâta ses gencives, mais il n'eut pas le temps de répondre, car la boutique de la Sorcière apparut aussitôt. Était-ce Flora qui lui souriait si gentiment ?

— Pauvre voyageur, lui dit-elle, je vois que tes dents te font enrager. Viens donc te faire soigner. Je peux même échanger ta dentition contre une nouvelle en or, pour un prix de rien du tout.

Deux autres femmes sortirent de la boutique, munies d'immenses pinces. Kostine crut reconnaître Rada et sa petite sœur Zabela, converties, elles aussi, en arracheuses de dents.

Le cheval secoua son maître qui sentit un terrible mal de dents lui remuer brutalement la cervelle. Kostine se souvint à temps de l'avertissement et cracha à la figure de la sorcière, quoique l'effort pour former le flegme lui fît très mal aux deux dernières molaires. Le crachat, apparemment, la blessa si gravement qu'elle commença à crier comme si elle avait été brûlée par une giclée d'acide. Les deux autres accoururent à son secours, admonestant le voyageur malpoli. Un tel chevalier, équipé d'une telle monture, qui crache comme un charretier ! Quelle éducation !

Kostine eut vraiment honte de son geste et se promit de ne plus prendre au pied de la lettre les conseils du cheval. Cracher au visage d'une femme, c'était du jamais vu.

Une fois en l'air, il oublia ses soucis et prit encore une fois du plaisir à regarder le monde d'en haut et à se mêler aux oiseaux qui répondaient à ses caresses par un pépiement ami-cal. Le cheval n'approuvait pas cette intimité, car les volées lui bloquaient la vue et, parfois, il s'étouffait avec les plumes échappées de leur queue. Il les maudissait d'avoir choisi ce moment pour débuter leur migration. Mais il n'oublia pas sa mission de protéger son maître, coûte que coûte. Il lui parla de nouveau :

— Maître, fais attention, car tu vas rencontrer la Cla-queuse, celle qui frappe des deux côtés du visage des pas-sants. Quelle humiliation que de se faire frapper par une étrangère qui s'attaque aux voyageurs sans aucune raison ! Le seul remède est de lui répondre aussi rudement que possible et de lui cracher, elle aussi, à la figure. La honte va la figer sur place, car les femmes supportent mal l'humiliation sur la place publique.

Pour la première fois, Kostine riposta : plus jamais il ne cracherait à la figure d'une femme ! Qu'il trouve un autre remède, qu'il lui demande de lutter, d'ensanglanter la terre, mais jamais de cracher. C'était indécent ! Le cheval prit son temps pour chercher dans son réservoir de sagesse d'où il tira quelque chose de plus ignoble encore.

— Il me semble que l'autre solution te plaira encore moins, car si tu refuses de lui cracher à la figure, tu devras lui montrer tes fesses.

Kostine eut un hoquet, non pas à cause du propos du cheval mais de la Grande Claqueuse qui jaillit brusquement sur son chemin, en compagnie de ses deux aides-claqueuses. Quelle drôle d'équipe, surtout qu'il reconnaissait vaguement Aspasia, Gostana et Sarda. Comment ces harpies avaient-elles semé la terreur dans le monde avec la seule force de leurs paumes ? Les trois femmes, restées petites derrière leurs mains qui se dilataient jusqu'à couvrir son champ visuel, se rapprochaient dangereusement. Le chevalier resta pétrifié, tout comme son cheval. Devant le danger imminent, Kostine eut l'instinct de sauver sa peau et baissa vite son pantalon. Les trois furies retrouvèrent tout de suite leur forme humaine, et leurs paumes reprirent leur dimension normale. Les joues en feu, elles coururent se cacher, saisies de honte.

Le cheval remercia le maître pour sa bravoure qui les avait tirés, encore une fois, du pétrin. En prime, il lui annonça la bonne nouvelle : ils étaient arrivés à la dernière épreuve. Ils se trouvaient à la frontière du pays de la *Jeunesse sans vieillesse et vie sans mort*. L'heure de leur arrivée était bonne, car c'était le moment où la maîtresse nourrissait les bêtes sauvages qui peuplaient les forêts. Ils n'avaient qu'à voler doucement par-dessus les arbres et à atterrir dans la clairière où les bêtes étaient alimentées. S'il touchait une seule branche, cependant, les fauves, les oiseaux, les loups, les ours, les serpents allaient oublier leur repas et se mettre à leur poursuite.

Kostine fit de son mieux pour ne pas toucher à la cime des arbres, mais la honte d'avoir laissé des étrangères voir ses fesses le tourmentait encore. Par mégarde, il relâcha les étriers, comme pour chasser un mauvais rêve. Le moment d'après, la forêt commença à remuer, et des hurlements jaillirent de partout. Par-dessus les arbres voltigeaient maintenant des animaux inconnus, horribles à voir et à sentir. Ils évoquaient le fromage moisi, les cadavres décomposés, le poisson pourri. Le cheval eut une autre magnifique idée.

— Maître, on a quand même ramassé quelques dons sur notre chemin pour nos bonnes actions. Essaie de les calmer avec le bouton de la couturière.

Kostine jeta le bouton qui glissa comme un brin de poussière parmi les corps frissonnants de deux serpents. Un oiseau, qui volait lâchement derrière les reptiles, l'avala d'une gorgée.

Le cheval lui conseilla de jeter aussi la broche, mais Kostine lui dit que c'était à son tour de renoncer aux clous qui paraient son harnachement. Pourquoi était-ce toujours à lui d'accomplir les sales boulots et, en plus, de se débarrasser de toutes ses récompenses? Le cheval n'eut pas le choix : avec ses dents, il arracha les clous et les projeta dans la masse informe de crocs, de griffes et de queues. Le même oiseau perfide les avala goulûment, sans que les autres ne se rendent compte de son manège. Ils étaient de plus en plus dans le pétrin. Le cheval lui dit de jeter la broche de diamants, ce que Kostine refusa carrément. Jeter des diamants aux cochons? Jamais de la vie. Et le cheval eut la dernière illumination ; le fromage, le fromage! Les bonnes bergères avaient eu beau promettre un fromage miraculeux qui reste à jamais bon à manger, le morceau ne cessait, depuis, d'empester leurs bagages au point de leur faire honte. S'il y avait eu d'autres voyageurs à travers les cieux, ils les auraient sûrement évités. Mais voilà que le fromage s'avéra finalement utile : une fois le pestilentiel morceau jeté dans la foule, les animaux se ruèrent dessus pour se l'arracher. Ils profitèrent du répit pour atterrir dans la clairière, où une jeune femme se demandait ce qui se passait au delà des nuages. Elle regardait en haut, essayant de protéger ses yeux de la lumière du soleil.

Kostine reconnut Sabina tout de suite, mais elle ne sembla pas se souvenir de lui. Elle lui souhaita la bienvenue et s'étonna qu'il ait échappé sain et sauf aux crocs des bêtes. Ensuite, elle l'invita à rencontrer son père.

Le vieux se trouvait sur le seuil d'une petite maison, regardant avec inquiétude la forêt, d'où fusaient encore les hurlements des animaux enragés. Lui aussi était surpris par ces cris qui annonçaient le désastre ; il craignait qu'un étranger se soit aventuré dans la forêt et qu'il ait été déchiré par les bêtes, comme tant d'autres.

Père et fille invitèrent Kostine à s'installer chez eux, car c'était bel et bien le but de son voyage, le pays de *Jeunesse sans vieillesse et vie sans mort*. La maison avait l'air petite, de l'extérieur, mais l'intérieur s'avéra vaste et confortable, comme un vrai château. Ils lui montrèrent plusieurs chambres où il pourrait s'installer et vivre heureux jusqu'à la fin des temps, car ici le soleil ne se couchait jamais et les maladies s'arrêtaient à l'orée de la forêt. Il pouvait faire ce que bon lui semblait, et même aller à l'école où le père enseignait la lecture aux souris. Une seule interdiction s'imposait, toutefois, celle de ne pas se rendre dans un endroit connu sous le nom de *La vallée des avalés*.

Kostine vécut quelques mois dans la compagnie paisible du père et de la fille, qui le laissaient faire ce que bon lui semblait à longueur de journée. Il avait renoncé, au grand regret du maître, à suivre des cours de lecture, pour s'adonner à la chasse et à la pêche. Le père, enseignant expérimenté, se convainquit que le nouvel apprenti n'était pas curieux outre mesure, et cessa de réitérer ses avertissements concernant *La vallée des avalés*. Kostine ne tenta jamais de manière consciente de transgresser cette interdiction. Un jour, toutefois, alors qu'il était à la poursuite d'un lièvre plus espiègle que les autres, il traversa la frontière de ce lieu. Ce ne fut qu'au retour qu'il éprouva une immense tristesse, et le souvenir de ses parents l'envahit douloureusement. La jeune femme n'eut pas de difficulté à comprendre ce qui lui était arrivé, et elle le dit au père. Pendant deux jours, personne ne put arrêter les larmes de Kostine qui leur demandait, à genoux, la permission de retourner chez lui chercher ses parents et de les amener au pays de *Jeunesse sans vieillesse et vie sans mort*. À quoi bon vivre éternellement si ses parents ne pouvaient en bénéficier eux aussi? Seuls nos géniteurs se réjouissent sincèrement de nos réussites, alors pourquoi ne pas leur en faire part?

Le père et la fille n'eurent d'autre choix que de le laisser partir. Le cheval fut le plus difficile à convaincre, car il ne voulait plus quitter les verts pâturages et l'eau fraîche des rivières. Traverser encore une fois des épreuves humiliantes dans le seul but d'assouvir la nostalgie des origines? La seule chose qui le convainquit fut que Kostine lui promit de ne pas le retenir à partir du moment où il toucherait la frontière du pays natal. Il n'avait qu'à repartir; ses parents et lui trouveraient un autre moyen de retourner au pays de *Jeunesse sans vieillesse et vie sans mort*.

Le lendemain, homme et cheval firent leurs adieux et se mirent en route. Ils volèrent et volèrent, mais rien de ce qu'ils avaient laissé derrière eux n'était plus pareil. Les forêts étaient rares, les champs, sillonnés par des monstres en ferraille grinçante, les rivières, enjambées par des ponts accrochés par des cordes, les habitations, agglomérées au point que les gens avaient du mal à respirer. La fumée montait en volutes épaisses de cheminées aussi grosses que les tours des châteaux. Les gens circulaient à l'intérieur de serpents en fer et volaient dans le ventre d'oiseaux magiques.

Ils descendirent passer l'épreuve des claques à l'endroit où, auparavant, Kostine avait dû dévoiler ses fesses. Il aurait subi la même honte, rien qu'en revoyant les trois femmes se moquant ensemble de ses déboires d'antan. Mais dès qu'il posa la question à quelques personnes, celles-ci commencèrent à rire, car elles n'avaient jamais entendu parler de telles femmes. Le cheval lui dit de ne pas se faire humilier en racontant son histoire, et ils continuèrent leur chemin, de plus en plus étonnés.

La prochaine halte, le cabinet de la Sorcière, était maintenant une longue chaîne de hauts bâtiments blancs à plusieurs fenêtres, avec une multitude de gens qui couraient ici et là. Kostine eut beaucoup de mal à trouver quelqu'un disposé à l'écouter, car on le prenait pour un fou. Ils étaient d'accord qu'auparavant l'arrachement des dents était un véritable carnage, mais ils doutaient sérieusement que ce métier fût jamais pratiqué par des femmes.

Ils arrivèrent ensuite à la montagne où il avait amadoué deux gros chiens avec des restes de poulet, mais les lieux n'étaient traversés que par des jeunes bizarrement habillés, qui descendaient les pentes chaussés de longues lattes de bois. Kostine n'osa pas leur demander ce qui était arrivé aux deux bergères, surtout qu'ils parlaient la langue du chevalier Kross. Avec des gens comme eux, mieux valait ne pas se rendre ridicule. Mais dès qu'il arriva sur les lieux où, autrefois, la Vendeuse de la boutique *Mariages et Enterrements* l'avait tenté avec la délicatesse d'un voile, il posa la question au vendeur qui paressait sur le seuil. Il ne savait rien des archives de la boutique, mais la réalité était que son commerce existait depuis des siècles, ce que les gens, malheureusement, ne savaient pas apprécier. Ses ancêtres l'avaient acheté aux héritiers des premiers commerçants de cercueils. Le vendeur eut l'impertinence de lui montrer les derniers modèles. Kostine s'étonna qu'on lui propose un cercueil alors qu'il était encore jeune, malgré la fatigue de ses genoux et le mal de dos qui l'ennuyait depuis quelques jours. Son corps était faible, mais c'était sans doute à cause du long voyage sur la selle. Le vendeur ne fit pas attention à ses remarques et lui conseilla de réfléchir. Kostine préféra ne pas se disputer avec lui, car il avait encore un bon bout de chemin à faire. Peut-être que le domaine de la Cuisinière et de la Couturière était encore intact. Il y fut tout aussi déçu. Les lieux étaient méconnaissables. Des bâtiments biscornus se hérissaient partout, les chemins étaient couverts d'une couche dure qui empêchait la poussière de se soulever. Mais ce qui l'embêtait le plus était qu'en entendant ses questions, les gens se moquaient de lui et le traitaient de fou. Un jour, à travers le mur transparent d'un commerce, il contempla un visage affreux, ridé, avec de longs cheveux blancs et une barbe lui touchant la ceinture. Il fuit cette apparition cauchemardesque, surtout que le cheval ne put lui donner aucune explication. Celui-ci avait même arrêté de lui parler depuis quelque temps. Il dut accepter d'avoir vieilli, par malheur, mais cela ne pouvait qu'être temporaire. Quand il aurait retrouvé ses parents, il ferait vite le chemin du retour pour rejoindre Sabina et le pays de ses rêves.

Un jour, il arriva finalement dans son pays natal, qui restait un lieu familier à ses sens malgré les changements visibles à chaque pas. Le château de ses parents était une ruine couverte de broussailles. Leurs chambres, la tour, les salles de bal, les cuisines, tout n'était qu'un amas de briques troué par des galeries de souris et de serpents venimeux. Seule une porte avait encore l'air solide. Mais lorsqu'il voulut l'ouvrir, le cheval retrouva la parole et fit ses adieux sans crier gare. Kostine ne s'inquiéta pas de ce départ précipité et tira la poignée. Il descendit difficilement les marches qui le conduisirent à une grosse malle. Il ouvrit le couvercle au cadenas rouillé, qui lui resta dans les mains dès qu'il le toucha, et laissa sortir une créature bizarre. Elle s'étira comme après un long sommeil, mais dès qu'elle reconnut Kostine, elle oublia sa fatigue et lui dit d'un ton aigre:

— Tu as pris ton temps, bonhomme. Encore un peu et moi aussi j'aurais péri dans l'attente de ton retour.

La créature se leva de toute sa hauteur et, au moment où elle se préparait à lui trancher la gorge avec son énorme faucille, Kostine se réveilla en sursaut.

Il se trouvait étendu sous un arbre. D'après la longueur des ombres, il était midi passé. Exténué par sa marche sous la canicule, il s'était arrêté pour piquer un somme, et voilà que la chaleur lui avait occasionné un cauchemar. Au réveil, il eut brusquement la révélation qu'il n'était pas loin de son village natal. Il reconnaissait l'air pétrifié par la chaleur de l'été, l'odeur douce des herbes mûres et le crissement des insectes cachés dans les prés. Les routes défoncées étaient traversées par deux sillons profonds, creusés par les roues des charrettes. La couche épaisse de poussière était soulevée en trombe par la moindre brise ou par les sabots d'un cheval poussé dans un galop suicidaire par son maître. Les voyageurs à pied étaient rares: ils se déplaçaient lentement, comme s'ils craignaient un ennemi invisible. La sueur sur leurs chemises séchait instantanément, laissant le tissu taché de sel.

Kostine décida de rester à l'ombre de l'arbre, en attente d'une charrette. Deux charretiers avaient déjà refusé de le laisser monter. Ils voulaient épargner les efforts de leurs chevaux, aux gueules écumantes, comme s'ils avaient mangé du savon. Tard dans l'après-midi, un vieil homme accepta de l'emmener avec lui. Il l'installa dans sa voiture brinquebalante, à côté d'une forme recouverte d'une cotonnade fleurie. Kostine y devina la présence d'un être vivant, un malade assurément, car malgré la chaleur et les cahots violents, il ne bougeait pas. Le vieux lui demanda où il allait, et Kostine lui dit le nom de son village. Le vieux n'ajouta rien, mais incita les chevaux à reprendre la route avec un bref sifflement.

Kostine demanda au vieux de lui faire place près de lui, en avant de la charrette. L'idée qu'il côtoyait peut-être un mort le mettait mal à l'aise. Le vieux fut d'accord. Il lui tendit une bouteille d'eau d'une fraîcheur inespérée. Le vieux la préservait jalousement des rayons du soleil sous une épaisse touloupe. Il lui demanda s'il avait faim, mais Kostine déclina poliment son offre.

Ils parcoururent un bon bout de chemin sans rien se dire. Le vieux sommeillait. Les secousses de la charrette ne l'empêchaient pas de s'assoupir de longs moments, avant qu'un cahot plus fort le réveille.

Une légère brise se leva de nulle part pour remuer l'air torride. Le chemin traversait maintenant une région vallonnée, avec des boisés en vue. Les chardons vigoureux de la plaine laissaient place, petit à petit, aux herbes vivaces. Le vieux s'anima soudainement. La sieste accomplie, il se mit à parler de ci et de ça, tout en hélant le cheval de plusieurs appellations. Kostine lui demanda si le cheval avait plus d'un nom, et le vieux lui dit que non mais que, de cette manière, il allait croire qu'il n'était pas seul à tirer la charrette. Kostine trouva cela étrange, mais n'ajouta rien. Le vieux le regarda et commença à rire. Il lui dit qu'il ne fallait pas le prendre au sérieux, les animaux devaient être plus intelligents qu'on ne le croyait.

Vu le caractère jovial du vieux, Kostine baissa la voix pour lui demander ce qu'il transportait à l'arrière. Il lui répondit sans aucun égard pour le passager que c'était une jeune fille, en fait pas si jeune que ça, qui avait perdu la voix à la suite d'un malheureux accident : elle avait marché dans un endroit mauvais. Le voyant déconcerté, le vieux ajouta que lorsqu'on marche dans un mauvais lieu, soit on se réveille avec de terribles maux de tête, soit on perd la voix, soit on est paralysé, ce qui est le pire. Dans son cas à elle, la femme avait tout simplement perdu la voix. Depuis six mois, elle n'adressait la parole à personne. Cela avait été un coup dur pour son père, un vieil homme bon, qui ne méritait pas une telle épreuve. Malgré son désarroi, il avait difficilement accepté de laisser sa fille consulter une sorcière. Un peu toqué, il affirmait que la maladie de sa fille ne pouvait pas être guérie par des marmonnements. Son vieil ami, qui en savait long sur les mauvais lieux, l'avait tout de même convaincu, après avoir beaucoup insisté, de le laisser l'emmener.

Kostine demanda comment les gens pouvaient reconnaître les bons lieux des mauvais pour les éviter. Y avait-il des signes particuliers qui les distinguaient ? Le vieux lui dit que les mauvais lieux étaient ceux où un cheval s'était roulé par terre, où il y avait eu un nuage de poussière, où on avait enterré un vampire, où quelqu'un avait péché en s'adonnant à des gestes honteux. Il y avait aussi les marais, les bords de l'eau, les coudes des chemins. Mais le plus dangereux était de marcher en des lieux où de méchantes fées avaient dansé.

Le vieux s'arrêta pour saluer un autre charretier, qui allait chez la même sorcière pour une jambe cassée. Celui-ci fit un signe de tête vers la fille cachée sous la couverture et le vieux acquiesça tristement. Cela fit croire à Kostine que la malheureuse avait fourré son nez dans une danse de méchantes fées.

De nouveau en route, le vieux reprit ses histoires. Il radota encore quelque temps sur la façon d'éviter les méchantes fées, puis il passa à autre chose. Il dit à Kostine que le mal vient d'abord de ce qui ne nous appartient pas. La maison, par exemple, est un bon endroit, car on y connaît tout. À cause de cela, il est mauvais de la quitter. L'homme doit toujours vivre dans sa maison. Pas besoin d'aller vers l'inconnu. Notre maison nous offre tout ce dont on a besoin, tout comme notre cour et notre jardin, de bons endroits eux aussi. Rien de ce qui est à l'extérieur n'est indispensable. Une maison abandonnée est le pire des lieux à imaginer. Et si on déménage dans une maison étrangère, la malchance sera toujours à nos trousses. Le malheur de ceux qui l'ont abandonnée poursuit les nouveaux habitants. L'homme le plus riche ne peut redonner vie à des ruines, affirma-t-il. Et puis, il y a l'étranger, ajouta le vieux en regardant Kostine dans le blanc des yeux. D'où qu'il vienne, c'est d'un mauvais lieu : quoi qu'il fasse, il restera un indésirable.

Kostine ne savait pas quoi penser. Il craignait qu'à tout moment le vieux se tourne vers lui pour lui dire, comme plus tôt, que ce n'étaient que des sornettes. Mais le vieux continua, imperturbable. Cette fois-ci, il parla de tout autre chose.

— Les gens, disait-il, sauront maîtriser le temps quand ils sauront maîtriser les brefs moments qui le composent, car le temps n'est jamais pareil. Les bonnes actions doivent toujours être accomplies aux bons moments. Les jours, par exemple. Savait-il quels étaient les meilleurs couples de la semaine?

Kostine dit qu'il comptait la semaine un jour après l'autre.

— Erreur, répondit le vieux. Les meilleurs couples sont lundi-jeudi et mercredi-vendredi: le pire, c'est le tandem mardi-samedi.

Le lundi, on commence les choses solides de notre vie, comme la construction d'une maison ou des fiançailles. Le lundi, c'est le jour qui débute la semaine. Tout ce qui doit durer doit donc être commencé ce jour-là.

Jeudi est un jour propre et fort, car il sépare la semaine: tout ce qui a été achevé jusqu'ici peut être continué avec succès.

Mercredi est le jour où les gens sont les plus forts et les plus inspirés. C'est aussi un bon jour pour penser à notre âme, tout comme le vendredi.

Vendredi est presque une fête, un jour propice aux bonnes actions. L'air, le soleil ne sont jamais si beaux et si purs que le vendredi. Les gens sont tranquilles, ils acceptent la critique et sont disposés à s'améliorer. Ce jour est aussi bon que le dimanche.

Mardi est le pire jour de la semaine, si mauvais qu'il provoque l'infertilité des femmes. Tout ce qui commence ce jour finit mal. Les enfants nés un mardi auront la vie difficile.

Samedi est aussi néfaste que mardi pour la naissance d'un enfant : ceux qui naissent ce jour-là sont déjà épuisés, ils manquent d'énergie et, souvent, ils meurent prématurément. Tout cela parce qu'on ne peut pas commencer avec la fin. Le samedi est pour les morts. Heureusement, il est suivi par le dimanche, qui appartient aux fêtes. C'est le jour des noces, un temps sacré, lumineux, un jour de fleurs et de joie.

Kostine se demandait quel jour de la semaine on était, lorsqu'il se rendit compte qu'ils étaient arrivés aux premières maisons d'un village. On entendait déjà les enfants se chamailler. Les rues se peuplaient d'hommes, à pied ou à cheval, et de femmes menant leurs chèvres. Devant leurs portes, des vieux étaient assis par terre pour bavarder et lorgner les étrangers. Quelque chose de familier et d'effrayant à la fois se dégageait de cet endroit. Son cœur enregistrait un léger tremblement au fur et à mesure que la charrette s'avançait lentement, dans les marmonnements du vieux.

— Aussi important, continua-t-il, imperturbable, est de respecter les moments du jour : l'aube, le coucher du soleil, midi et minuit. Le matin, il ne faut jamais jeter les ordures, car alors on les jette au visage du soleil. En revanche, il est bien de se laver le visage à l'eau fraîche juste au moment du lever du jour. Le travail ne doit jamais être commencé l'après-midi et il ne faut jamais se promener la nuit. La nuit, c'est le temps des sorcelleries. Jeter le mauvais œil, maudire un amour infidèle, causer la stérilité des animaux, tout cela est fait dans l'obscurité. Minuit est le moment où les mauvais esprits quittent leurs gîtes souterrains pour hanter la terre, effrayer les humains, voler les âmes. Minuit apporte les maladies. La magie la plus destructrice se pratique avant l'aube, ce moment indécis avant le lever du soleil. Pour rester en santé, il faut se toucher le front avec un bout de métal à la pleine lune et réciter : «La pleine lune est dans les cieux, le mal s'enfuit à qui mieux mieux.»

Kostine ne reconnaissait pas les lieux, mais il était certain d'être déjà passé par ici. Les huttes au toit pointu, les clôtures délabrées, les fossés pleins d'herbe, tout comme dans son village, lui rendaient les lieux familiers. Les passants les saluaient, et le vieux leur répondait d'une brève inclinaison de la tête. Certains regardaient la bosse au fond de la charrette et demandaient des nouvelles avec leurs yeux. L'homme leur répondait en hochant sa tête de droite à gauche. Voulait-il leur dire que les choses n'allaient pas bien du tout ? se demanda Kostine.

Brusquement, la charrette s'arrêta devant une cour déserte, dont la maison était située au bout d'une allée mal entretenue. Sur le seuil se trouvait un vieil homme qui, apparemment, les attendait depuis longtemps.

Kostine le reconnut immédiatement : c'était le vieux professeur qui, dix-sept ans auparavant, l'avait vendu aux recruteurs de l'armée.

Du fond de la charrette, la femme se leva. Elle plia la couverture et descendit lentement. Sabina prit le bras de Kostine et lui dit :

— Te voilà !

Une semaine plus tard

Les femmes s'étaient réunies autour d'un feu au-dessus duquel un chaudron en ébullition laissait échapper des arômes appétissants. Elles étaient assises sur de petites chaises, les plis de leurs amples jupes noires traînant par terre. Certaines restaient la tête découverte, laissant voir les fils blancs de leurs tresses. Les Slavins les entouraient de tous côtés pour écouter leurs histoires.

La première à parler fut Pantana. Elle dit aux femmes comment, un soir, elle avait pris un couteau et avait coupé le pénis de Diran, son vieux mari qui la soumettait à ses perversions afin de satisfaire ses vices. Attaché au lit, il avait saigné comme un cochon, mais personne ne pouvait l'entendre. Il avait expiré vers l'aube, vidé de son sang et de son énergie. Elle avait passé toute la journée à nettoyer et à brûler des draps et des caleçons. Sachant que Dourma n'était pas dans les parages, Pantana avait pris tout son temps avant d'alerter Onou.

Elle fut suivie par Vava qui avait tué Nifon en lui faisant crever le cœur de peur. Une nuit, alors qu'il revenait des latrines, elle lui était apparue déguisée en Satan, tel que son mari le voyait souvent dans ses rêves, habillé de hardes, les yeux cernés de noir, le visage blême, les cheveux hirsutes, le dos voûté. Lorsqu'il avait voulu monter au lit, elle avait sauté derrière lui avec des cris de chat enragé, de corbeau chassé, de cochon égorgé. Elle l'avait même secoué violemment, ce qui l'avait fait s'effondrer sans souffle sur le plancher. Pour convaincre Onou de démolir la maison et de la laisser partir, elle avait creusé un trou profond au milieu de la chambre et l'avait rempli de chauves-souris. Lorsque l'homme avait enlevé le couvercle, libérant les animaux affamés, il n'avait pas douté avoir ouvert les portes de l'Enfer.

Zabela, restée célibataire, avait eu sa part dans la mort de Veres. Suivant le conseil de sa sœur, un soir d'hiver elle était sortie parler à l'ivrogne. Elle lui avait dit qu'elle allait finalement venir le rencontrer pour la chose qu'il désirait le plus, mais que cela devait se faire au moment où toute la maisonnée serait endormie. Il devait donc l'attendre dehors, derrière la clôture, le temps nécessaire, ce que Veres avait juré de faire. Il s'était étendu sur la neige, se protégeant de sa touloupe contre le froid mordant. C'est comme cela que les villageois l'avaient trouvé gelé, deux jours plus tard.

Antim avait disparu pendant les inondations, mais qui aurait soupçonné Gostana d'avoir régi son agonie? Avertie par la belle-famille de l'arrivée des crues, elle s'était tirée doucement du lit et avait fermé la porte de la chambre où son mari ronflait. Dehors, malgré l'eau froide qui lui montait aux genoux, elle avait pris le temps de le barricader, en poussant contre la porte un sac de farine, et d'attacher la poignée à l'aide d'un ruban de chanvre. Antim avait été emporté par les crues avec les décombres de la maison.

Aspasia reproduisit la colère de Kalinic, le mari de Zaza, lorsqu'un soir elle s'était rendue chez eux leur dire que celui qui avait volé leurs gages était son propre mari. Elle avait ajouté que Varlam les avait déjà vendus et en avait tiré un bon profit. Ce coup avait été monté avec Zaza, qui avait vidé le magasin en cachette et avait emporté tous les objets au bord de l'eau pour les faire couler au fond. Kalinic avait guetté le moment où Varlam s'était rendu à la rivière pour y rincer ses peaux; il l'avait égorgé pendant qu'il se reposait au bord de l'eau.

Les épreuves de Sarda avaient été longues, mais elle avait trouvé une maigre satisfaction dans les tortures de Dikran dépossédé de sa vue. Peu après le début de leur vie commune, elle lui avait conseillé le remède utilisé dans son village par les gens à la vue faible: regarder la lumière du soleil pendant quelques brefs instants au moment où l'astre se trouvait au zénith. Ce que le pauvre innocent avait fait de bonne foi. Bien que ses yeux fussent restés clairs comme le ciel, il avait complètement perdu la vue. Pour augmenter sa souffrance, elle avait utilisé un poison préparé par Flora qui irritait ses yeux et les enflammait au point de les faire sortir de leurs orbites. Ce qui l'avait achevé, toutefois, avait été le coup assené sur sa tête avec une poêle portant encore la graisse et la suie de sa dernière utilisation. Secondée par Olimpia, qui surveillait les environs, elle avait frappé Dikran par-derrière, alors qu'elle faisait semblant de lui arranger le col de sa chemise. Un seul coup avait suffi pour l'achever. Plus dur avait été de convaincre le village que ce crime était l'œuvre d'étrangères vengeant l'égarement de leurs maris qui avaient joint les rangs de la secte de Dikran.

Vergina avait eu besoin de l'aide de Sarda pour venir à bout de Satenik. Depuis qu'elle avait déménagé dans la maison, les deux femmes attendaient patiemment l'arrivée de l'hiver pour mettre fin aux jours de l'ivrogne. Et le gel tant attendu avait fini par arriver. Un soir de janvier, les deux femmes avaient laissé l'homme s'endormir, puis elles l'avaient tiré à l'extérieur et déposé derrière la clôture, pour que les gens croient qu'il s'était endormi, incapable de rejoindre la maison. Ce qu'ils avaient effectivement cru, car, bizarrement, personne ne s'était interrogé sur le fait que Satenik ne portait pas sa touloupe en plein hiver.

Rada avait eu la tâche de tuer d'abord son enfant. Le samedi où sa belle-mère lui avait donné le bain, Rada l'avait étouffé avec un oreiller, entre deux courses au puits. Pour se débarrasser de Bassarab, elle avait eu besoin de l'appui des deux bergères. Un jour, elle avait cherché son mari dans le champ, soi-disant pour se réconcilier avec lui. Elle lui avait dit qu'elle en avait assez de leurs disputes au sujet des fantômes du passé, et qu'il devait lui faire l'amour sur place, à l'heure du midi, pendant que personne ne s'aventurait dans les parages. Efstratia et Théodora les attendaient, cachées derrière un arbre. Théodora lui avait donné un coup sur la nuque, à l'aide de sa canne, mais cela ne l'avait pas tué. Elles l'avaient enduit du sang d'un agneau sacrifié sur place et l'avaient attaché à un arbre. Les loups avaient fait le reste du travail pendant la nuit.

Nafina n'avait eu besoin d'aucun soutien pour mettre son plan à exécution. Elle n'avait eu qu'à renverser une grande marmite d'huile sur Miran, alors qu'il était penché pour souffler sur les tisons. Le liquide brûlant, en plus d'avoir cuit sa poitrine, avait attisé la braise, et les flammes avaient léché son visage. Avant de commencer à crier à l'aide, Nafina avait assisté à l'agonie de Miran, assise dans un coin de la pièce.

Zaza s'était aussi bien débrouillée toute seule. Lorsque les deux prêteurs avaient libéré Vartan de son service, Kalinic dormait, selon le conseil de sa femme, à l'intérieur de la remise vide, qu'on protégeait comme si elle était encore pleine de gages. Au milieu de la nuit, Zaza avait barricadé la porte et avait mis le feu.

Efstratia avait eu besoin de Kira pour se débarrasser de Vartan. Celle-ci avait dit à Stratonic que leur gardien de nuit lui faisait secrètement la cour, lui proposant de le retrouver la nuit, dans sa guérite. Jaloux, le mari s'était rué sur Vartan alors qu'il sommeillait. Kira avait entendu les jurons que son mari avait proférés en enfonçant son couteau dans la gorge du gardien.

Olimpia avait pris son temps avant de convaincre son fou de mari de se pendre. L'esprit de Bitar s'égarait de jour en jour, mais il n'aurait jamais eu l'initiative de passer son cou à travers le nœud. La femme avait dû lui répéter sans cesse de mettre fin à ses souffrances en ce bas monde et de rejoindre ses amis là-haut.

La fin du gros Ermil était prédestinée par sa passion pour les pigeons, même si leur élevage avait causé à Théodora beaucoup d'ennuis. Elle avait supporté leurs fientes et leurs roucoulements, car ils étaient ses meilleurs alliés. Une nuit, elle était montée sur l'échelle et avait scié le barreau du haut. Le lendemain, lorsque son mari était monté abreuver les pigeons, les mains occupées par le seau et le broc de graines, il n'avait pas pu maintenir son équilibre, et s'était écrasé par terre.

Flora était l'alliée de tout le monde. Bien qu'elle aurait pu se débarrasser de son mari rapidement, elle avait dû rester dans le village aussi longtemps que nécessaire, car c'était elle qui colportait les nouvelles de l'une à l'autre et qui appuyait leurs projets. La fin approchant, pour se débarrasser de son mari, elle n'avait eu qu'à répandre la rumeur que sa maison était en feu pour que les gens y rentrent et découvrent Teotin, le visage défiguré par les furoncles, dont le pus était régulièrement alimenté par du poison. Il avait couru se noyer, selon les conseils maintes fois répétés de Flora, afin de laver sa honte.

Pour échapper à Stratonic, Kira avait répété le même scénario qu'avec Vartan. Cette fois-ci, elle avait dit à Cosman que son mari avait eu vent de leur liaison et qu'il voulait le tuer. L'amant n'avait pas eu d'autre choix que de mettre en scène son départ, et de revenir secrètement au village pour surprendre Stratonic aux toilettes.

Minodora avait été la dernière à tuer son mari. Son hésitation avait enragé les deux femmes qui l'attendaient pour rentrer dans leur village. Finalement, elle avait consenti à en appeler aux services de Kazaban pour qu'il la débarrasse de Cosman lors de leur prochain voyage. Connaissant la cupidité du marchand, il n'y avait aucun doute que le travail avait été correctement achevé. Elle ne sut jamais comment son mari était mort, mais cela ne la préoccupait pas du tout.

Kostine se dirigeait à pied vers le village des Comans, suivi par Sabina. La charrette où son père avait chargé sa dot était tirée par deux chevaux qui suaient sous le poids. Dès qu'il vit les toits des premières maisons, Kostine dit à la jeune femme :

— On va d'abord aller chercher la robe que Kira et Minodora ont choisie pour toi.

Table des matières

GARANT DES FORÊTS
INTACTES

Achevé d'imprimer en septembre deux mille onze
sur les presses de Marquis Imprimeur,
Montmagny, Québec